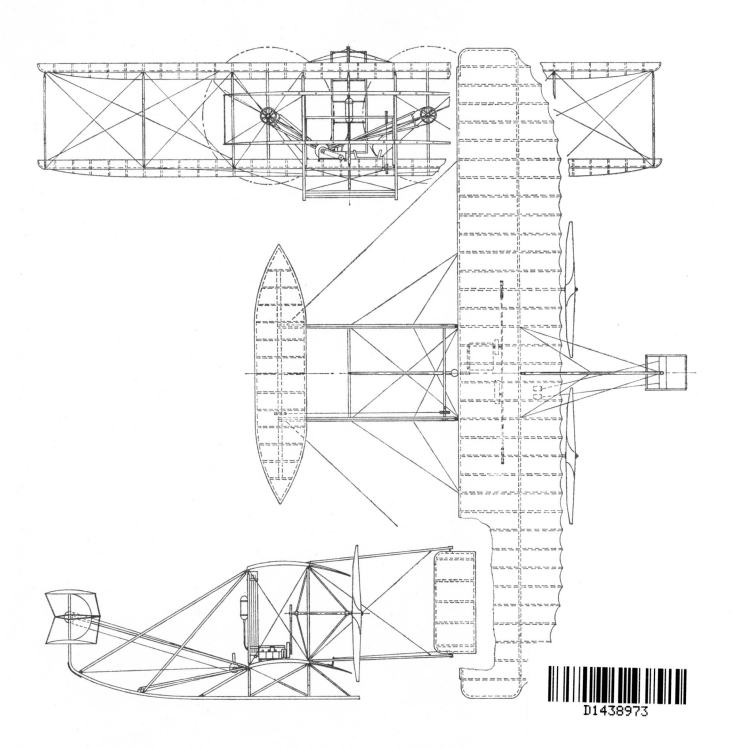

Spannweite 12,34 m;
Länge 8,53 m;
Höhe 2,90 m;
Flügellänge 46,73 m²;

«Flyer III»
⟨1904/05⟩

Startmasse 388 kg;
Geschwindigkeit 56 km/h;
Motor: wassergekühlter 20-PS
⟨14,7 kW⟩-Wright-Reihenmotor

Günter Schmitt

Fliegende Kisten

transpress
VEB Verlag für Verkehrswesen
Berlin

Günter Schmitt

FLIEGENDE KISTEN

von Kitty Hawk bis Kiew

Eine internationale Übersicht der Anfänge des Motorfluges

© 1985 by transpress VEB Verlag für Verkehrswesen
1086 Berlin, Französische Straße 13/14
1. Auflage 1985
VLN: 162-925/134/85   LSV: 3879
Lektor: Hans-Joachim Mau
Schutzumschlag und Einband: André Wendt
Typografie: André Wendt
Zeichnungen: Klaus Huhndorf
Gesamtherstellung: Druckerei Markneukirchen III-23-3
Printed in the German Democratic Republic
Best.-Nr.: 566 673 8
02980

Bevor Sie weiterblättern ...

Als der Mensch begann, sich in die Lüfte zu erheben, in dem Versuch, es den Vögeln gleichzutun, war jedes dieser Experimente ein bewegendes Ereignis. Heute umkreisen bemannte Raumschiffe unseren Planeten, damals eilten Nachrichten um die Erde, wenn es wieder einmal jemand geschafft hatte, einige Sekunden oder Minuten mit seinem Flugapparat vom Boden abzuheben und in einigen Zentimetern oder wenigen Metern Höhe zu fliegen.

Es waren die Kinderjahre des Motorfluges, in denen kühne Erfinder und Flieger mit ihren oft eigenartig geformten fliegenden Kisten für Schlagzeilen in der Presse sorgten. Völlig berechtigt, denn man beschritt technisches Neuland, das mannigfaltige Gefahren bedeutete. Der Weg in die Lüfte war nicht nur beschwerlich, sondern auch opfervoll. Diese ersten Konstrukteure und Flieger, die unter persönlichem Einsatz den überaus risikoreichen Weg gingen und das vollbrachten, was Generationen vor ihnen nur zu erhoffen vermochten, gehören zu den Pionieren des Motorfluges. Als solche wurden sie auch angesehen, bestaunt oder bewundert — und immer seltener belächelt.

Die gewaltige Faszination, die diese Anfangsjahre des Motorfluges begleitete und Tausende, Zehntausende, sogar Hunderttausende von Zuschauern zu den Flugfeldern zog, die dichtgedrängt mit eigenen Augen sehen wollten, was noch unglaublich schien, ist eigentlich nur dadurch erklärbar, daß sich damals ein Menschheitstraum zu erfüllen begann: Der Mensch baute künstliche Flügel und erhob sich, von Motoren angetrieben, in die Luft. Das hatte es vorher nicht gegeben.

Diesen Flugapparaten und ihrer Entwicklung wollen wir uns zuwenden, aber

auch ihren Konstrukteuren sowie den Erfolgen und Mißerfolgen, die erreicht wurden oder hingenommen werden mußten. Im Mittelpunkt der Betrachtung stehen jene Flugzeuge, die in den ersten Jahrzehnten des Motorfluges entstanden sind und so beschaffen waren, daß der Flugzeugführer gänzlich oder teilweise im Freien sitzen mußte. Das damit verbundene Wissenswerte soll nicht allein beschrieben, sondern mit dokumentarischen Fotos, Zeichnungen und technischen Daten, soweit sie recherchiert werden konnten und als zuverlässig gelten, auch anschaulich gemacht werden.

Die Darstellung geht von interessanten Luftfahrzeugprojekten und Versuchsapparaten aus, die bis in die Nähe des Motorfluges führten, und sie konzentriert sich darauf, die Anfänge des Motorfluges in jenen Ländern zu kennzeichnen, aus denen seinerzeit bedeutende Beiträge für flugtechnische und fliegerische Fortschritte hervorgegangen sind. Dazu werden ausgewählte Konstrukteure und Experimenteure sowie Flugzeugmuster vorgestellt, die stark verbreitet, sehr erfolgreich oder besonders originell waren und auf diese Weise jene Anfänge zu repräsentieren vermögen. Die Entwicklung wird im wesentlichen bis zum Beginn des

ersten Weltkrieges nachgezeichnet. Bei der näheren Betrachtung ausgewählter deutscher Flugzeugwerkstätten und -fabriken werden die Kriegsjahre einbezogen.

Mit alledem, wie auch durch die Schilderung seinerzeit aufsehenerregender Erstflugleistungen, kann das Buch sowohl dem luftfahrthistorisch als auch dem luftfahrttechnisch aufgeschlossenen Leser eine willkommene Lektüre und Informationsgrundlage sein.

Die verwendeten Fotos sind luftfahrtgeschichtliche Zeitdokumente. Sie entstammen zumeist alten Büchern, Broschüren, Zeitschriften und Werbedrucken. Die Flugzeugtypenzeichnungen, soweit sie nicht als farbige Grafiken von Herrn Klaus Huhndorf maßstabsgetreu und mit großer Sachkenntnis angefertigt wurden, sind fast ausschließlich Originalwiedergaben. In wenigen Fällen handelt es sich um Rekonstruktionen aus luftfahrttechnischen Schriften der damaligen Zeit. Auf diese Weise waren Verlag, Autor und Grafiker gleichermaßen darum bemüht, den dokumentarischen Wert zeitgenössischer Abbildungen von Flugmaschinen, Ereignissen und Vorgängen zu erhalten.

Beim Sammeln des Materials für dieses Buch haben mehrere Luftfahrtfreunde wertvolle Hilfe geleistet, vor allem Herr Dr. Claus Albers ⟨Berlin⟩, Herr Eberhard Bernhardt ⟨Potsdam-Sakrow⟩, Herr Helmut Fischer ⟨Berlin-Johannisthal⟩, Herr Martin Haller ⟨Woltersdorf⟩, Herr Kurt Hölzchen ⟨Berlin-Johannisthal⟩, Herr Karl-Heinz Krieger ⟨Suhl⟩ und Herr Klaus Wartmann ⟨Mahlow⟩. Ihnen und allen anderen, die detaillierte Recherchen bereitwillig unterstützt haben, möchte der Autor an dieser Stelle danken.

Doz. Dr. sc. Günter Schmitt

Inhaltsverzeichnis

Ideen, Entwürfe und Experimente

Bevor der Motorflug begann, hatte es eine kaum überschaubare Anzahl von Entwürfen, Modellen und Erprobungsmustern gegeben, hatten ungezählte Versuche mit angeschnallten Flügelpaaren und mit Gleitflugapparaten stattgefunden – von Mauern, Türmen, Felsvorsprüngen oder Hügeln. Die meisten dieser ersten Versuche mißglückten. Dann immer ernteten die mutigen Erfinder mehr Hohn und Spott als Anerkennung und Zuspruch. Trotzdem war das eine unvermeidliche Entwicklungsetappe, denn der Weg zum Fliegen mußte über das Projektieren und Probieren und auch über Irrtümer führen. Alle diese alten Entwürfe, Projekte und Flugapparate sind Erkenntnisschritte auf dem Wege zum Motorflug. Und das macht sie so besonders interessant.

Leonardo da Vinci

Studienobjekt derer, die fliegen wollten, war von Anfang an die Natur. Die frühesten Aufzeichnungen sind von Leonardo da Vinci aus dem Jahre 1505 überliefert. In seinem Manuskript untersucht er die Möglichkeit, Fledermausflügel nachzubauen und für einen Schwingenflugapparat zu verwenden, der durch menschliche Muskelkraft in Bewegung gesetzt werden sollte.

Alphonso Borelli

Reichlich anderthalb Jahrhunderte danach erklärte 1680 der italienische Physiker Alphonso Borelli in seiner Schrift «Über die Bewegung der Tiere», daß Fliegen mittels menschlicher Muskelkraft gänzlich unmöglich sei, weil das Gewicht der Muskeln, die den Vögeln zum Flügelschlagen dienen, ein Sechstel ihres Kör-

Alexander Fjedorowitsch Moshaiski baute das welterste Motorflugzeug ⟨1882/83⟩, mit dem Flugversuche stattfanden

pergewichtes betrage, und weil das Gewicht der entsprechenden menschlichen Muskeln nicht einmal ein Hundertstel des menschlichen Körpergewichtes sei. Daraus zog er im Hinblick auf die bekannte Ikarus-Legende den Schluß, «daß die Erfindung des Ikarus vollständig sagenhaft ist, denn man kann weder die menschlichen Muskeln verstärken, noch das Körpergewicht vermindern».

Samuel Pierpont Langley

Später wurden diese Überlegungen von dem amerikanischen Forscher Samuel Pierpont Langley aufgegriffen. Er kam wiederum zu einer gegenteiligen Schlußfolgerung, denn er erklärte, je größer eine Kreatur sei, desto geringer sei der nötige Luftraum, der ihr Gewicht trage. Zum Beweis führte er eine Tabelle an,

in der er die Flügeloberfläche zum durchschnittlichen Gewicht der Tiere ins Verhältnis setzte. Im Vergleich mit dem Normalgewicht eines Mannes errechneten daraus einige, daß der Mensch «mit einem Flügelpaar von 4,3 m²» auskäme.

Die einen hielten es also für möglich, mit künstlichen Flügeln zu fliegen, andere nicht. Wegen solcher gegensätzlicher theoretischer Ansichten spielte es gar keine Rolle, daß die meisten Experimenteure bis etwa gegen Ende des vorigen Jahrhunderts die Ausarbeitungen ihrer Zeit zum Flugproblem gar nicht kannten. ⟨Die wichtigsten werden in einer Tabelle genannt.⟩ So gingen zunächst die vielfältigen experimentellen Lösungsversuche immer weiter, und ein Mißerfolg reihte sich an den anderen.

Albrecht Ludwig Berblinger

Der bekannteste Fehlversuch, der literarisch überliefert wurde, war wohl der von Albrecht Ludwig Berblinger, genannt «der Schneider von Ulm». Er baute im Jahre 1810 ein Schwingenfluggerät, sprang am 30. Mai 1811 vor einer großen Zuschauermenge bei Ulm von einem Gerüst am Donauufer und stürzte mit seinem Flugapparat in den Fluß, wo er von Zuschauern gerettet werden mußte.

Karl Friedrich Meerwein

Im Jahre 1782 war ein Aufsatz des badischen Baumeisters Karl Friedrich Meerwein erschienen: «Die Kunst, nach der Art der Vögel zu fliegen». Darin setzte sich der Verfasser mit einigen voreilig abgegebenen «gelehrten Gutachten» seiner Zeitgenossen auseinander, in denen nicht nur erklärt worden war, der Mensch könne

mit künstlichen Flügeln nicht fliegen, sondern zudem behauptet wurde, daß der
Mensch auch mit besonderen Apparaten
nie zum Fliegen wie ein Vogel imstande
sei. Dagegen wandte sich Meerwein und
verwies darauf, daß der Mensch gerade
mit Hilfe solcher «besonderen Apparate»
sowie seines Geschickes und Verstandes
größere Lasten hebe als der Elefant,
geschickter baue als der Biber, weiter
schwimme als der Walfisch und schneller
reise als der flüchtigste Hirsch laufen
kann. Dann erklärte er, daß «der Kolibri
und Adler, ja, sogar die Mücke sich in die
Luft erhebt und fliegt, und dem Menschen,
dem vernünftigen Herrn der Erde, dem
Gotte der Tierwelt, diese Bewegungsart
noch abgeht». Der Grund dafür liege, so
begründete er, eben gerade im bisherigen Fehlen eines geeigneten Flugapparates. Dessen Konstruktion hat er selbst
versucht. Seinen Berechnungen zufolge
mußte die Größe der Tragflächen etwa
12 m² betragen.

Alle Versuche jener Zeit liefen letztend-
lich darauf hinaus, daß der Mensch von
Hügeln starten und ein Stück fliegen könne, aber vorerst nicht von ebener Erde,
wie es Vögel gewöhnlich tun. Dazu war
offenbar nicht nur ein besonderer Apparat nötig, sondern auch ein besonderer
Antrieb. Eine Lösung schien nahe zu
sein, als der englische Ingenieur James
Watt im Jahre 1782 die erste brauchbare
Kolbendampfmaschine baute und sich
zwei Jahre später seine «doppeltwirkende
Dampfmaschine mit Drehbewegung und
Schwungrad» patentieren ließ. Flugmaschinen und Luftdampfkutschen kamen
nun ins Gespräch.

William Samuel Henson

Eine Luftdampfkutsche 〈Aerial Steam
Carriage〉 entwarf dann tatsächlich im
Jahre 1842 der englische Ingenieur William Samuel Henson. Im Text seiner Patentschrift bestimmte er den Zweck seiner
Konstruktion mit dem «Transport von Brie-
fen, Gütern und Passagieren von Ort zu
Ort». Das Patent, im November 1842 in
London beantragt, wurde am 29. März
1843 unter der Registriernummer 18429478
erteilt. Es war das erste Motorflugzeug-
patent der Luftfahrtgeschichte. Die Übersichtszeichnung aus der Patentschrift läßt
erkennen, daß der Entwurf alle Baugrup-
pen berücksichtigt, die uns von modernen
Flugzeugen bekannt sind: Tragwerk,
Rumpfwerk, Leitwerk, Fahrwerk, Steuer-

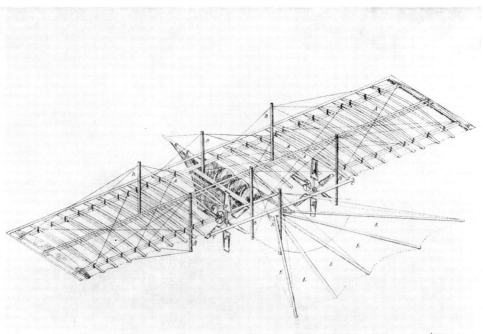

werk, Triebwerk. Als Propeller waren zwei
sechsblättrige Druckluftschrauben vorgesehen und gegenläufig angeordnet.

Wir wollen hier nicht auf Mängel des
Projektes näher eingehen, die vor allem
im Fehlen einer Quersteuerung und darin
bestanden, daß Henson den Leistungs-
bedarf für seinen Luftriesen erheblich un-
terschätzte; er hatte eine Hochdruck-
dampfmaschine mit einer Leistung von
nur 25 bis 30 PS 〈18,4 bis 22,1 kW〉 vorgesehen (eine Leistung, die 70 Jahre spä-

Dampfflugmaschinenprojekt von
Joseph W. Kaufmann 〈1868〉

Übersichtszeichnung der Luftdampfkutsche in der Patentschrift von Henson
〈1842〉; der Flugriese war nach den
folgenden technischen
Daten projektiert:
Flügelfläche 418 m²; Höhenleitwerk-
fläche 139 m²; Spannweite 45 m;
Flächentiefe ca. 9 m; Flugmasse
1360 kg; Antrieb: 25/30-PS 〈18,4/
16,2 kW〉-Hochdruckdampfmaschine

ter gerade für den leichten zweisitzigen Grade-Eindecker reichte). Interessant ist vielmehr, daß sich Henson vom Spott seiner Umwelt nicht beeindrucken ließ und gemeinsam mit John Stringfellow sowie anderen Finanzkräftigen eine Luftverkehrsgesellschaft «Aerial Transit Company» zur Flugzeugbaufinanzierung und Flugzeugpatentverwertung gründete. Mit Werbeprospekten suchten sie Auftraggeber und knüpften dabei an kommerzielle Interessen in der damals vorherrschenden Kolonialmacht Großbritannien an, wie beispielsweise mit einer Broschüre, die den Titel trug: «Die volle Bedeutung und die Besonderheiten der Luftdampfkutsche, mit der man Passagiere, Truppen, Güter und Regierungsbotschaften in wenigen Tagen nach China und Indien zu transportieren beabsichtigt». Aber es fand sich kein Auftraggeber. Das Flugzeug ist damals nicht gebaut worden, heute steht ein Nachbau im Britischen Museum in London.

Joseph W. Kaufmann

Eine andere Konstruktion, eine Schwingenflug-Dampfmaschine, ließ Joseph W. Kaufmann im Jahre 1867 in Paris patentieren. Zeichnungen stellte er ein Jahr später in London aus. Ein Berichterstatter schrieb über das Projekt: «Von Flügeln ist nun eine so erkleckliche Anzahl da, daß man glauben möchte, der Erfinder habe durch die Zahl gutmachen wollen, was den Schwingen an wahrer Ähnlichkeit mit Vogelflügeln abgeht ... Die Flügel sollen 150 bis 200 Schläge in der Minute machen und eine Geschwindigkeit von 12 Meilen in der Stunde erreichen.» Auch dieser Entwurf ist nie gebaut worden.

Alexander Fjedorowitsch Moshaiski

Gebaut hingegen wurde eine andere Flugmaschine, und zwar die des russischen Marineoffiziers Alexander Fjedorowitsch Moshaiski. Im Jahre 1881 war ihm das Patent für seine Eindeckerkonstruktion erteilt worden. Bis 1882/83 beendete er den Bau des ersten Motorflugzeuges, mit dem auch Versuche stattgefunden haben. Die Grundidee hat Moshaiski wie folgt gekennzeichnet: «Mein Apparat, der aussieht wie ein Vogel mit festen ausgebreiteten Flügeln und einer Schwanzflosse, kann dergestalt gebaut werden, daß er die Bedingungen, die zum Gleiten

Modell des Moshaiski-Eindeckers

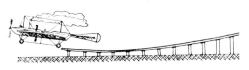

Anlaufbrücke für die Erprobung der Moshaiski-Flugmaschine

in der Luft notwendig sind, selbst schafft und aufrechterhält, sowohl in bezug auf das Verhältnis zwischen Flächeninhalt und Schwere als auch in bezug auf die Erzielung einer ausreichenden Geschwindigkeit ...» Diesen Apparat hat sein Konstrukteur, die Patentzeichnung erläuternd, folgendermaßen beschrieben: «Das von mir entworfene Fluggerät besteht aus:
1. einem Bootskörper, welcher der Unterbringung von Maschinen und Insassen dient;
2. zwei festen Flügeln;
3. einem Schwanzleitwerk, das hinauf- und herunterklappen kann und die Änderung der Flugrichtung nach oben oder nach unten herbeiführt, genau wie man mit dem auf dem Schwanzleitwerk nach links und rechts beweglichen senkrecht angebrachten Blatt eine Kursänderung in der Seitenrichtung erzielt;
4. einem großen Vorderpropeller;
5. zwei kleinen Propellern am hinteren Teil des Apparates, denen die Aufgabe zufällt, ... Links- und Rechtsdrehungen (gegensinnige) zu vollführen;
6. einem vierrädrigen Wagen, der unter dem Bootskörper lagert und die Auf-

gabe hat, den genannten Flugapparat auszubalancieren; er muß ferner dafür sorgen, daß der mit Tragflächen und Schwanzflosse etwa vier Grad zum Horizont geneigte und mit dem Bug aufwärtsstehende Apparat zuerst gegen den Wind am Boden starten und die Geschwindigkeit erreichen kann, die zu einem Gleiten in der Luft erforderlich ist;
7. zwei Masten, die der Befestigung der Tragflügel, zum Zusammenhalt des gesamten Apparates über seine Länge hinweg sowie dem Anheben der Schwanzflosse dienen.»

Dem von Moshaiski gebauten Flugapparat lag die Konzeption eines zweimotorigen (von zwei Dampfmaschinen angetriebenen) Flugzeuges zugrunde, das von insgesamt drei Luftschrauben angetrieben wurde. Eine große Luftschraube befand sich vor dem Bug. Zwei kleinere rotierten zu beiden Seiten des Rumpfes; dafür waren die Tragflächen entsprechend ausgespart worden. Die beiden kleineren Luftschrauben drehten sich gegenläufig, indem der Antriebsriemen einer Seite gekreuzt worden war. Die gleiche Lösung fanden später die amerikanischen Mechanikerbrüder Wright, die durch das einseitige Kreuzen der Antriebskette die Gegenläufigkeit der beiden Luftschrauben ihres Motorflugdoppeldeckers bewirkten.

Der Moshaiski-Eindecker war der erste Motorflugapparat, der jemals gebaut und erprobt wurde. Als Starthilfe hat der Konstrukteur eine sprungschanzenartige Anlaufbrücke gebaut. Dieses Startgerät stellte er auf dem Krasnosselsker Truppenübungsplatz auf, wo ihm für seine Versuche ein Gelände zugeteilt worden war, das er mit einem hohen Bretterzaun umgab. Der erste Flugversuch mißlang. Der Flugapparat sauste über die Startvorrichtung, hielt sich kurze Zeit in normaler Lage in der Luft, kippte dann aber über eine Seite ab, stürzte zu Boden, kollidierte außerdem mit einem Hindernis und wurde stark beschädigt.

Wenn man davon absieht, daß dies der erste Flugversuch war, für den folglich noch keinerlei Erfahrung zur Steuerung in der Luft vorlag, haben zumindest die folgenden drei Ursachen den Sturz begünstigt: die zu geringe Leistung der beiden Dampfmaschinen von insgesamt 30 PS ⟨22,1 kW⟩ im Verhältnis zur Startmasse von 993 kg des Flugapparates, das Fehlen jeglicher Quersteuerung, die Unausgeglichenheit der Rotation dreier Luftschrauben, von denen nur eine der beiden kleineren gegenläufig drehte.

Im Jahre 1886 begann Moshaiski, leistungsstärkere Antriebsmaschinen zu entwickeln. Um die Arbeiten finanzieren zu können, verkaufte oder verpfändete er seine Güter in der Ukraine und im Gouvernement Wologda und veräußerte schließlich seine sämtlichen Wertgegenstände. Trotzdem konnte er die Entwicklungsarbeiten nicht erfolgreich beenden. Er starb am 20. März 1890.

Hiram Stevens Maxim

Einen anderen Weg ging der angloamerikanische Ingenieur Hiram Stevens Maxim. Als Rüstungsindustrieller bekanntgeworden und «Kanonenkönig» genannt ⟨unter anderem Erfinder des ersten Maschinengewehrs, des nach ihm benannten Maxim-MGs⟩, war er Inhaber von 122 amerikanischen und 149 britischen Patenten. Einen Teil seines Vermögens investierte er im Bau von Versuchsflugzeugen. Er sah im Flugzeug von vornherein ein Kriegsgerät und ließ im Jahre 1891 auf seinem Landgut ein Flugzeugmonstrum bauen, dessen Größe und Gewicht lange Zeit nicht übertroffen wurde.

Der Fünfdecker besaß eine große mittlere Haupttragfläche von 14 m Länge, 15 m Breite und 210 m² Flächengröße sowie weitere vier Tragflächenpaare. Die Gesamttragflächengröße erreichte annähernd 300 m². Die Plattform zur Aufnahme von Personen und Lasten hatte eine Länge von 12 m und eine Breite von 2,4 m. Der Riesenapparat hatte mit 31,5 m Spannweite, 10,6 m Höhe und 21,3 m Länge etwa die Abmessungen einer zweistöckigen Villa. Das Gesamtgewicht einschließ-

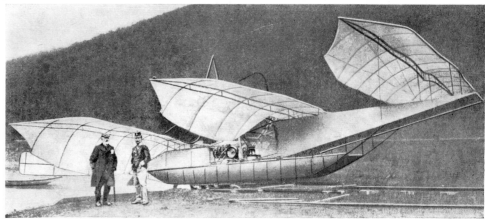

Maxims Riesenzweidecker mit Dampfmaschinenantrieb auf der Gleisbahn ⟨1894⟩

Kress-Tandem-Dreiflächner ⟨1901⟩

lich Brennstoffe, Kühlwasser und drei Mann Bedienung betrug rund 3600 kg.

Nach mehreren Fehlversuchen wurde der Apparat in einen Zweidecker umgebaut. Für den Antrieb waren zwei 180-PS-Dampfmaschinen ⟨132,3 kW⟩ entwickelt worden. Im Jahre 1894 wurde der Zweidecker wie eine Dampflokomotive auf Schienengleise gesetzt. Bei einem der Rollversuche auf der 550 m langen Schienenbahn mit 2,4 m Spurbreite wurde das Fluggerät bei einer Fahrtgeschwindigkeit von etwa 50 km/h durch Auftrieb aus seiner Gleisführung gehoben und beschädigt. Daraufhin stellte Maxim die weiteren Versuche ein, für die er bis zu diesem Zeitpunkt mehr als eine halbe Million Mark ausgegeben hatte.

Wilhelm Kress

Ebenfalls gebaut, und zwar als erstes Flugzeug mit Benzinmotor, wurde die Konstruktion des Österreichers Wilhelm Kress. Sein Flugapparat ist auch als erstes Wasserflugzeug überliefert, wenngleich es nie flog. Bereits seit dem Jahre 1864 hatte Kress Flugmodelle gebaut und damit experimentiert, darunter Hubschrauber- und Schwingenflugmodelle. Im Jahre 1898 wurde in Wien ein «Kress-Komitee» gebildet, das durch Spendensammlungen 20 000 Kronen für den Bau eines Flugzeuges aufbringen sollte. Entworfen hatte Kress einen Tandem-Zweiflächner ⟨zwei hintereinanderliegende Tragflächen⟩, gebaut und im Jahre 1901 fertiggestellt wurde ein Tandem-Dreiflächner.

Die drei Tragflächen waren leicht ansteigend hintereinander gestaffelt und besaßen ein leicht gewölbtes Profil. Hinter den Tragflächen waren Höhen- und Seitenleitwerk angeordnet. Das Flugzeug wurde auf zwei Schwimmer aus Aluminiumblech montiert, deren Kiele zugleich als Schlittenkufen für Versuche auf dem Eis dienen konnten. Ausgestattet mit einem 20/30-PS-Motor ⟨14,7/22,1 kW⟩ der Stuttgarter Firma Daimler wurde das

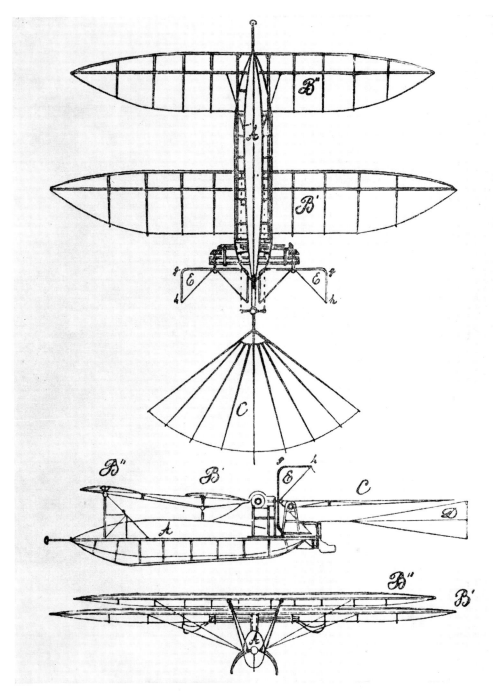

Altmeister des Gleitfluges und
bedeutender Pionier der Luftfahrt an
der Schwelle des Motorfluges:
Otto Lilienthal

Kress-Flugzeug im Spätsommer 1901 auf
einem Stausee (Tullnerbachreservoir) bei
Wien durch Wasserfahrten erprobt. Der
Motor trieb zwei elastische Luftschrauben
an, die sich zwischen dem zweiten und
dem dritten Tragflächenpaar befanden.
Beim vierten Versuch kam es zu einer Havarie, als sich Kress, mit hoher Geschwindigkeit auf dem Wasser gleitend, rasch
der Staumauer näherte und dadurch zu
einem energischen Wendemanöver gezwungen wurde. Dabei kenterte der Ver-

Entwurf des Tandem-Zweiflächners von
Wilhelm Kress (1898)

suchsapparat und versank innerhalb we-
niger Minuten. Kress wurde gerettet. Drei
Tage nach dem Mißgeschick wurde das
Flugzeug aus 8 m Tiefe geborgen.

Zwar begann Kress sogleich mit dem
Bau eines zweiten Flugzeuges, diesmal
gar eines Tandem-Vierflächners, jedoch

waren die finanziellen Mittel im Jahre
1902 restlos verbraucht. Kress mußte seine
Entwicklungsarbeiten einstellen. Seiner
tiefen Enttäuschung darüber gab er in
einer Publikation Ausdruck, die im Jahre
1905 unter dem Titel «Aviatik, wie der
Vogel fliegt und wie der Mensch fliegen
wird» erschien.

Otto Lilienthal

Es fällt auf, daß Henson, Moshaiski,
Maxim und Kress vom Entwurf oder über
Modelle sofort zum Großversuch übergingen. Versuche zur Gleitflugerprobung
unternahmen sie nicht.
Gerade das aber tat Otto Lilienthal, und
er hat damit wohl den bedeutendsten
Schritt getan, der in der ständigen Wech-
selbeziehung und Folge von praktischem
Versuch, theoretischer Erkenntnis und Er-
kenntnisanwendung im erneuten praktischen Versuch bis an die Schwelle des
Motorfluges reichte. Seit dem Jahre 1891,
als Otto Lilienthal von Anhöhen aus
seine Gleitflugapparate zu erproben begann und schon im ersten Jahr Strecken
bis zu 25 m erreichte, wodurch er nicht nur
der erste Mensch war, der dies geschafft,

Otto Lilienthal beginnt einen Start-
anlauf mit seinem Gleiter Nr. 3
⟨Baujahr: 1891; Spannweite 7,5 m;
Flügelfläche 10 m²; größte Flügeltiefe 2 m⟩

sondern es auch unversehrt überstanden
hatte, wurde er in kurzer Zeit der in aller
Welt anerkannte Meister und Lehrmei-
ster des Gleitfluges. Der französische
Flugpionier Ferdinand Ferber schrieb später darüber: Durch «die Versuche Lilienthals ... wurde mir klar, daß dieser Mann
eine Methode entdeckt hatte, fliegen zu
lernen, und daß aus der Anwendung dieser Methode unverzüglich die Flugtechnik
herauswachsen mußte ...»

An Lilienthals Versuche knüpften später auch die beiden amerikanischen Mechanikerbrüder Wilbur und Orville
Wright an. Im Jahre 1902 führten sie in
Kitty Hawk nahezu eintausend Flüge mit
einem Gleitflugapparat aus, bevor sie zu
Motorflugversuchen übergingen. Wilbur
Wright schrieb damals: «Zweifellos haben
andere Männer, lange vor Lilienthal, daran gedacht, Versuche solcher Art anzu-
stellen. Lilienthal aber dachte nicht nur
über die Flugfrage nach, sondern ging zur
Tat über. Dadurch hat er wahrscheinlich
einen größeren Beitrag zur Lösung dieses
Problems geleistet als alle seine Vorgänger.»

Nikolai Jegorowitsch Shukowski, weltbe-
kannter Luftfahrtwissenschaftler und Mit-
begründer der modernen Hydro- und
Aeromechanik, den man den «Vater der
russischen Luftfahrt» nennt, hatte Lilienthal besucht und lobte später den «an-
spruchslosen Weidenapparat des scharf-
sinnigen deutschen Ingenieurs», weil «der
Experimentator» damit, «bei kleinen Flü-

gen anfangend, vor allem die richtige
Steuerung seines Apparates in der Luft
erlernen kann».

Über die Qualitätsarbeit, die für Lilienthals Gleitflugzeuge kennzeichnend war,
ist die Beschreibung des Amerikaners
Robert W. Wood überliefert: «Die Maschine war so ausgezeichnet montiert, daß
man keinen losen Draht finden konnte,
der Baumwollstoff hatte soviel Spannung,
daß er beim Klopfen mit den Fingerknö-
cheln wie eine Trommel klang ... Die
Maschine war nicht zusammengebastelt
von einem Narren, um dann in einer
Jahrmarktbude für zehn Pfennig besich-
tigt zu werden oder nur Material für Zei-
tungsartikel über die Luftschiffahrt zu liefern. Nein: Ihr Konstrukteur war ein be-
fähigter Ingenieur, und sie verkörperte
die Ergebnisse langjähriger erfolgreicher
Flugversuche.»

Mit dem Bau seines ersten Gleitflug-
zeuges begann Otto Lilienthal im Jahre
1889, nachdem er gemeinsam mit seinem
Bruder Gustav die physikalischen Grundlagen des Fliegens untersucht und die
Ergebnisse in seiner Arbeit «Der Vogelflug als Grundlage der Fliegekunst» zu
Papier gebracht hatte. Darin faßte er sei-

ne Überlegungen schließlich in 30 Thesen
zur Konstruktion eines Flugapparates zusammen. Unter anderem heißt es dort
⟨Auszüge⟩:

«1. Die Konstruktion brauchbarer Flug-
vorrichtungen ist nicht unter allen Umständen abhängig von der Beschaf-
fung starker und leichter Motore ...

5. Ein Flugapparat, der mit möglichster
Arbeitsersparnis wirken soll, hat sich
in Form und Verhältnissen genau den
Flügeln der gut fliegenden größeren
Vögel anzuschließen ...

7. Tragfähige Apparate, hergestellt aus
Weidenruten mit Stoffbespannung, bei
etwa 10 qm ⟨m²⟩ Tragfläche lassen
sich bei einem Gesamtgewicht von
cirka 15 kg anfertigen ...

13. Die Flügel müssen im Querschnitt
eine Wölbung besitzen, die mit der
Höhlung nach unten zeigt ...

18. Die Form der Wölbung muß eine para-
bolische sein, nach der Vorderkante
zu gekrümmter, nach der Hinterkante
zu gestreckter.»

In den abschließenden Gedanken seines
instruktiven Buches formulierte er die
Überzeugung, «daß uns die Forschung
und die Erfahrung, die sich an Erfahrung
reiht, jenem großen Augenblick näher
bringt, wo der erste fliegende Mensch,
und sei es nur für wenige Sekunden, sich
mit Hülfe von Flügeln von der Erde erhebt
und jenen geschichtlichen Zeitpunkt herbeiführt, den wir bezeichnen müssen als
den Anfang einer neuen Kulturepoche».

Unter der Nummer D.R.P. 77916 ⟨77⟩
wurde Otto Lilienthal am 3. September
1893 ein Patent auf seinen Flugapparat
erteilt, das sich zu jener Zeit von einer
Vielzahl ähnlicher Anmeldungen in vielen
Ländern vor allem dadurch unterschied,
daß es das erste Patent für ein Flugzeug
war, das sich bei praktischen Flugversuchen bereits bewährt hatte. Ein weiteres
Patent erhielt er für eine verbesserte Trag-
flügelkonstruktion unter der Nummer
D.R.P. 84417 ⟨77⟩ am 29. Mai 1895.

In den Jahren von 1889 bis 1896 hatte
Otto Lilienthal insgesamt 18 Varianten
von Gleitflugzeugen entwickelt, davon
17 vollendet und erprobt. Dabei ist bemerkenswert, daß sich die Berechnungen
Meerweins, die dieser hundert Jahre zuvor über die menschentragende Flügel-
größe angestellt und mit etwa 12 m² angegeben hatte, als richtig erwies. Die von
Otto Lilienthal erfolgreich erprobten Gleiteindecker hatten Flügelflächen zwischen
10 m² und 17,5 m².

Im Jahre 1894 wurde ein Gleit-Schwingenflugapparat fertiggestellt und ausprobiert, der eine Verbindung seines bewährten Eindeckers mit zusätzlichen beweglichen Außenflügeln war. Damit versuchte Lilienthal, einen Konstruktionsgedanken zu verwirklichen, den er bereits in den Thesen seines Buches «Der Vogelflug als Grundlage der Fliegekunst» fixiert hatte. Dort war über seine Vorstellung vom Schwingenflug (von ihm als «Ruderflug« bezeichnet) unter anderem zu lesen:

«21. Beim Ruderflug erhalten die nach der Mitte zu liegenden breiteren Flügelteile möglichst wenig Hub und dienen ausschließlich zum Tragen.

22. Das Vorwärtsziehen zur Unterhaltung der Fluggeschwindigkeit wird dadurch bewirkt, daß die Flügelspitzen oder Schwungfedern mit gesenkter Vorderkante abwärts geschlagen werden ...

24. Die Flügelspitzen sind beim Aufschlag mit möglichst wenig Widerstand zu heben ...

26. An dem Auf- und Niederschlag brauchen nur die Enden der Flügel teilzunehmen. Der nur tragende Flügelteil kann wie beim Segeln unbeweglich bleiben.»

Zunächst hatte Lilienthal das Auf- und Niederschlagen der Außenflügel mittels Muskelkraft konzipiert. Im Jahre 1895 ging er aber zur Verwendung eines Motors für das Gleit-Schwingenflugzeug über. Da ein genügend leichter Benzinmotor noch nicht verfügbar war, baute er einen Kohlensäuremotor ein und erprobte das Gerät von einem Flughügel.

Am 9. August 1896 stürzte Otto Lilienthal in den Rhinower Bergen ab. Schwerverletzt wurde er nach Berlin transportiert und erlag dort am 10. August in der Klinik Ziegelstraße seinen Verletzungen. An seinem Geburtshaus in Anklam wurde eine Gedenktafel angebracht und am 17. Juni 1914 im Lichtenfelder Baegepark ein Lilienthal-Denkmal enthüllt.

In mehr als 2000 Flügen, bei denen er Weiten von etwa 250 m erreichte, hatte Otto Lilienthal einen erfolgversprechenden Weg zur zielstrebigen Lösung des Flugproblems gezeigt. Viele derer, die sich in jenen und in folgenden Jahren mit dem Motorflug beschäftigten, tasteten sich, der Methode Lilienthals folgend, über Gleitversuche an das Fliegen mit Motorflugzeugen heran. Es dauerte nicht mehr lange, da wollte nahezu jeder, der damals experimentierte, als der erste Motorflieger gelten.

Lilienthal-Gleiter Nr. 13, der erste Gleitflugdoppeldecker (Baujahr 1895; Spannweite 5,5 m; Flügelfläche 18 m²)

Lilienthal mit seinem Baumuster Nr. 17, seinem zweiten Gleit-Schwingenflügler (Baujahr 1896; Spannweite 8,7 m; Flügelfläche rd. 20 m²)

An dieser Stelle müssen zwei Überlegungen eingefügt werden, weil es in späteren Jahren zu der Frage, wer mit einem Motorflugzeug als erster geflogen ist, allerlei Streitereien gegeben hat. Erstens erscheint es notwendig, zwischen «Sprüngen» oder «Hopsern» einerseits und «Flügen» andererseits deutlich zu unterscheiden. Zweitens brauchen wir, um diese Unterscheidung vornehmen zu können, eine möglichst konturenscharfe Definition dessen, was im «Sprung» oder «Hopser» und was mit «Flug» gemeint wird.

Nicht schon um die Jahrhundertwende, aber in späteren Jahrzehnten haben sich darüber Standpunkte gebildet, die sich zusammengefaßt in folgender Weise formulieren lassen: Wenn ein motorgetriebenes Flugzeug nach einer Startbeschleunigung und mit Steuereinwirkung vom Boden abgehoben wird und sogleich wieder herunterplumpst oder wenn es von einer natürlichen oder künstlichen Anhöhe ⟨Startrampe⟩ startet und sogleich zur Landung übergeht, dann handelt es sich nicht um einen Motorflug, sondern dafür wurden im deutschen Sprachraum die Bezeichnungen «Sprung», «Luftsprung» oder «Hopser» verwendet. Auch dann, wenn von einem erhöhten Standpunkt mit einem Motorflugzeug gestartet wird, aber der Motor nur bloßes Beiwerk ist, wenn der Flug also lediglich durch die Gleitflugeigenschaften des Gerätes zustande kommt, wird aus dem Gleitflug ebenfalls noch kein Motorflug. Hingegen muß, und diesen Ansichten können wir uns anschließen, ein Motorflug die folgenden zusammenhängenden Bedingungen erfüllen:

— Der Start muß mit eigener Kraft der Antriebsanlage ⟨Motor⟩ ohne oder mit Zuhilfenahme einer Startvorrichtung ⟨z. B. Katapultstart⟩ erfolgen,
— der Flug kann von ebener Erde oder von einer Startrampe aus beginnen,
— der Flugverlauf muß ein vom Flugzeugführer gesteuerter Vorgang sein ⟨also kein bemannter Fesselflug⟩,
— die Fortbewegung des Flugzeuges muß durch die Antriebskraft ⟨des Motors⟩ bewirkt werden ⟨also kein Gleitflug von einer Anhöhe mit weitgehend funktionslos beigefügtem Motor⟩,
— die Landung muß den Flug durch das gesteuerte Aufsetzen des Flugzeuges beenden.

Im Grunde handelt es sich um Kriterien, die auch heute an den Motorflug gestellt werden: gesteuerter Verlauf von Start, Flug und Landung als zusammenhängende Phasen. Damit ist es nun zwar möglich, Luftsprünge mit Motorflugzeugen von Motorflügen zu unterscheiden, aber die Frage zu beurteilen, wer sprang und wer flog, bleibt schwierig genug, wie sogleich an einigen Beispielen zu sehen sein wird.

Clément Ader

Mehreren Berichten zufolge soll der französische Ingenieur Clément Ader seinerzeit der erste Motorflieger gewesen

«Avion III» wurde von zwei Dampfmaschinen mit einer Leistung von je 20 PS ⟨14,7 kW⟩ und zwei Luftschrauben angetrieben ⟨weitere Daten: Spannweite 16 m; Flügelfläche 52,5 m²; Länge 4,25 m; Höhe 2,25 m⟩

Seitenansicht von «Avion III», dessen fledermausartige Flügel zusammengefaltet werden konnten

sein. Einige Luftfahrthistoriker begründen das und bezeichnen Ader daher als den «Vater des Flugzeuges» ⟨père d'avion⟩. Andere bestreiten entschieden, daß Ader je flog. Sein Naturvorbild, das er technisch nachzugestalten versuchte, war die Fledermaus. Im Jahre 1872 baute er ein Muskelkraft-Schwingenflugzeug, in dem sich der Flieger liegend befand. Das Flugzeug hatte eine Spannweite von 7,8 m. Erprobungen blieben erfolglos.

Im Jahre 1889 hatte Clément Ader ein Motorflugzeug fertiggestellt, das er «Avion I» nannte ⟨überliefert ist auch die Bezeichnung «Aeole» für dieses Baumuster⟩. Es hatte eine Spannweite von 14 m und eine Luftschraube, die von einer 20-PS-Dampfmaschine ⟨14,7 kW⟩ angetrieben wurde. Behauptet wird u. a. von H. Hoernes, daß «Avion I» am 9. Oktober 1890 etwa 50 m weit geflogen sei. Nach einem Flugversuch im Jahre 1890 in Armainvilliers wurden die Erprobungen unterbrochen und das Flugzeug wegen ungenügender Flugstabilität umgebaut. Es trug danach die Bezeichnung «Avion II» und soll im Jahre 1891 an gleicher Stelle, im Park von Armainvilliers 100 m weit gelangt sein, und zwar in Gegenwart des französischen Kriegsministers ⟨u. a. nach H. Hoernes⟩. Zumindest hatte jedenfalls die kriegsministerielle Anwesenheit bei dem letzgenannten Versuch dahingehend Erfolg, daß Ader künftig von der französischen Militärverwaltung unterstützt wurde. Er erhielt Zuwendungen in Höhe von mehr als einer halben Million Francs. Seine Arbeiten wurden als militärische Geheimsache behandelt.

Im Jahre 1897 wurde «Avion III» fertiggestellt, nunmehr mit zwei Dampfmaschinen und zwei Luftschrauben ausgestattet. Es besaß ein Dreiradfahrgestell. Leitwerke waren nicht vorhanden; die Steuerung sollte über Flügelverstellungen erfolgen. Am 12. und 14. Oktober 1897 wurde das Flugzeug, von Ader gesteuert, in Satory einer Kommission des Kriegsministeriums vorgeführt. Über den Vorführungsverlauf finden sich in luftfahrthistorischen Quellen widersprüchliche Angaben. Hier drei davon:

— Ader flog «mit dem ⟨Avion III⟩ am 12. Oktober 1897 ca. 1500 m» ⟨H.Hoernes⟩.

— Ader baute drei Flugzeuge, «deren letztes am 14. Oktober 1897 sich auf einer Strecke von 250 bis 300 m tatsächlich, wenn auch kaum merklich, über den Erdboden erhob. Erst durch ein Schreiben vom 1. Dezember 1901 des Generalmajors Mesnier an den General Roques, dem damals das französische Flugwesen unterstand, ist diese Tatsache einwandfrei festgestellt worden» ⟨P. Supf⟩.

— Ader führte «Avion III» am 12. und 14. Oktober 1897 einer Kommission vor, der zwei Generale angehörten. «Eine Kreisbahn von 450 m Durchmesser und 40 m Breite war für diesen Zweck extra hergerichtet worden ... Bei der Beschleunigung hob es für kurze Momente vom Boden ab, dann wurde durch eine Windböe eine Flügelhälfte auf den Boden gedrückt und das ganze Gerät schwer beschädigt. Die Kommission stellte in ihrem Bericht lakonisch

fest, daß der ⟨Avion III⟩ nur kurze Hopser gemacht habe und fällte ein negatives Urteil. Daraufhin wurde jegliche finanzielle Unterstützung eingestellt.» ⟨G. Wissmann⟩

Clément Ader hat jedenfalls seine Versuche, nachdem das letzte Baumuster bei der Vorführung zerstört wurde, aufgegeben.

Jatho-Zweidecker I ⟨1903⟩: Flügelfläche 36 m²; Spannweite 8 m; größte Flächentiefe 3,6 m; Motor: 9/12-PS ⟨6,6/8,8 kW⟩-Buchet-Motor mit Druckpropeller

Jatho-Zweidecker III ⟨1907⟩ mit Dreiradfahrwerk: Flügelfläche 51,8 m²; Motor: 30-PS ⟨22,1 kW⟩-Körting-Luftschiffmotor

Fahrgestell (vierrädrig) mit Motor
und Druckpropeller des Jatho-Zwei-
deckers II (1904)

Jatho-Zweidecker IV (1907/08,
mit Karl Jatho am Steuer)

Karl Jatho

In manchen Quellen wird der damals
in Hannover lebende Karl Jatho als derjenige bezeichnet, dem der erste Flug in
der Motorfluggeschichte gelang. Aber
auch diese Behauptungen sind heftig um-
stritten, zumal geschildert wird, daß er,
wenn er flog, mit seinem selbstgebauten
Motorflugzeug von Anhöhen startete, wodurch der Flug nicht durch die Antriebskraft eines Motors zustande kam, sondern
durch den Gleiteffekt, den jeder flug-
fähige Gleiter auch ohne Motorkraft erreicht. Das muß bedacht werden, wenn
gelegentlich zu lesen ist, daß Karl Jatho
am 18. August 1903 in der Vahrenwalder
Heide, nördlich von Hannover, in einem
selbstgebauten Dreidecker den ersten
Flugsprung über deutschem Boden mit
18 m Länge knapp über dem Erdboden
ausgeführt hat, und daß ihm noch im November des gleichen Jahres Flüge bis zu
60 m Weite in Höhen zwischen 2 m und
4 m gelungen sein sollen.

Der erste Jatho-Flugapparat war ein
Dreidecker, der nach dem ersten 18-m-
Sprung im August 1903 zu einem Zwei-

decker umgebaut wurde. Im Oktober und
November 1903 unternahm Jatho damit Flugversuche und baute das Gerät
mehrmals um. Im Jahre 1907 baute er
einen verbesserten Zweidecker mit vorgezogenem Höhenleitwerk (nach Art des
Wright-Doppeldeckers), den er wiederholt mit konstruktiven Änderungen versah.

Gustav Weisskopf (Gustave Whitehead)

Schließlich muß hier noch der Deutsch-
Amerikaner Gustave Whitehead erwähnt
werden, denn einzelnen Quellen zufolge
soll er der erste Motorflieger gewesen
sein. Fürsprecher dieser Hypothese stüt-
zen sich auf amerikanische Zeitungsbe-
richte, mit denen im Jahr 1933 die Publi-
zistin Stella Randolph hervorgetreten war.
Vier Jahre später verwendete sie diese in
einem Buch «Lost Flights of Gustave
Whitehead». Demzufolge hat Whitehead
in Johnstown (US-Staat Pennsylvania)
ein Versuchsflugzeug mit Dampfmaschine
gebaut, ist damit im April 1899 etwa
700 m weit geflogen und gegen ein drei-
stöckiges Haus gerast. In Bridgeport (US-
Staat Connecticut) sollen später noch

mehrere Gleit- und Motorflugzeuge entstanden und dazu Karbid-Motoren entwickelt worden sein. Am 14. August 1901
habe Whitehead zuerst 800 m und noch
am gleichen Tage 2500 m in Höhen bis
zu 60 m erreicht. Das Flugzeug sei schließlich umgebaut und mit einem Petroleum-
Motor ausgestattet worden. Damit soll
am 15. Januar 1902 ein Flug von 3500 m
Weite und später sogar von 11 500 m gelungen sein.

Diese Angaben werden aus verschiedenen Gründen von den meisten Luftfahrt-
historikern angezweifelt und in den Bereich sensationslüsterner journalistischer
Übertreibung verwiesen. Es gibt ein Indiz,
das die Zweifel stützt. Während alle, die
Flüge versuchten, sehr darauf bedacht
waren, wenigstens eine Phase des Fluges
im Bild festhalten zu lassen, um belegen
zu können, daß das Flugzeug wirklich vom
Boden abgehoben hat, sind Whitehead-
Flugzeuge zwar wiederholt fotografiert
worden, aber es wird in keiner der aufgefundenen Quellen eine Flugaufnahme
gezeigt. Professor Charles H. Gibbs-
Smith (England), der als der erste Ge-
lehrte unter den Historikern angesehen
wird, die sich je mit der Geschichte des
Fliegens beschäftigten, erklärte von den
Berichten über angebliche Flüge White-
heads: «Die ganze Geschichte ist reines
Geschwafel.»

Mag es nun sein wie es will: Whitehead baute einen oder mehrere Eindek-

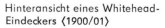

Hinteransicht eines Whitehead-Eindeckers ⟨1900/01⟩

Seitenansicht des Eindeckers «Typ 21» von Whitehead: Spannweite 10,05 m; größte Flügeltiefe 2,00 m; Flügelfläche rund 20,00 m²; Motor: Vier-Zylinder-Motor mit zwei zweiflügeligen paddelähnlichen Luftschrauben. Die Flügelkonstruktion läßt die Anlehnung an den Lilienthal-Gleiter zumindest vermuten

Ausgewählte Publikationen aus vier Jahrhunderten über fliegende Tiere und Schlußfolgerungen für den Menschenflug

Autor	Bezeichnung oder Titel	Jahr
Leonardo da Vinci	Manuskripte über den Vogelflug	1505
Philipp Lohmeier	Physikalische Abhandlung von der Kunst, in der Luft zu schiffen	1676
Alphonso Borelli	Über die Bewegung der Tiere	1680
Joachim Johann Becher	Närrische Weisheit und weise Narrheit	1682
Johann Gottfried Zeidler	Fliegender Wandersmann oder philosophische Untersuchung der Fliegekunst	1710
Friedrich Herrmann Flayder	Curieuse Gedanken von der Kunst zu fliegen	1737
Jean Jaques Rousseau	Der neue Dädalus	1742
Karl Friedrich Meerwein	Der Mensch! Sollte er nicht mit Fähigkeiten zum Fliegen geboren sein?	1781
Karl Friedrich Meerwein	Die Kunst, nach Art der Vögel zu fliegen	1782
August Wilhelm Zachariae	Die Elemente der Luftschwimmkunst	1807
Friedrich von Drieberg	Das Dädaleon, eine neue Flugmaschine	1845
Arnold Böcklin	Das Schweben der Vögel / Weitere Betrachtungen des Vogelfluges / Noch etwas über den Vogelflug	1885/86
Karl Müllenhoff	Der Kraftaufwand der Vögel beim Fliegen	1886
Carl Buttenstedt	Der eigentliche Flugmotor der Vögel	1888
Otto Lilienthal	Der Vogelflug als Grundlage der Fliegekunst	1889
August von Parseval	Die Mechanik des Vogelfluges	1889
Nikolai Jegorowitsch Shukowski	Zur Flugtheorie	1890
Nikolai Jegorowitsch Shukowski	Über den Gleitflug der Vögel	1892
Carl Buttenstedt	Das Flugprinzip	1892
Wilhelm Kress	Aviatik, wie der Vogel fliegt und wie der Mensch fliegen wird	1905
Ferdinand Ferber	Die Kunst zu fliegen, ihre Anfänge – ihre Entwicklung	1910

ker, verbesserte sie mehrmals, stattete sie mit einem Motor aus und unternahm damit Versuche. Im Jahre 1906 baute er auch einen Doppeldecker und im Jahre 1911 einen Hubschrauber; beide flogen nicht.

Um es an dieser Stelle den weiteren Betrachtungen voranzustellen:

Der Verfasser hält es für unergiebig, heute, nachdem so viele Jahrzehnte vergangen sind, entscheiden zu wollen, wer der erste war, dem ein Motorflug in der Luftfahrtgeschichte gelang. Die Frage nach dem Erstmotorflug ist zwar interessant, aber aus heutiger Sicht auch unerheblich. Viel bedeutender ist, wie der Motorflug begonnen hat und sich in seinen Anfangsjahren entwickelte. Viele haben sich darum bemüht und dabei verdient gemacht. Die einen hatten mehr, die anderen weniger Erfolg. Die Leistungen der einen erregten vom ersten Tage an großes Aufsehen, andere wurden kaum beachtet. Aber Aufmerksamkeit verdienen sie alle, die Flugapparate gebaut, erprobt und weiterentwickelt haben – und damit dem technischen Fortschritt dienten.

Fotografisch belegt:
Die Brüder Wright fliegen!

Als die ersten Motorflüge tatsächlich gelangen, wurden sie von den meisten, die nur davon hörten oder lasen, gar nicht geglaubt. So erging es den amerikanischen Mechanikern Wilbur und Orville Wright.

Aber sie waren nicht die einzigen, die sich damals in den USA um die Lösung des Motorflugproblems bemühten. Professor Samuel Pierpont Langley, der im Jahre 1895 zu Otto Lilienthal gereist war und seine Versuche am «Fliegeberg» in Berlin-Lichtenfelde beobachtet hatte, unternahm ebenfalls eine Reihe von vorbereitenden Versuchen. Im Jahre 1896 führte er der amerikanischen Militärbehörde eines seiner freifliegenden Flugmodelle vor, das eine Spannweite von 4,30 m hatte und zeitgenössischen Berichten zufolge unbemannt etwa 1850 m (eine Meile) zurückgelegt haben soll. Es war eine Tandem-Eindecker-Konstruktion, besaß also zwei hintereinander angeordnete Flügelpaare.

Daraufhin erhielt er den Regierungsauftrag zum Bau eines personentragenden Motorflugzeuges und für diesen Zweck eine 50 000-Dollar-Zuwendung aus der Kasse des Kriegsministeriums. Mit dem Bau dieses Flugzeuges begann er im Jahre 1898. Es wurde im Jahre 1903 fertiggestellt. Langleys Freund, Professor Charles M. Manley, schuf für dieses Flugzeug einen wassergekühlten fünfzylindrigen Sternmotor. Dieser Benzinmotor mit dem überraschend geringen Gewicht von 95 kg hatte eine Leistung von 52 PS (38,2 kW), also ein Masse-Leistungs-Verhältnis von weniger als 2 kg/PS (2,5 kg/kW). Das Flugzeug war nach seinem Modellvorbild wiederum als Tandem-Eindecker konstruiert. Die beiden Tragflächenpaare hatten eine leichte V-Stellung (Flü-

gelfläche ungefähr 97 m²). Es waren Höhen- und Seitensteuerung, aber kein Quersteuer vorhanden.

Als Startfläche diente die Plattform eines speziellen «Abflughauses», das auf einer Barke errichtet und mitten in dem breiten Potomac-Fluß verankert worden war. Das Hausboot war zugleich Flugzeugschuppen, Werkstatt und Startrampe. Für die Unterstützung des Startes von dem erhöhten Standpunkt war eine Katapultvorrichtung geschaffen worden: Das Flugzeug lag auf einem Wagen, der über die Plattform geschnellt und am Plattformende scharf gebremst wurde, während das Flugzeug mit der übertragenen Anfangsgeschwindigkeit und mit eigener Motorkraft weiterflog (jedenfalls weiterfliegen sollte).

Am 8. Oktober 1903 fand in Anwesenheit zahlreicher Pressevertreter der erste Startversuch statt. Am Steuer des Flugzeuges auf der Startrampe saß Charles M. Manley. Vom Startkatapult beschleunigt und mit voll laufendem Motor jagte das Flugzeug über den Plattformrand wie über einen Sprungschanzentisch hinweg, aber es flog nicht, sondern fiel, abwärts gleitend, nach etwa 30 m in den Fluß. Manley wurde gerettet, das Flugzeug beschädigt geborgen. Zwei Monate später, am 8. Dezember 1903, wurde der Versuch wiederholt. Diesmal versagte aber die Katapultvorrichtung. Der Schleuderwagen blieb plötzlich stehen und warf das Flugzeug ab. Es drehte in der Luft einen halben Looping, schlug neben der Barke auf das Wasser und zerbrach. Manley wurde von einem Boot aufgenommen.

Wilbur Wright

Orville Wright

Sie hatten versucht, den Wettlauf um den ersten Motorflug zu gewinnen: Prof. Langley (rechts) und der Pilot des Tandem-Eindeckers, Prof. Manley, der sich schon vor dem Start vom «Abflughaus» voller Zuversicht einen Kompaß auf das linke Hosenbein genäht hatte

Langley-Tandem-Eindecker auf der schwimmenden Startrampe, die auf dem Potomac-Fluß verankert worden war (1903)

Der zertrümmerte Tandem-Eindecker von Langley wird auf dem Potomac-River abgeschleppt

Die Presse schmähte Langley (eine Erfahrung, die bald auch die Brüder Wright machen sollten), das Kriegsministerium verweigerte ihm die weitere Unterstützung der Versuche, und er erlitt einen Nervenzusammenbruch. Er starb 1906.

Im Jahre 1914 wurde das Langley-Flugzeug im Auftrage des amerikanischen «Smithsonian-Instituts» wieder aufgebaut, von dem zu dieser Zeit bereits erfolgreichen Flieger und Konstrukteur Glenn Hammond Curtiss mehrmals konstruktiv verändert und zum Fliegen gebracht. Daraufhin eröffnete das besagte Institut einen Jahrzehnte dauernden öffentlichen

Streit mit dem Ziel, daß Langley als erster Motorflieger anerkannt wird. Der Streit wurde erst im Jahre 1942 beendet, und zwar dadurch, daß das Institut seinen Anerkennungsanspruch zurückzog.

Die Wrights waren während ihrer etwa tausend Gleitflüge nach der Methode Otto Lilienthals zur Konstruktion eines Doppeldeckers gelangt — angeregt und unterstützt durch Octave Chanute, der sich seit dem Jahre 1896 in den Sanddünen am Michigansee mit Gleitflugexperimenten beschäftigt und bereits im Jahre 1897 eine Flugweite von 110 m erreicht hatte. Den Doppeldecker hatten sie als

Liegegleiter gebaut, in dem der Flugzeugführer bäuchlings auf der unteren Tragfläche lag. Deshalb mußte der Start stets von zwei Helfern eingeleitet werden, die den Gleiter an den Außenseiten der unteren Fläche anhoben und im Laufschritt gegen den Wind trugen, bis die erforderliche Geschwindigkeit erreicht war. Im Herbst des Jahres 1902 wurden auf diese Weise in den Sanddünen von Kitty Hawk an der amerikanischen Ostküste (US-Staat North Carolina) Gleitflüge mit Weiten bis zu 200 m absolviert.

Danach bauten die Wright-Brüder mit Unterstützung des Mechanikers Charlie

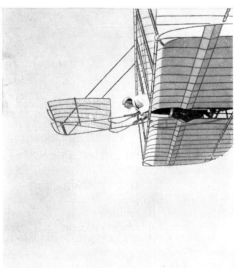

Start mit dem Wright-Gleitdoppel-
decker ⟨1902⟩

Am 24. Oktober 1902 gelang Wilbur
Wright im Gleitflug eine gesteuerte
Rechtskurve

Detailansicht des Wright-Gleitdoppel-
deckers ⟨1902⟩

Taylor einen Vierzylinder-Viertaktmotor
und schufen auf der Grundlage des erprobten Gleiters ihr erstes Motorflugzeug.
Der Vortrieb sollte über zwei Luftschrauben ⟨Druckschrauben⟩ erfolgen, deren
Konstruktion und Herstellung ebenfalls
eine große Schwierigkeit war, denn auch
dafür gab es noch keine erfolgreich er-

probten Vorbilder. Die Antriebskraft wurde mit Ketten auf die beiden Luftschrauben übertragen. Eine der beiden Ketten
war gekreuzt, wodurch sich eine Schraube
in entgegengesetzter Richtung zu der anderen dreht und die Steuerung des Flugzeuges von der Luftschraubenrotation un-
beeinflußt blieb.

Ursprünglich wollten die Wrights ihren
Doppeldecker, der zwar von dem bewährten Gleiter ausging, aber doch einige
konstruktive Veränderungen erfahren
hatte ⟨z. B. die Formen der Tragflächen-
streben sowie deren Drahtverspannung⟩,
bei weiteren Gleitflügen testen. Doch da
erfuhren sie durch Zeitungsmeldungen
von dem mißlungenen Versuch Langleys
am 8. Aktober 1903 auf dem Potomac-
River und davon, daß dort ein zweiter
Motorflugversuch vorbereitet wurde. Das
spornte sie zur Eile an. Sie bauten in dem
Küstensand ihre selbstentwickelte hölzerne Startschiene auf, ohne die das
Flugzeug in dem weichen Boden nicht
hätte starten können, bauten den Motor
ein und begannen am 5. November 1903
mit dem stationären Motorprobelauf. Diese Versuche endeten zunächst mit ent-
mutigenden Ergebnissen.

Der Motor arbeitete unregelmäßig. Er
stotterte, und die Fehlzündungen ließen
Zeitverschiebungen für den ersten Probestart erahnen. Außerdem drehten sich die
Luftschrauben ungleichmäßig, schließlich
lockerten sie sich sogar und beschädigten
die Antriebswellen. Die Zeit verging mit
Reparaturen am Motor, Berechnungen,
Warten auf neue Antriebswellen — und
mit Holzhacken. Das Brennholz gewann
an Bedeutung, denn der Winter war gekommen und ließ das Wasser in den
Waschschüsseln der Männer gefrieren.
Als am 20. November 1903 die reparierten
Antriebswellen eintrafen, gab es eine erneute Enttäuschung, denn jetzt saßen die
Zahnräder, über die der Kettenantrieb
bewirkt wurde, derart locker auf den
Wellen, daß sich die Luftschrauben nicht
drehten. Doch da half ein Schnellkleber,
von dem sie reichlich Gebrauch machten.
«Und auf solche Weise», so schrieb Orville
Wright, «haben wir diese Zahnräder so
gut befestigt, daß ich bezweifelte, daß sie
sich jemals wieder lockern werden.» Nun
verliefen auch die weiteren Motorprobe-
läufe zufriedenstellend.

Der erste Probeflug wurde für den
25. November 1903 festgesetzt. Als die
Startvorbereitungen beginnen sollten,
setzte eiskalter Regen ein, der schließlich

Die historische Aufnahme des Motorfluges vom 17. Dezember 1903: Der
Wright-Doppeldecker hat abgehoben
und fliegt; er wird von Orville Wright,
auf der unteren Tragfläche liegend,
gesteuert

Das Erfolgstelegramm vom
17. Dezember 1903

in Schneegestöber mit heftigen Windböen
überging und weitere Wartezeit erzwang.
Als das Wetter wieder günstiger war, sollte der erste Motorflugversuch am 28. November stattfinden. Die Wrights erprobten noch einmal den Motor, und dabei
stellte sich heraus, daß eine der beiden
reparierten Wellen gerissen war. Wieder
begannen Reparaturarbeiten.

Inzwischen war der 8. Dezember heran-
gekommen, der Tag des zweiten fehlge-
schlagenen Versuches mit dem Langley-
Tandem-Eindecker auf dem Potomac-River. Die «New York Times» widmete diesem Mißerfolg einen Leitartikel, in dem
die folgende Prognose verkündet wurde:
«Das lächerliche Fiasko, mit dem der Ver-

such ... mit Langleys Flugmaschine geendet hat, ist nicht unerwartet gekommen
... Die Flugmaschine, die wirklich fliegen
wird, könnte durch die vereinten und fort-
gesetzten Bemühungen von Mathemati-
kern und Technikern in ein bis zehn Millionen Jahren entwickelt werden.» Das
sollte sich aber schon kurze Zeit später

als eine voreilige und leichtfertige Vor-
aussage erweisen.

Inzwischen arbeiteten die Brüder Wright
unbeeindruckt von solchen Orakeln weiter. In der ersten Dezemberwoche 1903
kehrte Orville Wright mit neuen Luft-
schraubenwellen in das kleine Lager von
Kitty Hawk zurück. Erneut begannen die

Startvorbereitungen. Dann sollte am 12. Dezember endlich der erste Start versucht werden. Mit einer Münze losten die Brüder aus, wer den Flugversuch unternehmen sollte. Wilbur gewann. Er legte sich bäuchlings auf seinen Platz, das Flugzeug raste auf der Startschiene los, hob etwa zwei Meter vor deren Endpunkt ab, stieg auf 5 m Höhe, neigte sich aber schon nach der kurzen Zeit von 3 s vornüber und stürzte in den Sand.

Wilbur Wright hatte das Höhensteuer sowohl beim Aufstieg als auch bei der Korrektur des Fluges überzogen. Das Steuer reagierte schneller, als es die beiden Konstrukteure geglaubt hatten. Aber die Stimmung blieb gut, denn die Wrights wußten nun offenbar, daß sie kurz vor dem Ziel waren. Am Abend dieses Tages schrieb Wilbur Wright: «Die Motorleistung ist reichlich, und wenn es keinen an sich unbedeutenden Bedienungsfehler, der auf Mangel an Erfahrung mit dieser Maschine und dieser Startmethode zurückzuführen war, gegeben hätte, wäre die Maschine ohne Zweifel wunderbar geflogen.»

Nun wurde wieder repariert. Und dann, fünf Tage später, am 17. Dezember 1903, gelang ein Flug, der allgemein als der erste Motorflug in der Luftfahrtgeschichte bezeichnet wird. Zum Start gegen die Windrichtung war wieder die zusammenlegbare hölzerne Schiene ausgelegt worden. Darauf lief ein Fahrgestell mit zwei kleinen Rädern. Auf ihm stand das Flugzeug mit seinen beiden Gleitkufen, das mit einem Seil zurückgehalten wurde. Orville Wright gab Vollgas; das dadurch straff gespannte Halteseil wurde gekappt; die Maschine rollte mit dem Fahrgestell auf der Holzschiene gegen die Windrichtung; vor dem Ende der Schiene hob das

Wright-«Flyer I» am Start, Seitenansicht ⟨1903⟩

Wright-Zweidecker ⟨Typ A⟩ Hinteransicht: Motoranlage, Benzintank und Führung der Luftschrauben-Antriebsketten in Stahlrohren

Motorflugzeug von seiner rollenden Unterlage ab; ein Mitarbeiter der nahegelegenen Küstenwache löste im richtigen Moment den Fotoapparat aus, der zuvor eingestellt worden war, und so entstand jenes historische Foto, das diesen Flug bezeugt.

Es war ein Flug von nur 12 s Dauer über eine Weite von 53 m in einer Höhe von höchstens 3 m. Aber es war ein regelrechter Motorflug: Start von ebener Erde durch Motorkraft, gesteuerter Flug und gesteuerte Landung. Orville Wright schrieb später darüber: «Der erste Flug dauerte

nur zwölf Sekunden, sehr bescheiden im Vergleich mit dem der Vögel, und doch war es der erste in der Geschichte der Erde, bei dem eine Maschine mit einem Menschen sich selbst durch ihre eigene Kraft in freiem Flug in die Luft erhoben hatte, in waagerechter Bahn vorwärts geflogen und schließlich gelandet war, ohne zum Wrack zu werden.»

Noch drei weitere Flüge gelangen an jenem Vormittage. Beim letzten dieser Starts brachte es Wilbur Wright auf eine Flugzeit von 57 s und eine Weite von 255 m, bevor ein Sturm aufkam, den Flugapparat packte und zerschmetterte. Doch das konnte die Wrights nicht mehr irritieren. Noch am selben Tag ging ein Telegramm an den Vater ab, den evangelischen Bischof Milton Wright: «Donnerstag vormittag vier erfolgreiche Flüge, alle gegen einundzwanzig Meilen Wind von ebener Fläche gestartet, Maschine erreicht in der Luft durchschnittliche Geschwindigkeit von einunddreißig Meilen, längster ⟨Flug⟩ 57 Sekunden, Presse benachrichtigen, Weihnachten zu Hause. Orville Wright.»

Bemerkenswert ist, daß die Brüder Wright mit der hölzernen Startschiene, mit dem kleinrädrigen Fahrgestell ⟨das auf der Startschiene zurückgelassen wurde, wenn das Flugzeug abhob⟩ und mit den Gleitkufen eine originale Lösung gefunden hatte, in dem weichen Küstensand zu starten und zu landen.

Nachdem ihr erstes Flugzeug zertrümmert worden war, bauten sie noch im selben Winter ihren Doppeldecker «Flyer II», der mit einem stärkeren Motor ausgestattet wurde. Über die Motorleistungen gibt es unterschiedliche Angaben in der Literatur; so soll die Leistung des Flyer-I-Motors laut Wissmann 12 PS ⟨8,8 kW⟩, laut Hildebrandt aber 16 PS ⟨11,8 kW⟩ und die des Flyer-II-Motors entsprechend denselben Quellen 16 PS ⟨11,8 kW⟩ bzw. 25 PS ⟨18,4 kW⟩ betragen haben.

Mit dem zweiten Motorflugzeug begannen die Flugversuche im Jahre 1904 auf einem abgelegenen Gelände bei Dayton ⟨US-Staat Ohio⟩. Nachdem die Wrights den Flugapparat erprobt hatten, wollten sie ihn eingeladenen Pressevertretern vorführen. Doch als die Vorführungsflüge beginnen sollen, springt der Motor nicht an. Die Presseleute werden auf den folgenden Tag vertröstet. Am nächsten Tag macht zwar der Motor mit, aber es kommen nur einige Hopser mit einer Weite von höchstens 20 m zustande. Die amerikanische Presse fühlt sich getäuscht und

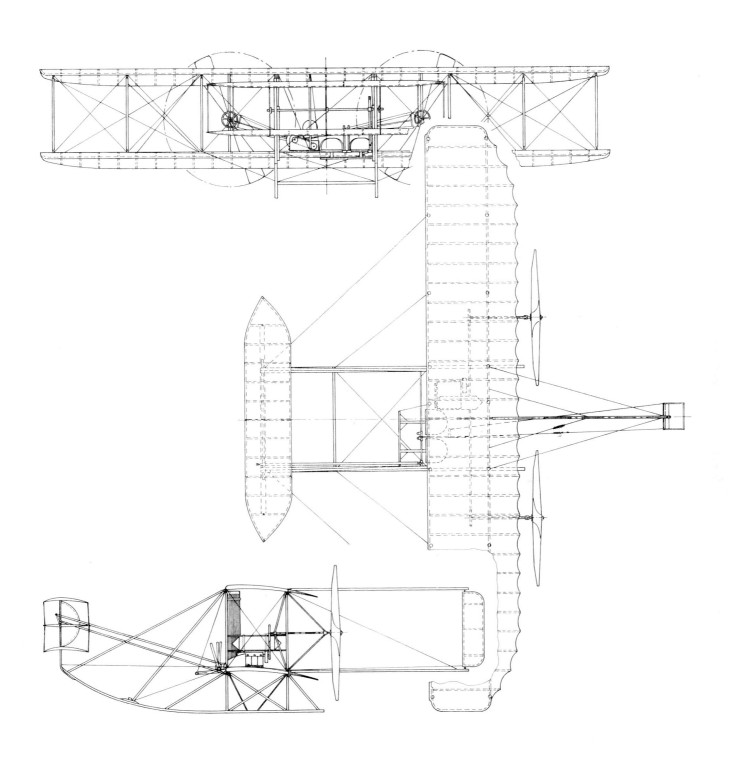

Im US-Militärdienst als
«Signal Corps No. 1» bezeichnet:
Spannweite 11,13 m;
Länge 8,81 m;
Höhe 2,46 m;
Flügelfläche 38,55 m²;

Wright-Zweidecker
⟨Typ A⟩

Leermasse 336 kg;
Startmasse 544 kg;
Geschwindigkeit 71 km/h;
Motor: wassergekühlter 30-PS
⟨22,1 kW⟩-Wright-Reihenmotor

fällt über die Wrights her. Der «New York Herald» fragt unverblümt: «Sind sie Lügner oder Flieger ⟨Lyer or Flyer⟩?»

Die Wright-Brüder bleiben davon weitgehend unbeeindruckt, denn sie wissen, daß sie fliegen können. So arbeiten sie verbissen weiter. Im Winter 1904/05 entstand der «Flyer III». An ihm wurde die Flächen des Höhenleitwerkes vergrößert und mit zwei Vertikalflossen zur Erhöhung der Richtungsstabilität ausgestattet. Damit war der Grundaufbau des bekannten Wright-Flugzeuges abgeschlossen, der sich prinzipiell auch nicht mit dem Übergang zur sitzenden Haltung des Flugzeugführers und der späteren Einrichtung eines zweiten Sitzplatzes für einen Passagier oder Flugschüler veränderte.

Geändert gegenüber dem Anfangserfolg im Dezember 1903 wurde hingegen die Startvorrichtung. Sie besteht jetzt aus einem Gerüst mit einem 700 kg schweren Fallgewicht und der Startschiene als startkatapultähnliche Vorrichtung. Außerdem wurde die Tragflächenverwindung verbessert, wodurch die Wrights die Querstabilität ihres Flugzeuges gewährleisten konnten.

Mit dieser start-, flugzeug- und steuertechnischen Ausstattung absolvierten die Brüder eine große Anzahl von Übungsflügen. Sie erreichten von August 1904 bis zum Dezember 1905 unter anderem die folgenden hervorhebenswerten Leistungen:
— vollkommener Kreisflug auf einer Kreisbahn von 1400 m Durchmesser,
— Streckenflug über 39 km in der Zeit von 38 min,
— Flug mit einem Passagier und 35 kg Zusatzgewicht ⟨Eisenstangen⟩ mit einer Geschwindigkeit von 60 km/h.

Zum Jahresende 1905 brechen Orville und Wilbur Wright ihre Flüge vorläufig ab, denn in immer größerer Anzahl kommen Neugierige, und zwar nicht nur, um die Flüge zu sehen, sondern auch, um das Flugzeug von allen Seiten zu betrachten und zu fotografieren. Die Wrights befürchten, daß ihr Fluggeheimnis durch Nachbau entwertet wird, bevor es ihnen gelungen ist, die Konstruktion kommerziell zu nutzen.

Sie bieten ihre Patente und Nachbaulizenzen mehreren Regierungen an und verhandeln mit Kapitalgesellschaften mehrerer Länder über die Verwertung ihres Flugapparates. Beispielsweise richten sie bereits am 9. Oktober 1905 einen Brief an den französischen Artilleriehauptmann

Ferdinand Ferber ⟨der sich engagiert für die Luftfahrtentwicklung in Frankreich einsetzte und Militärs in Regierungskreisen nahestand⟩, in dem es unter anderem heißt: «Wir haben die letzten Jahre vollständig damit verbracht, unseren Flieger ⟨damals häufige Bezeichnung für Flugzeug; d. Verf.⟩ zu vollenden, und wir haben wenig darüber nachgedacht, was wir damit machen würden, wenn er fertig wäre. Aber unsere jetzige Absicht ist, ihn zuerst den Regierungen für Kriegszwecke anzubieten, und wenn Sie glauben, daß Ihre Regierung daran interessiert sein könnte, so würden wir gern deshalb mit ihr in Verbindung treten. Wir sind bereit, Maschinen nach Vertrag zu liefern, abnehmbar erst nach einem Versuch über 40 Kilometer, wobei die Maschine einen Lenker und einen Benzinvorrat für mehr als 100 Kilometer tragen soll. Wir könnten auch einen Kontrakt machen, in dem die Strecke des Versuchsfluges größer als 40 Kilometer ist, aber dann wäre der Preis der Maschine höher.»

Einen Monat später, am 4. November 1905, schreiben die Wright-Brüder erneut nach Frankreich und fixieren ihre Preisforderung auf eine Million Francs, «zahlbar, nachdem der Wert unserer Erfindung in Gegenwart offizieller Persönlichkeiten durch einen Flug von 50 Kilometer in weniger als einer Stunde festgestellt ist. Der Preis schließt eine vollständige Maschine ein. Instruktion über die Grundlagen unserer Kunst, Formeln für den Bau unserer Maschine, Schnelligkeit, Oberfläche usw., würde natürlich in der gewünschten Form gegeben werden.»

Ferber antwortet schließlich, daß die französische Regierung diesem Vorhaben keine Unterstützung geben würde, wenn nicht eine Kommission französischer und amerikanischer Gelehrter zuvor die Maschine geprüft und über diese ein Gutachten vorgelegt hätte. Die Ablehnung der Wrights gibt der Presseberichtschablone von den «lügenden Brüdern» in Europa neue Nahrung. Angeblich können sie fliegen, aber niemand darf ihr Flugzeug sehen! Sah überhaupt schon jemand das Wright-Flugzeug in der Luft? Sie bieten ihr Flugzeug zum Kauf an wie eine Katze im Sack! So und ähnlich lauten die Zeitungskommentare.

Zu dem Meinungsdurcheinander über den Wright-Flugapparat hatte seinerzeit selbst die Fachpresse beigetragen. Das vermögen bereits zwei Veröffentlichungsbeispiele aus der «Deutschen Zeitschrift

für Luftschiffahrt» zu belegen. Im März 1904 erschien ein Beitrag des in New York lebenden Ingenieurs Karl Dienstbach, Korrespondent der Zeitschrift, in dem zu lesen war: «Die beneidenswerten Erfinder, deren Name so mit dem Entstehen der wirklichen Flugmaschine für immer verknüpft sein wird, sind die Brüder Orville und Wilbur Wright ... Da es dem Verfasser gelang, über all dieses durchaus zuverlässige Nachrichten zu erhalten, so fühlt er sich mit Freude berechtigt, heute zu sagen: Die Flugmaschine ist erfunden! Wir können fliegen!» Ein Jahr später würdigte Karl Dienstbach in einem weiteren Bericht noch einmal «die wirkliche, vogelgleiche, pfeilgeschwinde, lenksame, gewaltige Motormaschine» der Wright-Brüder.

Im September des Jahres 1906 schrieb ein Kritiker, Karl Steiger-Kirchhofer, in derselben Zeitschrift: «Daß fliegende Vehikel, wie dasjenige der Gebrüder Wright in Amerika, es kaum zu einer langen Lebensdauer bringen können, liegt nach meiner Ansicht deswegen auf der Hand, weil, nach den bisherigen Berichten zu schließen, ihre Stabilität vollständig von der Fertigkeit im Handhaben der vorderen horizontalen Steuer-, Klammer- oder Stau-Fläche abhängig ist, der Apparat also nicht schon durch seine Formgebung allein jede Gefahr des Umkippens in der Luft ausschließt, nicht automatisch stabil ist.»

Neunmalkluge Kritiker, die selbst weder ein Flugzeug gebaut hatten noch fliegen sahen, gab es damals viele. Sie trugen mit ihren Ansichten fleißig zum Meinungswirrwarr bei. So kam es, daß im Jahre 1907 Alfred Hildebrandt als Berichterstatter einer deutschen Zeitung in die USA reiste, um «an Ort und Stelle der Sache auf den Grund zu gehen». Aus seinem Bericht ,der am 18. November 1907 erschien, ist zu entnehmen, daß er verschiedene Augenzeugen der Wright-Flüge «verhört» hatte, die ihm übereinstimmend bezeugten, wie zuverlässig die Wrights fliegen. Zu diesen Augenzeugen gehörten der Sekretär eines Bankinstitutes ⟨«Well, sie fliegt», und sie landet, «wie eine Ente» sich auf den Boden niederläßt.⟩, ein Handwerksmeister ⟨Das Luftschiff der Wrights fliegt und kommt so sanft auf den Boden herunter, «wie ein Truthahn, der vom Baume herabfliegt».⟩, ein Apotheker, ein Justizbeamter und ein Bankpräsident. Aus allem, was Hildebrandt erfuhr, gelangte er schließlich zu der

Überzeugung: «Ich glaube, die Tatsache des Vorhandenseins der ersten praktisch erprobten Flugmaschine kann wohl niemand mehr ernstlich bestreiten; es ist unmöglich, daß sich so viele angesehene Leute der verschiedensten Berufsklassen und des verschiedensten Alters verabredet haben sollten, einem Erfinder zuliebe das Blaue vom Himmel herunterzulügen. Bei einem so langen ‹Verhör›, das nach vorher genau festgesetztem Programm angestellt worden ist, hätten sie sich in einzelne Widersprüche verwickeln müssen. Es sei im übrigen bemerkt, daß ich aus Zeitmangel nur 10 Leute aufgesucht habe; fast jeder einzelne hatte mir noch weitere Zeugen namhaft gemacht.»

Aber auch dieser zeugengestützte Bericht vom Ort der Geschehnisse half nicht viel. «Fachleute» in Deutschland, jedenfalls nannten sie sich so, machten Hildebrandt den Vorwurf, daß er auf einen «echt amerikanischen Bluff» hereingefallen sei. Und das drei Jahre nach dem ersten erfolgreichen Flug der Wrights! Wie die Brüder darauf mit aufsehenerregenden Flügen in Europa reagierten und alle ihre Kritiker mit wenigen Vorführungen zum Verstummen brachten, wird im Zusammenhang mit den Anfängen des Motorfluges in Frankreich noch zu sehen sein.

In den USA hatte indessen im Februar 1908 die Regierung drei Flugzeuge in Auftrag gegeben, und zwar je einen Flugapparat
— für 25 000 Dollar bei den Brüdern Wright,
— für 20 000 Dollar bei Augustus Moore Herring,
— für 1 000 Dollar beim Flugtechniker Skott in Chikago.
Mit dem Auftrag waren die folgenden Bedingungen verknüpft: «Die Abnahmeversuche finden statt unter Aufsicht des Signal Corps in Fort Myers in Virginia. Die verlangten Leistungen sind folgende: 1. eine Schnelligkeitsprüfung über eine Strecke von 16 Kilometern und 900 Metern auf einer Fahrt hin und zurück; 2. ein Flug von einstündiger Dauer über eine Strecke von 64,30 Kilometern – 40 Meilen – ohne Zwischenlandung. Der Aeroplan muß mit zwei Personen bemannt sein. Jede Maschine kann drei Abnahmefahrten unternehmen. Wenn ein Apparat weniger als 40 Meilen in der Stunde zurücklegt, so wird der Kaufpreis vermindert. Bei einer geringeren Geschwindigkeit als 36 Meilen in der Stunde wird die Maschine nicht

Wright-Zweidecker auf der Startschiene
⟨Hinteransicht⟩

Orville Wright bei einem Abnahmeflug in Fort Myers bei Washington
⟨Juli 1909⟩

abgenommen; wird dagegen eine größere Geschwindigkeit erreicht, so wird der Kaufpreis erhöht. Bei einer Geschwindigkeit von 60 Meilen in der Stunde wird er sogar fast verdoppelt. Sobald irgend ein Punkt des Programms nicht genau eingehalten werden sollte, werden zehn Prozent der gestellten Kaution zurückbehalten.» Die Wright-Brüder hatten eine Kaution in Höhe von 2500 Dollar zu stellen.

Im Mai reisten die Wrights wieder in die Sanddünen von Kitty Hawk, um sich mit ihrem Flugapparat, auf dem sie inzwischen einen zweiten Sitzplatz eingerichtet hatten, auf die Abnahmeflüge vorzubereiten. Am 3. September 1908 begann Orville Wright in Fort Myers mit den ausgeschriebenen Abnahmeflügen. Beim dritten Flug, bei dem Leutnant Selfridge vom Signalkorps des Forts als Passagier mitflog, riß in etwa 30 m Höhe ein Steuerdraht. Das Drahtende wurde von einer Luftschraube erfaßt, das Flugzeug überschlug sich und stürzte ab. Orville Wright erlitt einen komplizierten Schenkelbruch und mehrere andere Verletzungen, Selfridge starb kurze Zeit nach dem Aufschlag: Der erste Tote in der Motorfluggeschichte.

Die Vorführungen mußten unterbrochen werden, weil sich Wilbur Wright zu jener Zeit in Frankreich befand und deshalb die Flüge für seinen Bruder in Fort Myers nicht fortsetzen konnte. Aber im Juni 1909 nahm Orville Wright die Flugvorführungen selbst wieder auf. Am 20. Juli blieb er mit einem Passagier 80 min in der Luft und legte dabei 45 Meilen in einer Stunde zurück. Damit waren die Bedingungen erfüllt. Das US-Kriegsministerium kaufte das Flugzeug und stellte es mit der Bezeichnung «Signal Corps No. 1» in Dienst. Es war damit das erste Militärflugzeug in der Motorfluggeschichte und befindet sich heute im «National and Space Museum» in Washington.

Die Werkstätten der Brüder Wright bei Dayton produzierten inzwischen vier Doppeldecker im Monat. Damit standen sie vorübergehend, wie es in einem späteren Bericht hieß, «an der Spitze der Weltproduktion».

Startgerüst ab etwa 1904/05 für den Wright-Zweidecker nach einer zeitgenössischen Darstellung

«Das Gewicht **G** hängt an einem Tau, das über die Rolle **A** zu der fast am Ende der Holzschiene angebrachten Rolle **B** läuft. Von hier aus geht das Tau zur Maschine, wo es bei **C** an einem Haken befestigt ist. Zwischen **B** und **C** befindet sich noch ein Flaschenzug, welcher der besseren Übersicht halber auf der Zeichnung fortgelassen ist.»

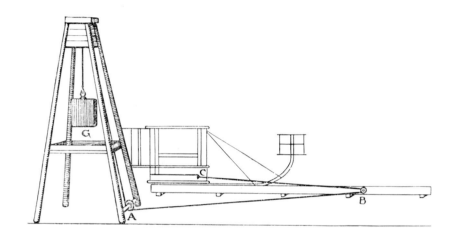

Die Startvorrichtung wurde in zeitgenössischer Literatur wie folgt beschrieben: «Die Startvorrichtung besteht in ihren Hauptteilen aus einer ca. 20 m langen Schiene (hochkant gestellte Bohle), einem ca. 8 m hohen Fallgerüst, einem Fallgewicht und einem langen Zugseil. Das Flugzeug steht mit seinen Kufen am Hinterende der Schiene auf einem kleinen, mit Rädern versehenen Wagen. Das Zugseil greift mit einer Öse über einen am Vorderende des Flugzeuges angebrachten und nach unten gerichteten Winkelhaken, läuft von dort zum Vorderende der Schiene und über Führungsrollen an der Schiene zurück zur Spitze des hinter dem Flugzeug stehenden Fallgerüstes, wo sein anderes Ende mit dem Fallgewicht verbunden ist. Bis zum Augenblick des Abfluges wird das Flugzeug mittels eines Halteseiles mit ausklinkbarem, vom Flugzeugführer auszulösendem Haken festgehalten. Ist der Motor angedreht und hat seine erforderliche Tourenzahl erreicht, so wird das Höhensteuer abwärts gerichtet und das Halteseil ausgeklinkt.

Unter dem Einfluß der Zugkraft des Fallgewichtes schnellt der Apparat dann vorwärts, wobei er durch das abwärts gerichtete Höhensteuer zunächst auf die Startschiene niedergedrückt wird. Kurz vor dem Verlassen der Startschiene wird das Höhensteuer dann mit plötzlichem Ruck aufwärts gestellt, und das Flugzeug steigt auf. Diese Startmethode bietet den Vorteil, daß jedes Gelände zum Aufstieg benutzt werden kann, während auf Rädern anfahrende Flugzeuge ein ebenes und festes Terrain benötigen, um die zum Schweben erforderliche Geschwindigkeit zu erlangen. Sie hat jedoch den Nachteil, daß das Flugzeug stets nur dort aufsteigen kann, wo sich seine Startvorrichtung befindet.»

Curtiss erprobt
die Flugzeugträgeridee

In den USA besaßen die Wrights mittlerweile umfassende Patente, wodurch es für andere Flugzeugkonstrukteure schwierig war, mit einer eigenen Konstruktion hervorzutreten. Beispielsweise war nahezu jegliche Art von Tragflächenverwindung als Querruderwirkung den Wrights patentiert (in Europa nur die Tragflächenverwindung bei gleichzeitiger Betätigung des Seitensteuers durch einen Steuerhebel). Deshalb mußten andere amerikanische Konstrukteure nach einer Lösung suchen, die von den Wrights patentrechtlich nicht mit Erfolg angefochten werden konnte. Diese abweichende Lösung fand Glenn Hammond Curtiss in dreieckigen Querrudern, die an den Tragflächenenden angebracht wurden.

Curtiss verwendete diese Querruder in seinem ersten Zweidecker «Red Wing» (Roter Flügel), der 1907/08 fertiggestellt

wurde und gute Flugeigenschaften besaß. Das Flugzeug hatte, wie das der Wright-Brüder, ein vorgezogenes Höhenruder. Die durchgehenden Tragflächen waren nach hinten zu einer leichten Dreiecksform verlängert. An der Spitze dieses Dreieckes lag die Motorwelle mit der Luftschraube (Druckschraube). Die unteren Tragflächen-

Curtiss «June Bug» im Fluge (1908):
Spannweite 14,02 m; Leermasse 295 kg;
Motor: 40-PS (29,4 kW)-Curtiss

Glenn Hammond Curtiss – nach den Wrights der bekannteste amerikanische Flieger und Flugzeugbauer der Anfangsjahre – in einem Flugzeug mit der von ihm entwickelten Steueranlage: Steuersäule mit Lenkrad für Höhen- und Seitenruder; Oberarmhebel für Querruder

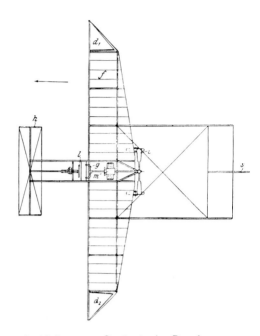

«Red Wing» von Curtiss in der Draufsicht: f Tragfläche; h Höhenruder; s Seitenruder; d₁ und d₂ Querruder; g Oberkörpergabel für Quersteuerung; l Steuersäule mit Lenkrad für Höhen- und Seitensteuerung; m Motor; c Druckluftschraube

enden waren leicht nach oben, die oberen Tragflächen leicht nach unten gebogen.

Die Steueranlage des Flugzeuges war so konstruiert, daß mit dem Lenkrad an der Steuersäule das Höhen- und das Seitenruder bewegt wurden. Die Querruder ließen sich mit einer Rohrgabel betätigen, deren obere Enden in Hebeln ausliefen, die an den Oberarmen des Flugzeugführers anlagen. Die Querruder wurden also auf einfache Weise dadurch verstellt, daß der Pilot den Oberkörper in die Richtung des beabsichtigten Kurvenfluges und zum Ausleiten der Kurve in die entgegengesetzte Richtung neigte. Diese Steuereinrichtung hat Curtiss auch für mehrere seiner späteren Baumuster beibehalten.

Das zweite Motorflugzeug von Curtiss, der «June Bug» ⟨Junikäfer⟩, flog erstmals am 21. Juni 1908. Schon zwei Wochen später, am 4. Juli, gewann er einen Preis der Zeitung «Scientific America», der für den ersten amerikanischen Flug über eine Strecke von mehr als einem Kilometer ausgeschrieben worden war ⟨obgleich die Wright-Brüder diese Flugleistung schon früher beträchtlich überboten hatten⟩. Gegen Ende des Jahres 1908 setzte er das Flugzeug auf Schwimmer, nannte es

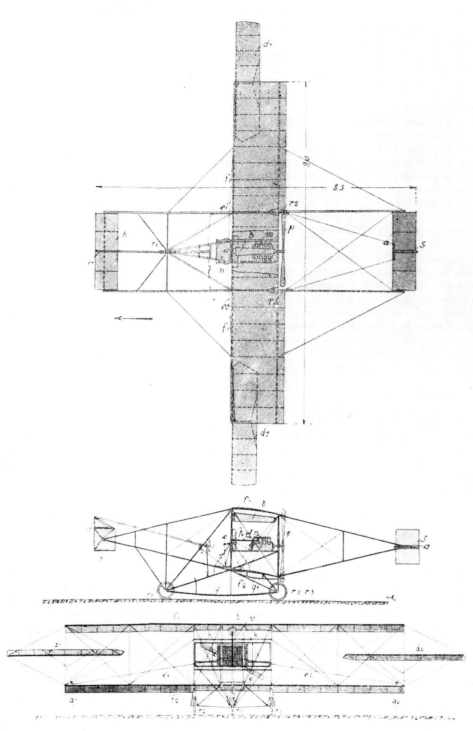

Herring-Curtiss «Golden Bug» ⟨1909⟩: Spannweite ohne Querruder 9,00 m; Länge 8,50 m; Motor: 30-PS ⟨22,1 kW⟩-Curtiss/f₁ obere, f₂ untere Tragfläche; d₁ und d₂ Querruder; a Schwanzfläche; h Höhenruder; s Seitenruder; v Führungsfläche am Höhenruder; m Motor; p Luftschraube; k Kühler; b Benzintank; q Laufrädergestell; r₁ bis r₃ Laufräder; q₁ und q₂ Kufen zum Schutz der Tragflächen

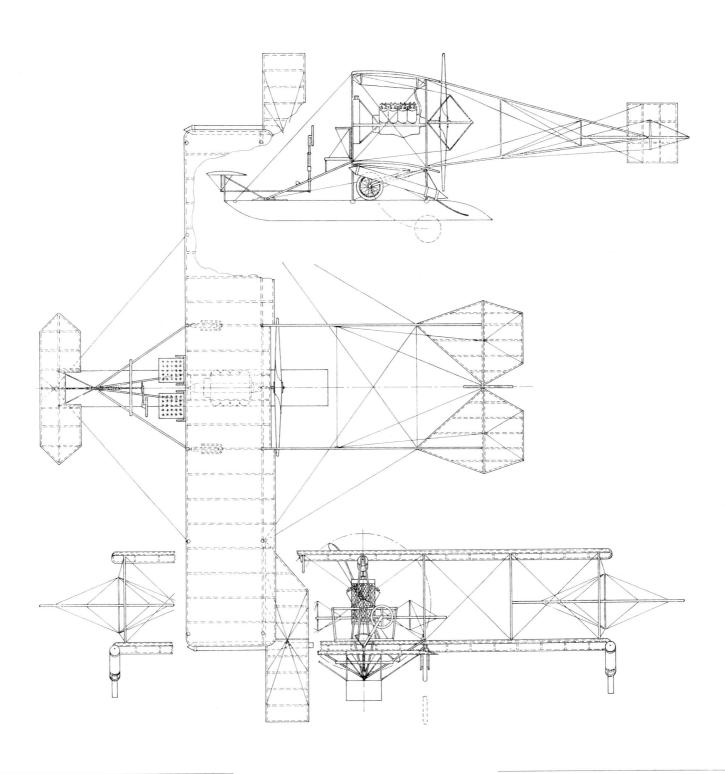

Spannweite 8,74 m;
Spannweite mit Querruder 11,28 m;
Länge 8,43 m;
Höhe 2,84 m;

Curtiss-Wasserflugzeug A.1
(Januar 1911)

Flügelfläche mit Querruder 30,75 m²;
Startmasse 714 kg;
Geschwindigkeit ca. 105 km/h;
Motor: 75-PS ⟨55,1 kW⟩-Curtiss

«Loon» ⟨Eistaucher⟩, brachte den Apparat aber nie zum Aufsteigen von der Wasserfläche.

Im Jahr 1909 schloß sich Curtiss mit Augustus Moore Herring ⟨einem erfahrenen Gleitflieger aus der Schule von Octave Chanute⟩ zur «Herring-Curtiss-Company» zusammen. Sie bauten einen Doppeldecker, an dem die Querruder zwischen den Tragflächen angebracht waren, und zwar über die Flügelenden nach beiden Seiten hinausragend. Zu den konstruktiven Besonderheiten gehörten außerdem ein Dreiradfahrgestell und Schwanzflächen wie schon bei «Red Wing» und «June Bug». Dieses Flugzeug verkauften sie für 7500 Dollar an die «Aeronautic Society of New York». Es trug den Namen «Golden Bug» ⟨Goldkäfer⟩ und hatte sehr gute Flugeigenschaften.

Dadurch angespornt baute die «Herring-Curtiss-Co.» sofort ein weiteres, etwas verbessertes und mit einem stärkeren Motor ausgerüstetes Flugzeug, den «Golden Flyer». Mit diesem Zweidecker kam Curtiss gerade noch rechtzeitig zur ersten internationalen Flugwoche vom 22. bis 29. August 1909 in Bétheny bei Reims in Frankreich. Im Rahmen dieser Flugwoche wurde unter anderem der «Gordon-Bennett-Preis» ⟨«Coupe Gordon Bennett»⟩ ausgeflogen. Dafür war eine Flugstrecke von 20 km festgelegt worden. Curtiss durchflog diese Strecke in knapp 16 min mit einer Durchschnittsgeschwindigkeit von 76 km/h. Damit errang er die Siegestrophäe für diesen Geschwindigkeitswettbewerb, deren Wert mit 12 500 Franc angegeben wurde, und einen Bargeldpreis in Höhe von 25 000 Franc.

Trotz oder gerade wegen ihres Erfolgsflugzeuges kam es zu Streitigkeiten zwischen den beiden Firmeninhabern, weil Curtiss den «Gordon-Bennett-Preis» für sich allein beanspruchte und nicht teilen wollte. Daraufhin trennte sich Herring von Curtiss, der mit dem «Golden Flyer» noch erfolgreich an mehreren Geschwindigkeits-Luftrennen teilnahm und sich dann zunehmend auf den Bau von Flugzeugen für die Marine spezialisierte. Zunächst baute er einen Dreidecker, der sich von der Golden-Flyer-Konstruktion nur durch eine weitere aufgesetzte Tragfläche und durch Schwimmer unterschied. Danach experimentierte er mit seinem bewährten Zweideckermuster weiter.

Am 14. November 1910 startete der Flieger Eugéne Ely mit einem Curtiss-Zweidecker vom US-Kriegsschiff «Birmingham»,

Der Curtiss-Wasserdreidecker ⟨1909/10⟩

Der «Golden Flyer» vor dem Curtiss-Schuppen auf dem französischen Flugplatz Bétheny bei Reims ⟨August 1909⟩

Elys Landung auf dem Achterdeck der «Pennsylvania» ⟨18. Januar 1911⟩

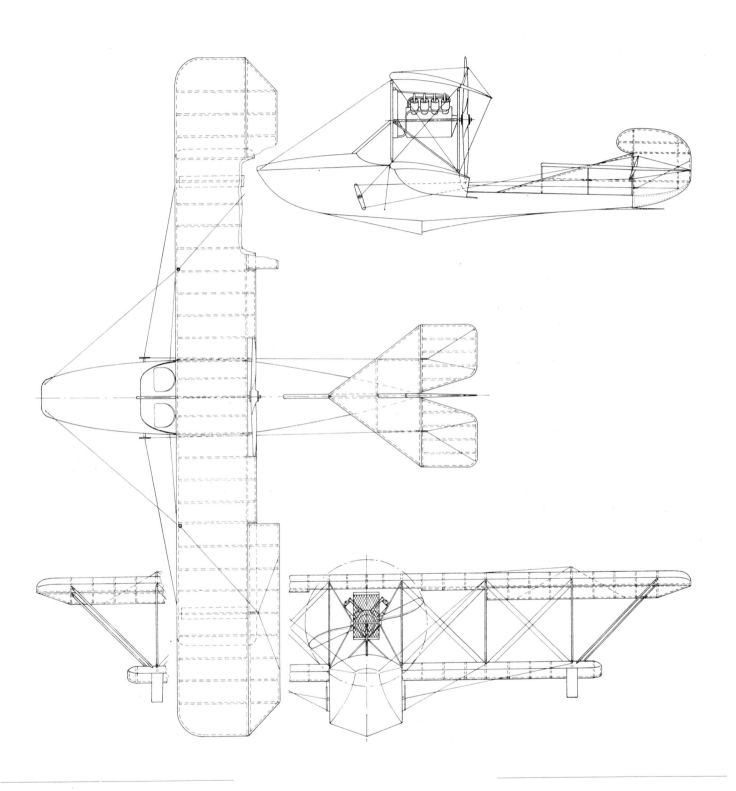

Von der US-Marine unter
der Bezeichnung C.2
in Dienst gestellt:
Spannweite 12,50 m;
Länge 8,33 m;

**Curtiss-Flugboot
(Januar 1912)**

Höhe ca. 3,35 m;
Flügelfläche 35,12 m²;
Startmasse 798 kg;
Geschwindigkeit ca. 105 km/h;
Motor: 100-PS ⟨73,5 kW⟩-Curtiss

das zu diesem Zweck mit einer Plattform ausgerüstet worden war. Am 18. Januar 1911 gelang in der Bucht von San Francisco auf dem Achterdeck des US-Kriegsschiffes «Pennsylvania» auch eine Landung. Die aufsetzende Maschine wurde zum Stillstand gebracht, indem am Flugzeug angebrachte Bremshaken die auf Deck ausgelegten Bremskabel erfaßten. Damit war die Flugzeugträgeridee erstmals mit Erfolg erprobt worden.

In der Folgezeit entwickelte und baute Curtiss mehrere Muster von Wasserflugzeugen ⟨darunter den Wasser-Zweidecker A.1, der von der US-Marine als «U.S. Navy Airplane No. 1» angekauft und in Dienst gestellt wurde⟩ und ein Flugboot, das im Januar 1912 zum Erstflug startete.

Am Jahresanfang 1914 begann die Konstruktion eines größeren, zweimotorigen Flugbootes, mit dem der damalige englische Marineflieger John C. Porte etappenweise den Atlantik überfliegen sollte. Dafür wurden zwei Prototypen gebaut ⟨Spannweite 21,95 m⟩ und mit je zwei 100-PS-Curtiss-Motoren ⟨73,5 kW⟩ ausgestattet. Wegen des ersten Weltkrieges gelangte aber der Atlantikflug nicht mehr zur Ausführung. Die beiden Flugboote wurden von der britischen Admiralität angekauft, unter Portes Leitung weiterentwickelt und mit dem Namen «Felixstowe» als Kriegsflugzeuge eingesetzt.

Die «Curtiss Aeroplane and Motor Corporation» hat auch in späteren Jahren diverse Flugzeugmuster hervorgebracht, von denen einige durch Wasserflug- und Geschwindigkeitswettbewerbe sowie durch Rekordflüge bekannt geworden sind.

Die über dem Deck des US-Kriegsschiffes «Birmingham» montierte Abflugplattform für den Startversuch mit dem Curtiss-Zweidecker

Flugboot mit 100-PS⟨73,5 kW⟩-Curtiss-Motor und zwei Zugluftschrauben ⟨etwa 1913⟩

Zweimotoriges Curtiss-Flugboot ⟨1914⟩, mit dem der Atlantik in Etappenflügen überquert werden sollte; bei Beginn des ersten Weltkrieges von der britischen Admiralität angekauft

Flugzirkus —
einträglich und opferreich

Eine mit den Anfängen des Motorfluges verbunden Erscheinung, die von einigen Luftfahrtpublizisten als eine typisch amerikanische Vermarktung des Fliegens bezeichnet wird, waren waghalsige Flugvorführungen, die man in Anlehnung an artistische Darbietungen in der Manege als «Flugzirkus» bezeichnete.

Kaum waren die ersten Motorflugzeuge der Öffentlichkeit mit Erfolg vorgeführt worden, da bildete sich eine Gruppe von Unternehmern, die Flugzeuge und Flieger auf eine Weise zur Schau stellten, an die von den Flugzeugkonstrukteuren bislang wohl am allerwenigsten gedacht worden war. Flieger wurden zu den Hauptakteuren einer neuen Art von Show-Business: Nervenkitzel auf speziell eingerichteten oder notdürftig hergerichteten Flugfeldern. Mit hohen Gagen wurden die Flieger angelockt und mit hohen Vorführungsprämien wurden sie dazu verleitet, jede Art von Risiko einzugehen. Aber der riskante Einsatz war in solchen Fällen immer das eigene Leben, nicht selten auch das Leben oder die Unversehrtheit von Zuschauern, die zu Tausenden und Abertausenden herbeieilten und denen kaum eine Eintrittsgeldforderung zu hoch war. Aber sie wollten etwas sehen für ihr Geld, denn schon bald hatte die rührige Presse verbreitet, daß bei nahezu jeder derartigen Flugveranstaltung ein Aufprall vor den Zuschaueraugen so gut wie garantiert war.

John B. Moisant, sein Bruder Alfred und deren Schwester Matilde gründen im Jahre 1910 in New York die «Show Moisant International Aviation Ltd.». Sie werben einige französische Flieger, unter ihnen Roland Garros und Edmond Audemars, sowie einige draufgängerische junge amerikanische Piloten und ziehen mit

Charles K. Hamilton, Star des Curtiss-Flugzirkus, starb im Jahre 1914 nach 63 Abstürzen

ihrem Luftzirkus von einer größeren Stadt zur anderen. Wie moderne Goldgräber mit einer Wagenkolonne. Am Stadtrand mieten sie eine Wiese, schlagen Zelte auf, bauen Blériot-Eindecker und Wright-Doppeldecker zusammen, kreisen ein paar Mal über der Stadt und werfen vorbereitete Flugblätter ab, die sie in gewaltigen Kisten mitführen. Gleichzeitig werden in den Straßen bereits Plakate angeschlagen, die «lebensgefährliche» und «waghalsige» Luftrennen versprechen, bei denen das Publikum «voll auf seine Kosten» kommen wird. Das zieht. Das zieht so sehr, daß die Familie der drei Aktionäre dieses Schau-Geschäftes jedem

ihrer Flieger pro Flugminute bis zu zwei Dollar zahlen kann, je nachdem, wie hoch die gezeigte Risikobereitschaft war. Meist bekommen sie ihr volles Geld, denn für die zwei Dollar in jeder Minute wagen die jungen Flieger alles. Einige, die jegliche Gefahr mißachten und sich deshalb den Ruf eines Draufgängers erwerben, erfliegen an manchen Tagen eine Gage bis zu 1000 Dollar.

Diese neue Art von Geschäft erweist sich für Besitzer solcher Unternehmen rasch als viel einträglicher als das Goldgraben. Wer über Flugzeuge und ein paar Transportfahrzeuge verfügt, der ist für diese Branche geradezu prädestiniert. So überrascht es nicht, daß bald nach Moisant auch die Wrights und Curtiss ihre eigenen Flieger-Shows gründen und durch die US-Staaten schicken. Für die Wrights fliegen Brookins, Parmalee, Hoxsey und Johnstone. Binnen eines Monates liegen die beiden Letztgenannten tot zwischen den Trümmern ihrer Flugzeuge. Im Jahre 1911 lösen die Brüder Wright ihren wandernden Flugzirkus wieder auf.

Für Curtiss fliegen u. a. Shriver, Hamilton und Beachey. Charles K. Hamilton wird in Bakersfield von bewaffneten Zuschauern zum Start gezwungen, obwohl er sich verletzt hatte und sein Flugzeug beschädigt ist. Da mehrere Revolvermündungen auf ihn gerichtet werden und die ausgesprochenen Drohungen unmißverständlich sind, startet er und rast mit der defekten Maschine in einen Schuppen. Doch war das nicht seine einzige Havarie; insgesamt überlebte er 63 Abstürze. Dabei zertrümmerte er Flugzeuge gleich reihenweise und brauchte deshalb eine eigene Mechanikergruppe, die ihn stets mit einem ganzen Ersatzteillager begleitete. Auch an ihm selbst hinterließen die verschiedenen Stürze gravierende Spuren. «Von dem ursprünglichen Hamilton ist wenig übriggeblieben», sagte man nach den ersten paar Dutzend schwere Stürzen. Die Ärzte hatten unentwegt mit ihm zu tun: zwei Ersatzrippen aus Silber sowie Metallplatten im Schienbein und in der Schädeldecke soll er getragen haben, als er im Jahre 1914 als 28jähriger starb.

Lincoln Beachey, ein weiterer Curtiss-Pilot, hatte seine eigenen Vorführungsspezialitäten. Er unterflog Telefonleitungen, Baumäste und Brücken, landete auf Baseballplätzen und in Ausstellungshallen. Und er bildete ein Gespann mit dem Autorennfahrer Barney Oldfield, mit dem er Flugzeug-gegen-Auto-Rennen vor Tausenden von Zuschauern austrug. Am 14. März 1915 stürzte er über dem Hafen von San Francisco ab. Bei seinen Kapriolen in der Luft hatte er einen Eindecker so stark beansprucht, daß die Tragflächen nach hinten wegbrachen. Etwa 50 000 Zuschauer sahen zu, wie der Flugzeugrumpf, einer bemannten Bombe gleich, senkrecht herabstürzte und im Wasser verschwand. Beachey wurde von einem Taucher tot geborgen.

Zu dieser Zeit waren bereits fast ein Drittel aller amerikanischen Flieger tödlich verunglückt. Beckwith Havens, der im Jahre 1910 dem Curtiss-Team beigetreten war, kennzeichnete die Situation, die in solchem Flugzirkus herrschte, schon kurze Zeit später mit den Worten: «Sie starben uns so schnell weg, daß ich die Einsätze aller anderen zu übernehmen begann.» Aber nicht nur in den USA, sondern auch in anderen Ländern, darunter im zaristischen Rußland, mangelte es den vielen kleineren und größeren Flugschauunternehmen nirgendwo an Zuschauern.

Der erste Unternehmer dieser Art, John B. Moisant, war am 31. Dezember 1910 selbst tödlich abgestürzt; nicht bei einer gewagten Flugvorführung, sondern als Teilnehmer eines motorflugsportlichen Wettbewerbs. Das Flugschaugeschäft führten seine Geschwister weiter, solange sich dafür Flieger fanden und das Publikumsinteresse anhielt.

Beachey beim Unterfliegen einer Brücke an den Niagarafällen

Der Engländer Claude Graham-White landet mit einem Farman-Doppeldecker in der Executive Avenue in Washington in der Nähe des Weißen Hauses, stattet dort dem Präsidenten einen Besuch ab und startet wieder

Lincoln Beachey und Barney Oldfield beim Flugzeug-gegen-Auto-Rennen auf einer Rennbahn bei Columbus (US-Staat Ohio) im Sommer 1914

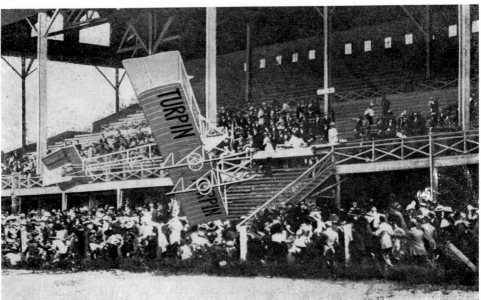

Lincoln Beachey, der meist im Nadelstreifenanzug zu seinen Vorführungen erschien, in einem Curtiss-Doppeldecker vor dem Start

Nachahmer auch in anderen Ländern: Am 10. August 1912 fliegt der Engländer Francis McClean mit einem Short-Wasserdoppeldecker zwischen den Türmen der Londoner Tower Bridge hindurch

Auf dem Flugfeld der Hafenstadt Seattle ⟨US-Staat Washington⟩ verliert ein Pilot bei waghalsigen Vorführungen die Beherrschung über das Flugzeug und schlägt an der Haupttribüne zwischen fliehenden Zuschauern auf   Bilanz: drei Tote und zwölf Verletzte

Luftschiffe und Flugzeuge
von Santos-Dumont

Der Brasilianer Santos-Dumont entwikkelte seit dem Jahre 1897 als 24jähriger zunächst mehrere kleinere motorgetriebene Luftschiffe. Seit 1898 lebte er in Paris und wurde sofort weltbekannt, als er am 19. Oktober 1901 beim zweiten Versuch mit seinem halbstarren Einmann-Luftschiff Nr. 6 in St. Cloud startete, den Pariser Eiffelturm umkreiste und zum Ausgangspunkt zurückkehrte. Mit dieser 30-min-Fahrt gewann er den von Henry Deutsch de la Meurthe ⟨Mitbegründer des «Aéro-Clubs de France»⟩ für diese Leistung ausgesetzten Preis.

Über die Höhe des Preises enthält die Literatur abweichende Angaben. Santos-Dumont schrieb damals dazu, und teilte bei dieser Gelegenheit zugleich mit, wofür er den Preis verwendete: «Der Preis belief sich auf 125 000 Francs. Da es mir nicht beifiel, diese Summe für mich zu behalten, teilte ich sie in zwei ungleiche Teile, von denen ich den größeren, 75 000 Francs, dem Polizeipräfekten für die Armen von Paris überwies; den Rest verteilte ich unter meinem Personal, das mir seit so langer Zeit seine Hilfe geliehen und dem ich froh war, dieses Zeichen der Erkenntlichkeit für seine Anhänglichkeit geben zu können.»

Das fiel Santos-Dumont nicht schwer, denn erstens entstammte er einer steinreichen Familie brasilianischer Kaffeeplantagenbesitzer und zweitens erkannte ihm die brasilianische Regierung für diese Eiffelturmumkreisung ebenfalls einen Preis in Höhe von 100 Contos ⟨125 000 Francs⟩ zu. Das war mit einer speziell geprägten goldenen Plakette zur Erinnerung an den 19. Oktober 1901 verbunden.

Über jenen aufsehenerregenden zweiten Flug seiner Luftschiffahrt schrieb man seinerzeit: «Auf den Straßen kommt der

Alberto Santos-Dumont gilt als einer der bedeutendsten europäischen Luftfahrtpioniere im ersten Jahrzehnt unseres Jahrhunderts

Verkehr zum Stehen, die Pariser rennen aus ihren Häusern, schreien und winken, die Männer schwenken ihre Strohhüte hinauf zu dem kühnen Luftfahrer. In ihrer lautstarken Begeisterung können sie nicht hören, daß der Motor einen halben Kilometer hinter dem Eiffelturm zu stottern beginnt und fast wegbleibt. Für Santos-Dumont steht ein paar Sekunden lang alles auf dem Spiel. Einen dritten Versuch wird er sich sobald nicht leisten können, ohne sich lächerlich zu machen. Einen Augenblick zögert Santos-Dumont, unschlüssig, ob er das Steuer seines Luftschiffes loslassen soll. Er hat keine Wahl, das sieht er. Entschlossen klettert er ...

nach hinten zum Motor. Mit einer Hand hält er sich fest, mit der anderen fingert er an der Zündung, am Gemischregler. Er spürt während der Arbeit, wie die Nr. 6 mit ihren 33 Metern die Nase senkt, wie die Abwärtsfahrt beginnt. Die Menge auf den Straßen ist verstummt ... ein Bäcker fällt vor Aufregung in die Seine. Aber der Motor kommt. Santos-Dumont turnt behende ... zum Steuer zurück, gleicht die Gewichte aus, bekommt sein Gefährt wieder in den Griff.»

Parallel zu seinen Luftschiffexperimenten beschäftigte sich Santos-Dumont mit dem Flugzeugbau. Im Jahre 1905 baute er einen Gleitflugapparat Nr. 11, mit dem er sich von einer Motorbarkasse auf dem Wasser schleppen ließ. Der Gleiter war sein erstes Flugzeug, aber sein Objekt Nr. 11 als ein Luftfahrtgerät. Es waren neun kleine Luftschiffe vorausgegangen. Die Nr. 8 ist ausgelassen worden, weil Santos-Dumont abergläubische Vorbehalte mit dieser Zahl verband, weshalb er auch nie am 8. Tag eines Monates startete.

Seine Nr. 12 war das Modell eines zweimotorigen Hubschraubers, den er aber nie erproben konnte, weil er keine geeigneten Motoren fand. Die Nummern 13 und 14 waren wieder Luftschiffe, und dann folgte erneut ein Flugzeug, das nach der Zählweise des Konstrukteurs eigentlich die Nr. 15 hätte sein müssen, aber als Nr. 14bis bezeichnet wurde, weil dieser Flugapparat für Versuchszwecke zunächst am Luftschiff Nr. 14 aufgehängt worden ist.

In jenen Jahren begannen Luftfahrzeugkonstrukteure, die Versuchs- und Bauvarianten eines Ausgangsmusters mit unterschiedlichen Ergänzungen zu kennzeichnen. Dazu gehörten lateinische Reihenfolgebezeichnungen wie bis, ter und quater für die zweite, dritte und vierte Variante in der Versuchsreihe, aber auch ergänzend beigefügte Buchstaben oder Ziffern.

Die Santos-Dumont-14bis war ein Doppeldecker-Kastendrachen mit deutlicher V-Stellung der Tragflächen ⟨ungefähr 10°⟩ und einer Spannweite von rund 12 m. Es war nach heutigen Konstruktionsvorstellungen ein «umgedrehtes Flugzeug», denn die Kastenzelle vorn am Rumpf, die auf den ersten Blick wie ein Schwanzleitwerk aussieht, war das vorgezogene kombinierte Höhen- und Seitenruder. Es wirkte dadurch, daß dieser Kasten in alle Richtungen drehbar war. Später wurden solche «umgedrehten Flugzeuge» mit «Entenbauart», «Entenflugzeug» oder einfach mit «Ente» näher bezeichnet.

Nach ersten Flügen wurde in den beiden äußeren Tragflächenkammern je eine längliche, horizontale Verwindungsklappe angebracht, um die Querstabilität im Fluge verbessern zu können. Ihre Betätigung löste Santos-Dumont auf eine originelle Weise. Bei Flügen mit diesem Apparat trug er fortan eine speziell angefertigte Lederweste mit Metallbeschlägen, die mit den Steuerkabeln der Verwindungsklappen verbunden waren. Die Quersteuerung wurde durch Neigen des Oberkörpers bewirkt.

Mit seinem Kastendrachen ⟨der wie kaum ein anderer die Bezeichnung «fliegende Kiste» verdient⟩, führte Santos-Dumont die folgenden Flüge aus, die im

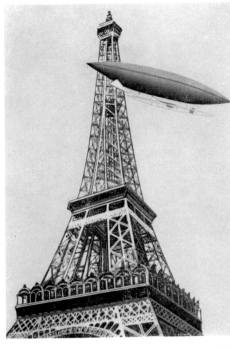

Santos-Dumont umfährt mit einem Eigenbau-Luftschiff erstmals den Pariser Eiffelturm ⟨1901⟩

Erprobung des Flugzeuges «Nr. 14 bis», das für diesen Zweck am Luftschiff ⟨Nr. 14⟩ aufgehängt wurde ⟨Sommer 1906⟩

damaligen Frankreich als Meilensteine der Motorflugentwicklung angesehen und in der Presse gefeiert wurden.

13. September 1906: ein 7-m-Sprung. Das Flugzeug war für diesen Versuch mit einem 24-PS-Antoinette-Motor ⟨17,6 kW⟩ mit Druckpropeller ausgestattet und wurde bei der Landung stark beschädigt.

23. Oktober 1906: ein 60-m-Flug mit 7 s Dauer als erster Motorflug in Europa. Das reparierte Flugzeug war nun mit einem 50-PS-Antoinette-Motor ⟨36,8 kW⟩ ausgerüstet. Santos-Dumont erhielt für diese Flugleistung den von Ernest Archdeacon im Jahre 1904 gestifteten Preis in Höhe von 3000 Francs, der für den ersten europäischen Motorflug über eine Weite von 25 m vergeben werden sollte.

12. November 1906: ein 220-m-Flug in einer Höhe von 6 m und einer Flugzeit von 21,2 s. Dafür erhielt er den Preis des «Aéro-Clubs de France» in Höhe von 1500 Francs, der für den ersten 100-m-Flug ausgesetzt worden war.

Santos-Dumont baute einen verbesserten Apparat Nr. 15, der jedoch beim Erstflugversuch zertrümmert wurde. Danach entstand im Jahre 1907 die Nr. 19 in der Fluggeräte-Entwicklungsreihe, der kleine Eindecker «Demoiselle». Dieses Flugzeug war das erste erfolgreiche Leichtbauflugzeug der Erde, denn die Leermasse betrug nur 107 kg. Auf das Tragflächenmittelstück war ein Dutheil-Chalmers-Motor mit einer Leistung von 18/20 PS ⟨13,2/14,7 kW⟩ gesetzt worden. Der Leitwerkträger wurde aus einem unbespannten Bambusrohrgerüst gebildet, an dessen Ende ein drehbar gelagertes kreuzförmiges Leitwerk angebracht war.

«Demoiselle» wurde bis zum Jahre 1909 mehrmals verbessert und erhielt in der Ausführung des Jahres 1909 die Typnummer 20. Verbesserungen waren vor allem: die Erhöhung der Motorleistung auf 35 PS ⟨25,7 kW⟩, die Motorkühlung durch Abkühlung des Kühlwassers in Röhrchen, die Verwindung der Tragflächen. Der Erstflug der Nr. 20 fand am 6. März 1909 in Issy-les-Moulineaux statt. Im April 1909 wurde bereits eine 2-km-Strecke durchflogen und im September 1909 soll bereits ein Flug über 18 km mit 16 min Dauer gelungen sein.

In den Jahren 1909/10 entstand ein weiterentwickeltes leichtes Sportflugzeug mit den Nummern 21 und 22. Diese beiden Varianten zeichneten sich durch einfache Steuerung sowie durch die originelle Anbringung des Motors aus, den der Flie-

Der Kastendrachen-Doppeldecker
«Nr. 14 bis» ⟨1906⟩ von Santos-Dumont
mit der weit vorgelagerten beweglichen
Kastenzelle, die als kombiniertes
Höhen- und Seitensteuer wirkte;
mit diesem Flugzeug gelang
am 23. Oktober 1906 auf einer Wiese
bei Boulogne mit einer Weite
von 60 Metern der erste Motorflug
in Europa

Der leicht verbesserte Kastendrachen-
Doppeldecker ⟨1906⟩ mit horizontalen
Verwindungsklappen in den
äußeren Flügelkammern:
Spannweite ca. 12,00 m;
Flügelfläche 52,00 m²; Länge 8,95 m;
Höhe 4,00 m; Startmasse 300 kg;
Motor: 50-PS⟨36,8 kW⟩-Antoinette

Die «Nr. 15», ein konstruktiv
verbesserter Zweidecker mit V-Flächen-
stellung und Zugluftschraube,
beim Transport auf einer Landstraße
⟨im Vordergrund: Santos-Dumont⟩

ger direkt vor sich hatte ⟨fast auf dem
Schoß⟩, wodurch er während des Fluges
im Bedarfsfalle bequem regulierend ein-
greifen konnte. Die Nr. 22 soll eine Geschwindigkeit von etwa 110 km/h erreicht
haben. Nähere Einzeldaten sind nicht bekannt geworden, weil Santos-Dumont im
Jahre 1914 seine persönlichen Unterlagen
vernichtet hat.

Alberto Santos-Dumont war in mancherlei Hinsicht eine herausragende Per-
sönlichkeit in den Pionierjahren des Motorfluges in Europa, vor allem in Frankreich.
Er war in jener Zeit der einzige, der sich
in solcher Breite ⟨vom lenkbaren Ballon
bis zu Motorflugzeugen⟩ der Konstruktion und dem Bau von Luftfahrzeugen
zugewandt hat. Er war auch der einzige,
der bis zum Ende seiner aktiven Flieger-
zeit diese verschiedenen Flugapparate
selbst flog. Dazu besaß er, wiederum als
einziger in jenen Jahren, verschiedene
Erlaubnisse zum Führen von Luftfahrzeugen: für Ballons, für Luftschiffe, für Motorflugzeuge ⟨und zwar sowohl für Eindecker
als auch für Doppeldecker⟩. Er gilt als
einer der bedeutendsten europäischen
Luftfahrtpioniere des ersten Jahrzehnts
unseres Jahrhunderts. Im Frühjahr 1910
zog er sich aus gesundheitlichen Gründen
von der aktiven Teilnahme am Motorflug
zurück. Unter den Einwirkungen einer
schweren Krankheit faßte er im Jahre 1932
den tragischen Entschluß zum Freitod. Er
starb in Rio de Janeiro.

Santos-Dumont «Demoiselle» ⟨1907⟩:
deutlich erkennbar die einfache,
leichte Bauweise. Das Flugzeug
erhielt die Nr. 19 und, mit geringen,
äußerlich kaum erkennbaren
Verbesserungen, die Nr. 20
⟨bei Beibehaltung des Namens
«Demoiselle»⟩. Für die Nr. 20-Version
konnten folgende Daten recherchiert
werden: Spannweite 5,10 m;
Flügelfläche 10,20 m²; Länge 8,00 m;
Höhe 2,40 m; Flügeltiefe 2,00 m;
Leermasse 118 kg; Geschwindigkeit
90 km/h; Motor: von Darrack
verbesserter Dutheil-Chalmers-Motor
mit einer Leistung von 35 PS ⟨25,7 kW⟩

Santos-Dumont an seiner «Demoiselle»,
wie überall, wo er auftauchte, von eilig
herbeilaufenden Zuschauern umringt

Eine Modifikation der Santos-Dumont-
Nr. 19: Anordnung von zwei
Luftschrauben mit paddelförmigen
Blättern

Santos-Dumont im Flugzeugführersitz
seines Typs 15, der beim ersten
Flugversuch zerstört wurde

Voisin und sein Bruder bauen Kastendoppeldecker

Ingenieur Gabriel Voisin hatte, bevor er eigene Flugzeuge entwickelte, beim Bau und bei der Erprobung von Gleitflugzeugen mitgewirkt, die nach Entwürfen von Ernest Archdeacon entstanden waren. Er war zeitweilig bei dem von Archdeacon gegründeten «Syndicat d'Aviation» angestellt, in dem mehrere Gleiter entstanden, die mit unterschiedlichen Startmethoden zu Lande und auf dem Wasser ausprobiert wurden. Die dabei gewonnenen Erfahrungen nutzte er zunächst in den Jahren 1905/06 gemeinsam mit Louis Blériot, danach bei selbständigen Konstruktions- und Flugversuchen gemeinsam mit seinem Bruder Charles. Die Brüder Voisin gründeten etwa zum Jahreswechsel 1906/07 in Billancourt an der Seine eine Flugapparatebauwerkstatt, das «Voisin Fréres, Atelier d'Aviation». Es war das erste kommerzielle Flugzeugbauunternehmen in Europa. Doch der flugzeugtechnische Beginn dieser gemeinsamen Tätigkeit verlief ganz und gar nicht verheißungsvoll.

Der erste Kunde war Monsieur Florencie. Dieser hatte eine Flugmaschine «Ornithoptère» erfunden, deren Flügel wie auf- und niederschlagende Klappen bewegt werden sollten, etwa in der Weise, wie ein Vogel von ebener Erde startet. Dieser Flatterflug sollte nicht durch Motorkraft, sondern durch Muskelkraft bewirkt werden. Gabriel Voisin erhob zwar Einwände, übernahm aber den Auftrag, als er erkannte, daß sich Florencie von seiner Idee nicht abbringen ließ. So baute man in kurzer Zeit ein imposantes Monstrum der gewünschten Art. Der Auftraggeber besah das fertige Werk, war zufrieden, bezahlte auf der Stelle in bar und versuchte dann vergeblich, mit Armmuskelkraft den Klappenmechanismus zum Flattern zu bringen. Danach band er unbe-

Gabriel und Charles Voisin ⟨v.l.n.r.⟩, Begründer des ersten europäischen kommerziellen Flugzeugbauunternehmens

eindruckt den Apparat an einen Wagen und ließ ihn auf dem Straßenwege nach Palaiseau ziehen. Dort stellte er ihn offenbar irgendwo auf. Man hat später nichts mehr davon gehört.

Als zweiter Auftraggeber kam Henry Kapferer. Im Unterschied zu Florencie überließ er den Brüdern Voisin die Initiative bei der Konstruktion und beim Bau des Flugapparates, der wiederum nach schon kurzer Zeit am 17. Februar 1907 zur Erprobung bereitstand. Aber das Flugzeug, mit einem Antoinette-Motor ausgestattet, flog nicht. Daraufhin wurde am 3. März 1907 der Versuch mit einem leistungsstärkeren Buchet-Motor wiederholt, aber ohne Erfolg. Das Kapferer-Flugzeug konnte zwar rollen, aber nicht fliegen.

Noch im selben Monat, im März 1907, wurde ein Motorflugzeug für den dritten Kunden fertiggestellt, für Léon Delagrange, Sohn eines Großindustriellen aus Orléans. Er war mit Entwürfen für einen besonders kuriosen Flugapparat gekommen, der eine Vielzahl von Flügeln und

Rumpfstangen haben sollte. Nach einer gemeinsamen Beratung nahm Delagrange den Vorschlag der Brüder Voisin für einen bedeutend unkomplizierteren Apparat an, machte aber zur Bedingung, daß das Flugzeug erst dann bezahlt wird, wenn damit ein Flug ohne Unfall ausgeführt worden ist. Es entstand ein Zweidecker mit vorgezogenem Höhenruder, zwei Tragflächen gleicher Spannweite und einem 20-PS-Buchet-Motor ⟨14,7 kW⟩, aber ohne jegliche Quersteuerung.

Dieses Flugzeug wurde bei zwei Erprobungen, ausgeführt in Vincennes, stark beschädigt. Gabriel Voisin, der die Versuche ausgeführt hatte, blieb unverletzt. Die Maschine konnte immer wieder aufgebaut werden. Für den dritten Versuch setzte sich Charles Voisin ans Steuer. Am 16. März 1907 erreichte er in Bagatelle eine Höhe von 4 m und eine Flugweite zwischen 60 und 80 m. ⟨Über die genaue Weite befinden sich in der Literatur unterschiedliche Angaben.⟩ Delagrange bezahlte daraufhin das Flugzeug und unternahm damit am 31. Oktober 1907 in Issy-les-Moulineaux seine ersten Versuche. Er flog schon am 2. November etwa 50 m weit, zertrümmerte aber den Flugapparat bei einem Flug am 5. November vollständig.

Im Auftrag Léon Delagranges bauten die Brüder Voisin ein zweites Muster. Es hatte ein vorgezogenes zweiflächiges Höhenruder wie der Wright-Doppeldecker, ein kastenförmiges Schwanzleitwerk und zwei gleichgroße Tragflächen mit 10 m Spannweite. Der Apparat wurde von einem 50-PS-Antoinette-Motor ⟨36,8 kW⟩ mit Druckpropeller angetrieben. Damit gelangen mehrere Flüge, einzelnen Angaben zufolge bis zu einer Weite von 500 m.

Für Henry Farman, Sohn eines in Paris lebenden englischen Journalisten, bauten die Brüder Voisin bis zum August 1907 einen Zweidecker mit einflächigem vorgezogenem Höhenruder, mit einem etwas verkleinerten Leitwerkkasten sowie einer leichten V-Stellung der Tragflächen. Dieses Flugzeug wurde bei der ersten Erprobung stark beschädigt, danach innerhalb von vier Tagen wieder aufgebaut, erneut erprobt und ab Oktober 1907 erfolgreich von Farman geflogen.

Im Jahre 1908 bestellte Henry Farman bei Voisin ein weiteres Flugzeug mit einigen Änderungen, die später als kennzeichnend für die Voisin-Doppeldecker

galten. Unter Beibehaltung der konstruktiven Grundidee ‹zwei im Abstand hintereinander angeordnete, unterschiedlich große und durch ein versteiftes Leitwerkträgergerüst verbundene Doppeldeckerkastenzellen› wurden die Tragflächen durch vier vertikale Stoffwände unterteilt. Dadurch entstanden zwischen den beiden Tragflächen ‹Spannweite je 10 m, Flächen-

Erstvorführung des Voisin-«Sturmvogel» auf dem Fluggelände von Issy-les-Moulineaux ‹1909›

tiefe 2 m, Flächenabstand 1,50 m› drei kastenartige Räume.

Die beiden Schwanzflächen ‹Spannweite 2,50 m, Flächentiefe 2 m, Flächenabstand 1,50 m› waren durch zwei vertikale Seitenwände gleichfalls miteinander zu einer Kastenform verbunden. In diesem hinteren Kasten wurde das Seitensteuer angeordnet. Vorgezogen war wiederum das Höhenruder, bestehend aus zwei nebeneinander liegenden, starr miteinander verbundenen, aber drehbar gelagerten Steuerflächen. Die Steuerung wurde seinerzeit folgendermaßen beschrieben: «Sämtliche Steuervorrichtungen regiert ein einziges Organ, nämlich

ein Automobilsteuerrad, das auf einer in einer Seiltrommel verschiebbar gelagerten Vierkantstange sitzt. Durch Vor- und Zurückschieben des Rades wird das Höhenruder verstellt, durch Drehen des Rades die Seiltrommel gedreht, und mittels dieser durch sich auf- und abwickelnde Seile das Seitenruder verstellt.»

Der Motor wurde auf der unteren Tragfläche hinter dem Flugzeugführer angeordnet und trieb eine Druckluftschraube an. Das Fahrgestell bestand aus vier Laufrädern, zwei kleineren unter dem Schwanzkasten und zwei größeren unter den Tragflächen. Die Vorderräder waren um die senkrechte Achse drehbar. Dadurch konnten sie beim Landen unter Seitenwind in die tatsächliche Landerichtung gedreht werden, was bei diesem Flugzeugmuster besonders wichtig war, weil die Zwischenwände zwar flugstabilisierend wirkten, zugleich aber bei Seitenwind zu einem deutlichen seitlichen Abtreiben führten. Zudem waren die beiden vorderen Laufräder sehr elastisch gelagert, da zum Auffangen von Landestößen zwei 1,50 m lange Schraubenfedern angebracht waren, die das Durchfedern um 0,60 m ermöglichten.

Im Stand auf seinen vier Rädern bildeten die Tragflächen einen Winkel von 10° gegen die Horizontale. Motor, Führersitz und Steuer wurden von einem bootsförmigen Gitterrumpf aufgenommen, der sich nach vorn zum Höhensteuer verjüngte und im Vorderteil verkleidet war.

Obgleich von Farman bestellt, verkauften die Voisins das Flugzeug an den Eng-

Voisin-Doppeldecker «Farman I» ⟨1907⟩, ab Oktober 1907 nach vorausgegangenem Fehlversuch erfolgreich geflogen: Spannweite 10,00 m; Flügelfläche 40 m²; Länge 13,30 m; Höhe 3,21 m; Startmasse 530 kg; Motor: 50-PS⟨36,8 kW⟩-Antoinette ⟨Levavasseur⟩

Den «Sturmvogel» nannten die Berliner, als er im Herbst 1909 in Johannisthal vorgeführt wurde: «Stube, Kammer und Küche»

Zusätzliche Stabilisierungsflächen an den hinteren Tragflächenenden des Voisin-Doppeldeckers wurden als Querruder ausprobiert

Foto oben:
Der Voisin-Kastendoppeldecker
mit zusätzlichem Bugrad ⟨1909/10⟩

Voisin-Versuchsmuster mit einer
dritten aufgesetzten Tragfläche,
Querruder und einem Höhenruder
am Flugzeugheck

länder Moore-Babrazon. Das führte zum Zerwürfnis zwischen den Brüdern Voisin und Henry Farman.

Dieses Flugzeugmuster, das im Jahre 1909 erstmals flog, nannten die Brüder Voisin «Sturmvogel». Als diese Bauart erstmals im Herbst 1909 zur Eröffnungsflugwoche in Johannisthal bei Berlin auftauchte ⟨geflogen vom Belgier de Caters und dem Franzosen Henry Rougier⟩, nannten die Berliner den Flugapparat «Stube, Kammer und Küche». Aus diesem Baumuster entstand ab Jahresbeginn 1910 der Standardtyp der Voisin-Bauweise.

Der Standard-Kastendoppeldecker unterschied sich kaum vom «Sturmvogel». Auffällig war, daß zusätzlich ein Bugrad angebracht wurde, mit dem verhindert werden sollte, daß beim Landen der vorgezogene Bug und das Höhenruder mit dem Boden kollidierten. Von diesem Baumuster wurden etliche Exemplare verkauft. Viele Flieger verwendeten es zu Vorführungen und bei Flugwochen. Trotzdem wurden weitere konstruktive Veränderungen ausprobiert, um die Flugeigenschaften weiter zu verbessern. Dazu gehörten Versuche mit zusätzlichen Stabilisierungsflächen, die an den Hinterkanten der beiden Tragflächen angebracht wurden. Sie wirkten als Querruder, denn sie waren um die waagerechte Achse drehbar und wurden über Fußhebel dirigiert. Darüber hinaus wurde ein Versuchsmuster mit einer aufgesetzten dritten Tragfläche und einem Höhenruder am Flugzeugheck ausgestattet.

Der Voisin-Kastendoppeldecker erwies sich als außerordentlich stabil in der Flugrichtung. Allerdings ergab sich aus den senkrechten Flächen der Kastenzellen der erhebliche Nachteil, daß das Flugzeug bei Seitenwind ziemlich stark aus der beabsichtigten Flugrichtung gedrängt wurde. Dieser Umstand führte dazu, daß im Jahre 1911 ein einsitziger Sportflugzeugtyp gebaut wurde, der gegenüber dem bis zu diesem Zeitpunkt bevorzugten Kastendoppeldecker mehrere Neuerungen enthielt. Dazu gehörten die vergrößerte Spannweite 15,75 m und die Leitwerkträgerkonstruktion, die nach hinten verjüngt auf eine vertikale Rohrstange zusammenlief, an der das Seitenruder aufgehängt war. Die Rohrstange diente zugleich als Spannbock für die große Schwanzfläche, deren letztes Drittel als Höhenruder ausgebildet wurde. Zwischen dem vorgezogenen Flugzeugführersitz und dem Motor mit Druckpropeller befanden sich unter der unteren Tragfläche zwei Laufräder, zwei kleinere waren unterhalb des verkleideten Flugzeugführersitzes angeordnet. Die Gewichtsverteilung war so ausbalanciert, daß das Flugzeug beim Rollen auf diesen vier Rädern ruhte und das Leitwerk den

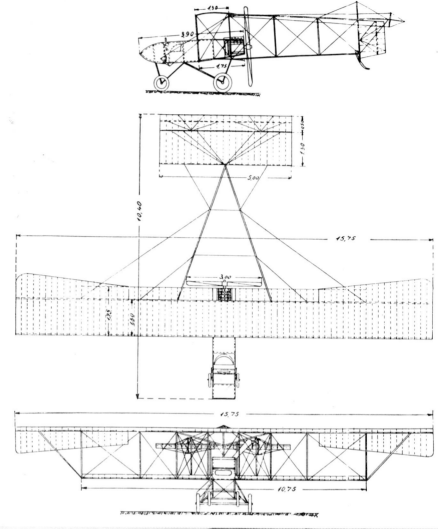

Dreiseitenansicht des Voisin-Sporteinsitzers ⟨1911⟩

Doppeldecker-Sporteinsitzer von Voisin ⟨1911⟩: Spannweite 15,75 m ⟨oben⟩, 10,75 m ⟨unten⟩; Flächentiefe 1,30 m ⟨oben⟩, 1,75 m ⟨unten⟩; Länge 10,40 m; Motor: 60-PS⟨44,1 kW⟩-Renault

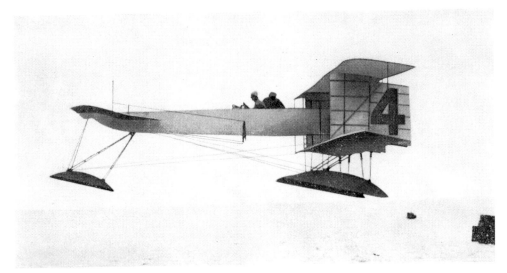

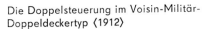

Die Doppelsteuerung im Voisin-Militär-Doppeldeckertyp ⟨1912⟩

Voisin-Wasserdoppeldecker, der im Jahre 1912 von der französischen Kriegsmarine angekauft und in Dienst gestellt wurde ⟨eine Konstruktion der Entenbauart, d. h., die Flugrichtung im Bild ist: nach links⟩

Die Voisin-Ente ⟨1911⟩ mit unverkleidetem Rumpf

Boden nicht berührte. Dadurch erreichte das rollende Flugzeug rasch eine hohe Geschwindigkeit und brauchte nur eine kurze Startstrecke ⟨ein Verfahren, das auf die Brüder Bréguet zurückgeht⟩. Zum Antrieb wurden ein 60-PS-Renault-Motor ⟨44,1 kW⟩ und ein Druckpropeller mit Durchmesser von 3 m verwendet.

Im Jahre 1911 setzten die Brüder Voisin ihre weiteren Erprobungen auf einem anderen Wege fort. Sie drehten das Flugzeug einfach um und bauten einen Ententyp, einem Prinzip folgend, das Santos-Dumont mit seinem Kastendoppeldecker Nr. 14bis bereits mit Erfolg verwirklicht hatte. Die Voisins behielten dazu die Doppeldecker-Kastenform bei, verbanden sie mit einem etwa 12 m langen verspannten Gitterrumpf und setzten das Höhen- und das Seitenruder auf die weit vorgestreckte Leitwerkträgerspitze.

Dieses Versuchsmuster ist zunächst mit unverkleidetem, dann mit verkleidetem

Rumpf auf dem Lande erprobt, danach auf Schwimmer gesetzt und schließlich mit Schwimmern und Rädern ausgestattet worden. Im August 1911 wurde dieses Flugzeug mit einem 70-PS-Gnôme-Motor ⟨51,5 kW⟩ auf dem Flugplatz Issy-les-Moulineaux gestartet, auf der Seine bei Billancourt gewassert, dort erneut gestartet und nach Issy zurückgeflogen. Damit hatte es seine Eignung als Amphibienflugzeug unter Beweis gestellt.

Eine weiterentwickelte Version mit verkleidetem Rumpf und einem 100-PS-Gnôme-Motor ⟨73,5 kW⟩ wurde im Jahre 1912 von der französischen Kriegsmarine angekauft und als ihr erstes Seeflugzeug in Dienst gestellt. Von diesem Zeitpunkt an stand vorwiegend der Bau von Militärflugzeugen auf dem Voisin-Programm. Diese spielten, als der erste Weltkrieg begann, eine wesentliche Rolle im Bestand der französischen Aufklärungs- und Bombenfliegerkräfte.

Erfolgsflugzeuge der Brüder Farman

Zu den europäischen Erfolgskonstrukteuren der Pionierjahre des Motorfluges gehören die französischen Brüder Henry und Maurice Farman. In der Literatur finden wir die Schreibweisen «Henry» und «Henri». Wie aus zeitgenössischen Quellen hervorgeht, hat Farman selbst einmal die eine, einmal die andere Schreibweise verwendet. Ebenso wurde sowohl «Farman» als auch «Farmann» geschrieben.

Für unsere flugzeugbezogene Betrachtung ist aber wesentlicher, daß es heute außerordentlich schwierig ist, ganz genau zwischen Voisin- und Voisin-Farman-Konstruktionen zu unterscheiden. In einigen Fällen ist es nur durch die Angabe des Konstrukteurs in Luftfahrtpublikationen oder durch Flugzeugaufschriften möglich, festzustellen, daß dieser oder jener französische Zweidecker nicht von Voisin gebaut wurde, obgleich das Konstruktionsprinzip auf die Voisin-Brüder zurückgeht. Luftfahrthistoriker gehen davon aus, daß etliche Konstruktionen von Farman, Fournier, Sommer, Delagrange und anderen aus dem Voisin-Standardtyp hervorgegangen sind.

Henry Farmans Entwicklung als Flieger und Flugzeugkonstrukteur begann im Juni 1907, als er bei Voisin einen Zweidekker bestellte, mit dem er nach seiner Fertigstellung am 20. September des gleichen Jahres seinen ersten Flug ausführte und in kurzer Aufeinanderfolge mehrere damals aufsehenerregende Leistungen vollbrachte:

28. Oktober 1907: drei Flüge über Weiten von 350 m, 410 m und 771 m;
9. November 1907: 900 m Weite;
10. November 1907: Flug in einem geschlossenen Vollkreis.

Das Flugzeug, mit dem Henry Farman diese Flüge ausführte, wird in der damaligen

Henry Farman, einer der erfolgreichsten europäischen Flugzeugkonstrukteure vor dem ersten Weltkrieg

Briefkopf der Flugzeugkonstruktionswerkstatt von Henry Farman

Literatur teils als «Voisin-Doppeldecker ⟨1907⟩» bezeichnet, teils als Doppeldecker «Farman I». Beide Bezeichnungen sind richtig, wie gleich zu sehen sein wird.

Nachdem Henry Farman im Jahre 1908 sein zweites Flugzeug bei den Voisins in Auftrag gegeben hatte und es nach dem Erstflug im Jahre 1909 übernehmen wollte, stellte sich heraus, daß es bereits an den englischen Rennfahrer J. T. C. Moore-Babrazon verkauft worden war. Darüber gab es einen nachhaltigen Streit. Farman annullierte seinen Auftrag und zog sich auf ein abseits gelegenes Gelände, das Camp de Châlons, bei Bouy an der Marne zurück. Dort gründete er eine eigene Flugzeugkonstruktionswerkstatt, die «Henry Farman Aeroplanes», und begann nunmehr, selbst Flugzeuge zu bauen.

Gleich das erste Flugzeug wurde ein Volltreffer und zum Standardmuster der Werkstatt Henry Farmans. Es wurde am 6. April 1909 eingeflogen. Farman hatte den Grundaufbau der Voisin-Bauart beibehalten, aber die senkrechten Stoffbahnen. entfernt. Dadurch und durch Querruderklappen an den Tragflächen begünstigt, hatte der Farman-Zweidecker bedeutend bessere Steuereigenschaften als der Voisin-Zweidecker. Äußerlich wiesen der Leitwerkträger, das kastenförmige Leitwerk und das vorgezogene Höhenruder auf die Voisin-Bauart hin. Im Unterschied dazu waren die Anzahl der Räder des vorderen Fahrwerks auf vier erhöht und außerdem Gleitkufen angebracht worden. Henry Farman bezeichnete dieses Flugzeug als «Farman III». Das bedeutete, für ihn war
— «Farman I» das im Jahre 1907 von Voisin gekaufte Flugzeug,
— «Farman II» das im Jahre 1908 von ihm bei Voisin bestellte, aber an den eng-

lischen Interessenten verkaufte Flugzeug,
— «Farman III» das erste Flugzeug, das in seiner eigenen Werkstatt entstanden war.

Um auf die Tragflächenwindung verzichten zu können und damit den seinerzeit verbreiteten Patent-Streitigkeiten mit den Wright-Brüdern aus dem Wege zu gehen, hat Henry Farman erstmals die später üblich gewordene Klappen-Querrudersteuerung entwickelt. Allerdings waren diese Querruder in den ersten Jahren des Motorfluges nicht miteinander gekoppelt. Dadurch war die Hochstellung der einen Querruderklappe nicht wie heute synchron mit der Herabstellung der anderen verbunden. Damals wurde jede der beiden Querruderklappen unabhängig voneinander betätigt. Deshalb hängen sie auch auf den Abbildungen alter Flugzeuge in Ruhestellung wie Lappen nach unten. Sie wurden erst beim Start bzw. im Fluge durch den Luftstrom in die Horizontalstellung gehoben.

Das Farman-III-Flugzeug erregte rasch Aufsehen und wurde bald in Serien hergestellt. Dazu trug der Konstrukteur auch durch seine fliegerischen Leistungen sehr erheblich bei. Zur ersten Flugwoche, die vom 22. bis 29. August 1909 auf dem Flugplatz Bétheny bei Reims stattfand, modifizierte Farman eines seiner Flugzeuge. Er ersetzte den Leitwerkkasten durch ein Zweideckerleitwerk mit zwei Seitenrudern. Außerdem hatte er den serienüblichen schweren und schwerfälligen 50-PS-Vivinus-Motor ⟨36,8 kW⟩ durch den neuen, feurigen Gnôme-Motor mit gleicher Leistung und Integral-Luftschraube ersetzt. Seine neue Leitwerkskonstruktion behielt Farman künftig bei. Sie befand sich auch an jenem Flugzeug, mit dem er wenig später vom 26. September bis 3. Oktober 1909 zur Eröffnung des Flugplatzes Johannisthal am «Konkurrenz-Fliegen der ersten Aviatiker der Welt» teilnahm.

Während der Reimser Flugwoche im August 1909 hatte die Farman-Konstruktion große Aufmerksamkeit gefunden, denn Henry Farman setzte sich mit seinem Doppeldecker gegen so namhafte Konkurrenten wie Louis Paulhan, Hubert Latham, Louis Blériot, Paul Tissandier, Glenn Hammond Curtiss und andere sicher durch. Er gewann den «Großen Preis» mit einem mehr als dreistündigen Flug auf einem 10-km-Rundkurs um aufgestellte Pylone; 170 km wurden ihm als erreichte Flugstrecke angerechnet. Das hatte kein anderer Flieger mit einer anderen Flugzeugkonstruktion geschafft. Auch im Passagierflugwettbewerb fand er keine ernsthaften Gegner. Nur ihm gelang es, mit zwei Passagieren 10 min und 39 s in der Luft zu bleiben. Eine englische Luftfahrtzeitschrift schrieb darüber, sowohl das Flugzeug als auch seinen Piloten lobend: «Keine Landung war so perfekt und sanft wie diejenigen des Farmans; die Maschine setzte auf, ohne daß man den geringsten Schlag beobachten konnte, auch wenn sie zwei Passagiere an Bord hatte.» Am Ende der Flugwoche kassierte Henry Farman an Preisen insgesamt 63 000 Francs und war Gesamtsieger von Reims.

Farman-Doppeldecker Nr. I ⟨1907⟩, von Henry Farman gekauft und erfolgreich geflogen, im Werk der Brüder Voisin gebaut

Henry Farman mit seinem Doppeldecker ⟨«Farman III»⟩ im September 1909 in Johannisthal:
Spannweite 10,00 m;
Flügelfläche 40 m²;
Länge 12,00 m; Höhe ca. 3,50 m;
Startmasse 550 kg;
Geschwindigkeit 60 km/h;
Motor: 50-PS⟨36,8 kW⟩-Gnôme

Im Jahre 1910 vergrößerte Farman seinen Doppeldecker, verkürzte aber die untere Tragfläche. Er verwendete als Quersteuerung zwei Querruder ‹«Verwindungsklappen»›, die an der oberen Tragfläche angeordnet waren. Die Gleitkufen erhielten an ihrem Vorderteil zusätzliche Laufräder. Zu diesem Zeitpunkt wuchsen die Aufträge, die seine Fabrik erhielt, ständig. Der Farman-Doppeldecker zählte bald zu den am meisten verbreiteten und zu den sichersten Motorflugzeugen. In Johannisthal wurde dieses Flugzeug in den Jahren 1910/11 von den Albatros-Werken in Lizenz gebaut.

Von diesen Mustern ausgehend, wurden über den Sportmotorflug hinausgehende Verwendungszwecke gesucht und erschlossen. Bereits Mitte November 1910 richtete Farman die erste stabile Passagierflugverbindung ein, und zwar zwischen den Standorten der Fliegerschulen von Buc und Etampes. Die Flugstrecke betrug 40 km, der Flugpreis 20 Francs je Kilometer, für die Gesamtstrecke also 800 Francs. Zu jener Zeit gehörten diese beiden Fliegerschulen bereits zu der inzwischen gegründeten Flugzeugfabrik «Aéroplanes Henry & Maurice Farman», die ihre

Der leicht vergrößerte und verbesserte Farman-Anderthalbdecker mit Querrudern und zusätzlichen kleinen Laufrädern am vorderen Teil der Gleitkufen aus dem Jahre 1910: Spannweite ‹oben› 10,40 m; Flügelfläche 50 m²; Länge 13,20 m; Geschwindigkeit 65 km/h; Motor: 50-PS ‹36,8 kW›-Gnôme

Farman-Militärtyp ‹1910›, ein Anderthalbdecker mit 16,00 m Spannweite der oberen Tragfläche, leichter V-Stellung der unteren Tragfläche und Sitzverkleidung

An der Version des Jahres 1910 ohne zusätzliche Gleitkufenräder: Henry Farman im Gespräch mit einem seiner Piloten

Werkstätten in Billancourt an der Seine eingerichtet hatten.

Im Jahre 1910 wurde für militärische Zwecke ein besonders großes Baumuster fertiggestellt. Die Spannweite der oberen Tragfläche betrug 16,0 m, konnte aber durch das Herunterklappen der beidseitigen Ansatzstücke von je 2,50 m verkürzt werden, wodurch das Flugzeug in einem normalen Schuppen Platz fand. Der Flugzeugführer saß in einer nach vorn spitz zulaufenden Sitzverkleidung. Die Normalausführung war mit einem 50-PS-Gnôme-Motor ⟨36,8 kW⟩ ausgestattet. Mit diesem Typ, allerdings mit einem 100-PS-Gnôme-Motor ⟨73,5 kW⟩, nahm der Holländer Henri Wynmalen im Jahre 1911 am «Europäischen Rundflug» teil.

Geradezu das Gegenstück zu diesem damals riesigen Flugzeug war der Farman-Renndoppeldecker, der im Jahre 1911 entstand. Der Flugzeugführersitz war vor die Tragflächen verlegt worden, wodurch sich günstige Sichtverhältnisse ergaben. Mit einem Flugzeug dieses Typs nahm Otto Erik Lindpaintner am «Deutschen Rundflug» 1911 teil.

Henry Farman entwickelte seine Flugzeuge weiter. Beispielsweise entstand im Jahre 1912 der Anderthalbdecker «Farman F-20» ⟨gelegentlich auch als «Farman F.20» bezeichnet⟩, ein Zweisitzer mit verkleidetem Rumpfbug. Später wandte er sich, wie andere Flugzeugfabriken auch, dem Flugzeugbau für militärische Verwendungszwecke zu. Dazu gehörte ein zweisitziger Marinedoppeldecker, der im Jahre 1912 erfolgreich geflogen wurde.

Im Jahre 1913 entstand ein Militärdoppeldecker, gleichfalls als Anderthalbdekker konstruiert. Die obere Tragfläche war nach beiden Seiten 3 m länger als die untere. Das breitspurige Fahrgestell bestand aus zwei gummibereiften Räderpaaren.

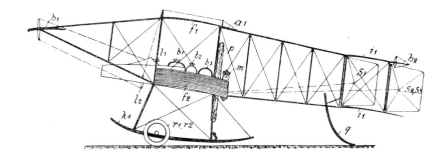

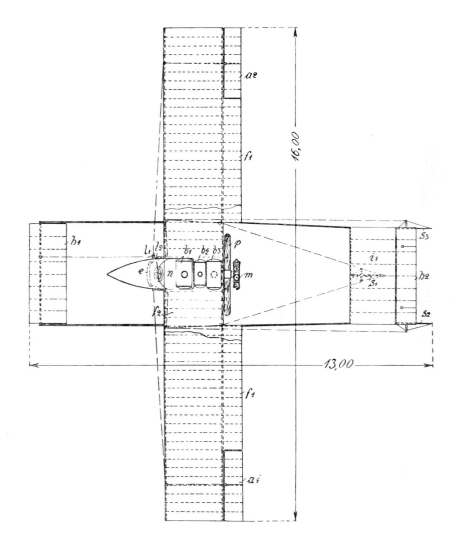

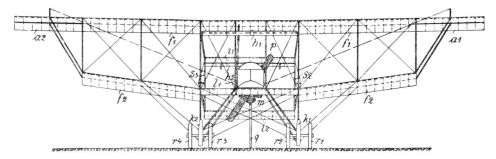

Dreiseitenansicht des Farman-Militärtyps ⟨1910⟩:
f_1 obere, f_2 untere Tragfläche;
a_1 und a_2 Querruderklappen;
i_1 und i_2 Schwanzflächen;
h_1 und h_2 Höhenruder;
s_1 bis s_3 Seitenruder;
k_1 und k_2 Landekufen;
r_1 bis r_4 Laufräder; q Schwanzkufe;
n Führersitz; l_1 Handrad für Querruder und vorderes Höhenruder;
l_2 Handhebel für hinteres Höhenruder;
e Fußhebel für Seitenruder; m Motor;
p Luftschraube; b_1 bis b_3 Benzintanks

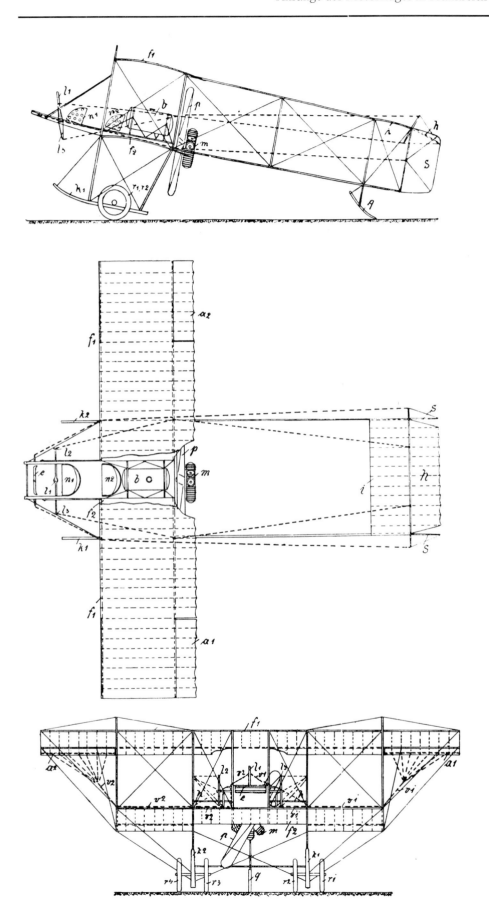

Der Bugrumpf verfügte über drei Sitze und auf seinem torpedoartig nach vorn verjüngten Rumpfteil war ein Maschinengewehr montiert. Unterhalb des Bugrumpfes war ein schwenkbarer Scheinwerfer für Nachtflüge angebracht. Hinter den Sitzen befand sich der elyptisch geformte Öl- und Benzintank mit einem Fassungsvermögen von insgesamt 100 l ⟨68 l Benzin, 32 l Öl⟩. Hinter dem verkleideten Rumpf war ein 80-PS-Gnôme-Motor ⟨58,8 kW⟩ eingesetzt, der eine Druckschraube von 2,50 m Durchmesser antrieb. Nach hinten verlief ein sich verjüngender Gitterträger, auf dessen Ende die Schwanztragfläche mit zwei Höhensteuerklappen aufgelegt und nach unten verspannt war. Zwischen den beiden Höhensteuerklappen war das Seitenruder bewegbar.

Dieses Flugzeug hat Farman zunächst als Renndoppeldecker eingesetzt und auf diese Weise die für den damaligen Entwicklungsstand vorzüglichen Flugleistungen der Maschine nachgewiesen. Das Interesse der französischen Militärs war sofort geweckt, als am 13. September 1913 der französische Flieger Auguste Séguin mit einem Zusatztank im Non-Stop-Flug aus Frankreich auf dem Flugplatz Johannisthal eintraf. ⟨Vater und Onkel des Piloten, Laurent und Louis Séguin, sind die Konstrukteure des berühmt gewordenen Gnôme-Umlaufmotors.⟩ Die Umwandlung des Renndoppeldeckers in einen Militärdoppeldecker war denkbar einfach. Sie erfolgte durch das Aufsetzen eines Maschinengewehrs auf dem Rumpfbug vor dem vorderen Sitz.

Kaum bekannt ist, daß sich Henry Farman auch im Bau von Eindeckern versucht hat. Bereits im Jahre 1910 entstanden zwei Varianten einer Eindecker-Konstruktion, deren durchgehende und nur auf der Oberseite bespannte Tragfläche etwas

Dreiseitenansicht des Farman-Renndoppeldeckers ⟨1911⟩:
f_1 obere, f_2 untere Tragfläche; a_1 und a_2 Querruderklappen; i Schwanzfläche; h Höhenruder; s Seitenruder; k_1 und k_2 Landungskufen; r_1 bis r_4 Laufräder; q Schwanzkufe; n_1 Führersitz; n_2 Passagiersitz; l_1 Handhebel für Querruder; l_2 und l_3 Handhebel für Höhenruder; v_1 und v_2 Steuerseile für Querruder; e Fußhebel für Seitenruder; m Motor; p Luftschraube; b Benzintank

oberhalb des Flugzeugrumpfes angeordnet war. Der Rumpf war viereckig, verstrebt und unbespannt. Beide Varianten hatten eine Spannweite von 8,0 m und eine Länge von 7,50 m. Ein verbesserter Eindecker entstand im Jahre 1911. Die Tragflächen waren jetzt an die Rumpfoberkante angelegt und beidseitig bespannt. Durchgehend stoffbespannt war auch der Rumpf. Wie beim Vorgängermuster bestand das Fahrgestell aus zwei Rädern auf einer gemeinsamen Achse, aber wie beim Doppeldecker war an jeder der beiden Kufen ein kleines Laufräderpaar hinzugekommen.

Als Konstrukteur nicht ganz so erfolgreich wie sein Bruder, aber ebenfalls der Schöpfer mehrerer beachteter Motorflugzeuge, war Maurice Farman. Auch er knüpfte an die Bauweisen erfolgreicher Flugzeuge an und entwickelte in Zusammenarbeit mit mehreren seiner Mitarbeiter ein Mittelding von Wright-Doppeldecker 〈Leitwerk, weitausladende Kufen〉, Voisin-Doppeldecker 〈vertikale Stofflängswände an den Außenseiten der Tragflächen, offener verspannter Leitwerkträger, Fahrwerk aus zwei vorderen und zwei hinteren kleineren Rädern bestehend〉 und Henry-Farman-Doppeldecker 〈Querruder auch an unteren Tragflächen, Zweidecker-Schwanz-Konstruktion zur Flugstabilisierung sowie zwei dahinterliegende, nebeneinander angeordnete Seitenruder〉. Dieses Flugzeug MF.1 wurde erstmals in Buc am 1. Februar 1909 mit einem 60-PS-Renault-Motor 〈44,1 kW〉 mit Druckpropeller geflogen. Bei diesem Erstflug wurde eine 300-m-Strecke bewältigt, aber durch den Landeaufprall das Flugzeug beschädigt. Die Flugversuche wurden daraufhin unterbrochen.

Später ging Maurice Farman, wie zuvor schon sein Bruder Henry, zum Bau von

Anderthalbdecker «Farman F-20» in einer Ausstellung 〈1912〉

Zweisitziges Marineflugzeug von Henry Farman 〈1912〉

Renndoppeldecker-Version des Farman-Militärdoppeldeckers 〈1913〉, mit dem Séguin ohne Zwischenlandung nach Johannisthal bei Berlin gelangte 〈im Bild: vor einem Schuppen der Johannisthaler «Luft-Verkehrs-Gesellschaft A.G.»/LVG〉

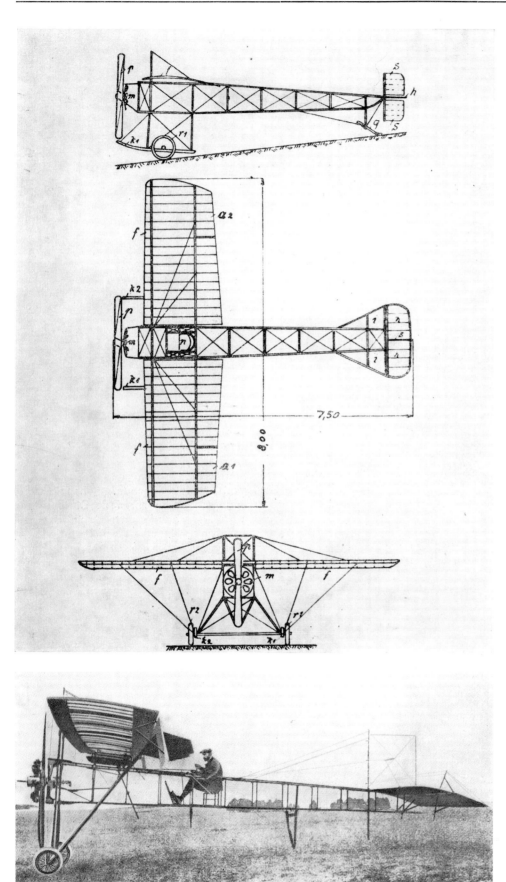

Doppeldeckern ohne vertikale Zwischenwände über, weil auch er die Erfahrung gemacht hatte, daß die Stoffwände das Abtreiben bei Seitenwind begünstigten und unter Windeinfluß das Kurven erschwerten. Die erste Variante dieser Art, und zwar mit offenem Sitz, während MF.1 bereits einen verkleideten Rumpfbug hatte, flog im Jahre 1910.

Gleichfalls im Jahre 1910 entstand eine Version dieses Doppeldeckers mit verkleidetem Rumpfbug als Versuchsflugzeug für die maritime Verwendung. Dazu war der Doppeldecker mit je zwei Schwimmerpaaren über dem Radfahrwerk und zwei kleineren Schwimmern etwa unter dem Schwanzleitwerk versehen worden. Für eine Wasserlandung schien diese Lösung auch geeignet zu sein, aber erst nach Demontage des völlig eingetauchten Fahrgestells auch für einen Wasserstart.

Ein reichliches Jahr später erschien bereits das Baumuster MF.7, das sich von der Variante 1910 vor allem durch Querruder an beiden Flächenpaaren, durch den verkleideten Rumpfbug und durch zwei Heck-Gleitkufen unterschied. Die technischen Daten, die zum Bilde des MF.7-Doppeldeckers angegeben sind, entstammen einer neuzeitlichen französischen Quelle. Dieses Flugzeug wurde in den französischen und britischen militärischen Fliegerkräften verwendet und befand sich dort bis etwa 1915 im Einsatz. In den britischen Fliegerkräften erhielt die MF.7 ⟨britische Bezeichnung S.7⟩ wegen der weit nach vorn ausgelegten Kufen mit dem vorderen Höhenruder den Beinamen «Longhorn».

Diesem Flugzeug folgte im Jahre 1913/14 das Muster MF.11 ⟨in der britischen Armee mit dem Beinamen «Shorthorn» versehen⟩. Es unterschied sich von seinem Vorgänger vor allem durch die stark verkleinerten Kufen sowie die Verlegung des Höhenruders von vorn nach hinten. Dieser Doppeldecker hatte eine Spannweite der unteren Fläche von 16,0 m und

Dreiseitenansicht der zweiten Variante des Henry-Farman-Eindeckers:
f Tragfläche; a_1 und a_2 Querruder;
i Schwanzfläche; h Höhenruder;
s Seitenruder; r_1 und r_2 Laufräder;
k_1 und k_2 Landekufen; q Schwanzkufe;
m Motor; p Luftschraube; n Führersitz

Henry-Farman-Eindecker,
erste Variante ⟨1910⟩

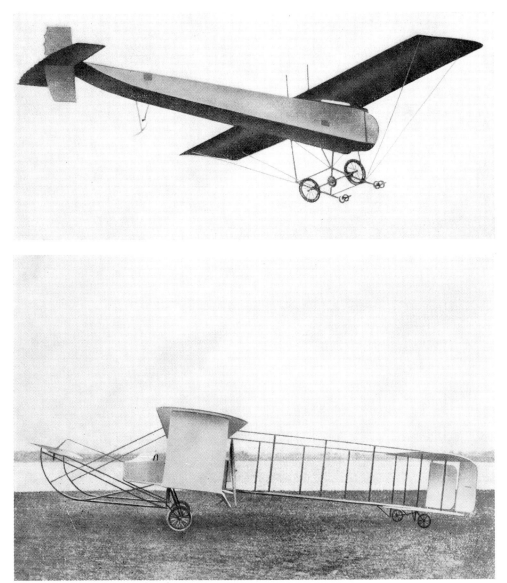

der oberen Fläche von 17,5 m, die Gesamtlänge betrug 9,0 m, die Startmasse war 600 kg. Er erreichte mit einem 80-PS-Renault-Motor ⟨58,8 kW⟩ eine Geschwindigkeit von 105 km/h und war damit deutlich schneller als sein Vorgänger. Auch die MF.11 befand sich bis etwa zum Jahre 1915 im militärischen Einsatz in den französischen und britischen Fliegerkräften ⟨etwa 90 Flugzeuge allein im britischen Dienst mit der Bezeichnung S.11⟩.

Während die MF.7 unbewaffnet war und sowohl für die Schulung als auch für die Aufklärung eingesetzt wurde, war die MF.11 als Aufklärungs- und Bombenflugzeug eingesetzt. Anfänglich saß der Beobachter im hinteren Sitz mit einem Maschinengewehr frei in den Händen. Spätere Versionen hatten ein Maschinengewehr auf dem Rumpfbug ⟨der Beobachter bediente es vom vorderen Sitz⟩ oder auf der oberen Tragfläche ⟨der Beobachter schoß stehend⟩. Die MF.11 ⟨S. 11⟩ trug 18 Bomben von je 7,25 kg. Mit einem dieser Flugzeuge wurde erstmals am 21. Dezember 1914 ein nächtlicher Bombenangriff gegen Geschützstellungen der deutschen Truppen bei Ostende ⟨Belgien⟩ geflogen. Mehrere Flugzeuge wurden mit Doppelschwimmern ausgerüstet und als Marineflugzeuge eingesetzt.

Maurice-Farman-Doppeldecker ⟨1910⟩

Henry-Farman-Eindecker,
dritte Variante ⟨1911⟩, im Fluge

Doppeldecker «MF.1»
von Maurice Farman ⟨1909⟩
in der Seitenansicht

«MF.1» in der Vorderansicht

**Siegerliste der ersten internationalen Flugwoche vom 22. bis 29. August 1909
in Bétheny bei Reims in Frankreich**

Wettbewerb	Pilot	Flugzeug	Flugleistung	Platz
Streckenflug	Henry Farman	H.-Farman-Zweidecker	180 km	1
	Hubert Latham	Antoinette-Eindecker	154,5 km	2
	Louis Paulhan	Voisin-Zweidecker	131,0 km	3
	Charles de Lambert	Wright-Zweidecker	116 km	4
Geschwindigkeitsflüge über 30 km	Glenn Hammond Curtiss	Herring-Curtiss-Zweidecker	23 min, 29,1 s	1
	Hubert Latham	Antoinette-Eindecker	25 min, 18,1 s	2
	Eugéne Lefébvre	Wright-Zweidecker	28 min, 59,1 s	3
	Paul Tissandier	Wright-Zweidecker	29 min,	4
	Charles de Lambert	Wright-Zweidecker	29 min, 2 s	5
Passagierflüge über 10 km	Henry Farman ⟨mit zwei Passagieren⟩	H.-Farman-Zweidecker	10 min, 39 s	1
Höhenflüge	Hubert Latham	Antoinette-Eindecker	155 m	1
schnellste Bahnrunde ⟨10 km⟩	Louis Blériot	Blériot-Eindecker	7 min, 47,5 s	1
	Glenn Hammond Curtiss	Herring-Curtiss-Zweidecker	7 min, 49,2 s	2
	Hubert Latham	Antoinette-Eindecker	8 min, 32,2 s	3

Zusätzlicher Wettbewerb um den «Gordon-Bennett-Preis» für den schnellsten Flug über 20 km
⟨zwei Bahnrunden⟩:

	Glenn Hammond Curtiss	Herring-Curtiss-Zweidecker	15 min, 50,4 s	1

Versuchsdoppeldecker
von Maurice Farman für die maritime
Verwendung ⟨1910⟩ mit zwei Doppelschwimmern vorn und zwei Schwimmern
unter dem Leitwerk

Doppeldecker «MF.11»:
stark verkleinerte Kufen
mit zwei Räderpaaren,
ohne vorgezogenes Höhenruder

Doppeldecker «MF.7» ⟨1911/12⟩:
Spannweite 15,30 m; Flügelfläche 61 m^2;
Länge 11,30 m; Höhe 3,30 m;
Startmasse 785 kg; Höchstge-
schwindigkeit 70 km/h; Dienstgipfel-
höhe 4000 m; Motor: 60-PS⟨44,1 kW⟩-
Renault

Wilbur Wright erteilt Europa eine Fluglektion

Der Wright-Doppeldecker vor dem kleinen Schuppen auf dem Truppenübungsplatz von Avours ⟨1908⟩

Die Brüder Wright bemühten sich seit dem Jahre 1905 intensiv um die kommerzielle Verwertung ihrer Flugzeugkonstruktion und der damit verbundenen Patente. Sie beschlossen schließlich, die verkaufswerbende Vorführung ihres Flugzeuges selbst in die Hand zu nehmen und den Vorbehalten, die ihnen in Europa noch immer entgegengebracht wurden, ein für allemal ein Ende zu setzen. Während Orville Wright im September 1908 in Fort Myers ⟨USA⟩ mit Vorführungsflügen begann, die dazu führten, daß ein Flugzeug ihrer Bauart vom US-Kriegsministerium angekauft und als erstes Militärflugzeug in Dienst gestellt wurde, hatte es Wilbur Wright übernommen, mit einem Flugapparat nach Frankreich zu reisen und dort den Kampf gegen die anhaltenden ungläubigen Verleumdungen in Europa aufzunehmen.

Das Land, in dem er diesen Kampf beginnen wollte, war gut gewählt, denn

Frankreich war damals das führende Land Europas auf dem Gebiete der Luftfahrt. Auch der Zeitpunkt war gut gewählt, denn die ersten Leistungen französischer Flieger waren bereits in die Weltrekordlisten der «Féderation Aeronautique Internationale» ⟨FAI⟩ eingetragen worden:

26. Oktober 1907:
Geschwindigkeitsrekord 41,292 km/h über eine gerade Strecke, aufgestellt von Henry Farman mit einem Voisin-Zweidecker.

13. Januar 1908:
Streckenrekord 1,000 km auf einem geschlossenen Kurs, aufgestellt von Henry Farman mit einem Voisin-Zweidecker.

21. März 1908:
Streckenrekord 2,004 km, aufgestellt von Henry Farman mit einem Voisin-Zweidecker.

11. April 1908:
Streckenrekord 3,925 km, aufgestellt von Léon Delagrange mit einem Voisin-Zweidecker.

30. Mai 1908:
Streckenrekord 12,750 km, aufgestellt von Léon Delagrange mit einem Voisin-Zweidecker.

In diesem selben Monat Mai verkündete Henry Farman, daß er die Brüder Wright zu einem Wettflug um 10 000 Dollar herausfordere: je 5000 Dollar für einen Geschwindigkeits- und einen Streckenwettflug. Zu diesem Zeitpunkt befand sich ein Wright-Doppeldecker bereits in der französischen Hafenstadt Le Havre in Kisten verpackt und noch unter Zollaufsicht. Einen Monat nach Farmans Herausforde-

rung trifft Wilbur Wright in Frankreich ein. Er läßt seinen Flugapparat zum Rennplatz von Hunaudières bei Le Mans transportieren, etwa 180 km südwestlich von Paris. Dort, in einem Behelfsschuppen, montiert er sein Flugzeug gemeinsam mit einigen Arbeitern und beseitigt Schäden, die beim Transport entstanden waren.

Wilbur Wright hat keine Eile, denn mit der gleichen Ruhe, mit der er das Flugzeug montiert, verhandelt er zwischendurch mit potentiellen Geschäftspartnern über den Verkauf. Mehrere Wochen zieht sich das hin. Inzwischen bleibt sein Flugzeug im Schuppen, der ständig von Neugierigen umlagert ist. Um es zu bewachen, schläft er nachts neben dem Zweidecker. Dafür muß Wilbur Wright Gründe gehabt haben, die durch eine verspätete Meldung erhellt wurden, die erst im Januar 1909 von der Zeitschrift «Flugsport» den deutschen Lesern mitgeteilt wurde: «Die Zerstörung der Wright'schen Flugmaschine ... bei Le Mans ... wurde von mehreren Individuen versucht. Wahrscheinlich haben Rivalen die Hand im Spiele.»

Unter den argwöhnisch Abwartenden rund um den Wright-Schuppen befinden sich auch Skeptiker, die sich bereits selbst mit dem Flugzeugbau beschäftigt hatten. Sie erklären den Umstehenden, daß und warum der Wright-Apparat gemeinhin nicht fliegen könne, und wenn überhaupt jemals, daß er dann noch nicht im entferntesten an die Leistungen der besten französischen Flugzeugkonstruktionen heranreiche. Einer dieser Wortführer ist Ernest Archdeacon, der in den Jahren

Die ersten Wright-Flugschüler:
Paul Tissandier, ...

Charles de Lambert ...

und Lucas Gerardville

1904/05 gemeinsam mit Gabriel Voisin Gleitzweidecker gebaut und erprobt hatte. Die Presse verkündet: «Der Bluff geht weiter.»

Am 8. September 1908 baut Wilbur Wright endlich die Startschiene auf und läßt das Flugzeug zum ersten Mal zu einem kurzen Erprobungsflug aus dem Schuppen ziehen. Vor den Abwartenden, unter ihnen Zeitungsleute, die hier Dauerposten bezogen haben, um über das erwartete Fiasko unverzüglich berichten zu können, startet Wright auf dem kleinen Platz und scheint direkt in einige Bäume hineinzufliegen, die in der Startrichtung stehen. Mit noch nie in Frankreich gesehener Leichtigkeit fliegt er in Bodennähe eine Kurve, weicht den Hindernissen aus, fliegt weitere Kurven und Kreise, landet nach knapp 2 min und ist mit seinem Apparat zufrieden.

Dieser kurze Flug ließ die anwesenden Zweifler erstarren. Sie glaubten, ihren Augen nicht trauen zu dürfen, denn das, was sie hier gesehen hatten, war mehr als Starten und Landen. Das war Fliegen! Die vorlauten Kritiker verstummen, wohl ahnend, daß dieser kurze Flug erst eine Probe der Leistungsfähigkeit der Wright-Flugmaschine und des fliegerischen Kön-

nens von Wilbur Wright gewesen ist. Louis Blériot, später selbst einer der erfolgreichen Flugzeugkonstrukteure und Flieger, stand unter den Zuschauern und erklärte dann: «Monsieur Wright steckt uns alle in die Tasche.» – «Ja, wir sind geschlagen», bekannte auch Léon Delagrange, der zu jener Zeit noch den Strekkenflug-Weltrekord hielt.

Nach einem weiteren Flugtrainingsprogramm zieht Wilbur Wright mit seinem Flugzeug auf das erheblich größere Gelände des Truppenübungsplatzes von Avours um. Am 16. September 1908 macht Léon Delagrange noch einmal auf sich aufmerksam. Er setzt die neue Weltrekordmarke für Streckenflüge auf 24,125 km. Aber dann, fünf Tage später, am 21. September, greift Wilbur Wright an und zeigt der fassungslosen Öffentlichkeit, was er unter Fliegen versteht. An diesem Tage überbietet er die bestehenden Weltrekordleistungen im Streckenflug, im Dauerflug und im Geschwindigkeitsflug.

Beim ersten Versuch hatte Wright sämtliche französischen Flieger besiegt. Am 8. Dezember 1908 stellte er mit 115 m einen neuen Höhen-Weltrekord auf. Im gleichen Monate verbesserte er mit einem Flug gleich zwei Weltrekorde. Er erhöhte den Strecken-Weltrekord auf 124,7 km und den Dauerflug-Weltrekord auf 2 h, 43 min und 25 s. Damit erflog er sich den ausgesetzten Michelin-Preis in Höhe von 20 000 Francs und schnappte ihn so bekannten Fliegern wie Henry Farman und Léon Delagrange in deren eigenem Lande vor der Nase weg. Das war eine

Vorführungsflug des Wright-Doppeldeckers auf dem Flugfeld
von Pont-Long bei Pau
⟨November 1909⟩

Wright-Flugzeuge bei der Flugwoche
von Reims ⟨Flugplatz Bétheny⟩
im August 1909

Wright für die oberen Schichten «gesell-
schaftsfähig» geworden.

Die Fliegerschule, zu der auch eine
Flugzeugwerkstatt gehörte, hat ein Berichterstatter im April 1909 beschrieben.
Wir entnehmen dem Bericht die folgenden
Zeilen: «Mitten auf der Heide von Pont-
Long, die sich in einer Länge von mehr als
25 Kilometer am Fuß der schnee- und eis-
bedeckten Pyrenäen hinzieht, steht eine
aus Holz gebaute Scheune ... Ringsum
Heide, soweit das Auge reicht, nur hier
und dort etwas Gebüsch und einige ver-
streut stehende Bäume ... Nur wenige
Wege führen durch dieses Heideland.
Schwerfällige plumpe Ochsen ziehen
langsam ächzende und knarrende Holz-
karren durch die Heide.... Hier kommt
dem seit Jahrtausenden an die Erde ge-
ketteten Menschen die ganze gewaltige
Bedeutung der Lösung des Flugproblems

perfekte Lektion. Farman wollte an sein
Wettflugangebot vom Mai des Jahres
nicht mehr erinnert werden. Das Gerede
von den «lügenhaften Brüdern» verstumm-
te endgültig. Die Presse tat nun das genaue Gegenteil, sie feierte Wilbur Wright
enthusiastisch als den «König der Flieger».

Etwa im Oktober 1908 hatte sich eine
französische Kapitalgesellschaft unter der
Leitung des Industriellen Lazare Weiller
gebildet, die den Wrights die Lizenz zum
Bau und Vertrieb der Wright-Zweidecker
in Frankreich abkaufte, allerdings mit der
Bedingung verknüpft, daß Wilbur Wright
drei Schüler, die ihm von der Gesellschaft
benannt werden sollten, auf dem Flugzeug ausbildete. Am 2. Januar 1909 ver-
legte dieser deshalb sein Lager nach Süd-
frankreich in die Heide von Pont-Long
bei Pau am Fuße der Pyrenäen. Dort
gründete er die erste Motorfliegerschule.
Die drei Flugschüler, die ihm von der Weil-
ler-Gesellschaft benannt worden waren,
wurden Paul Tissandier, Graf Charles de
Lambert und Lucas Gerardville, ein französischer Hauptmann. Aber es folgten
weitere, die er gemeinsam mit seinem
Bruder Orville ausbildete, der mit ihrer
Schwester Katharina hierher gereist kam.

Die Wright-Fliegerschule bei Pau wurde
zum Reiseziel bekannter Flieger aus vielen Ländern, die sehen und vergleichen
wollten. Sie wurde auch zum Reiseziel
potentieller Flugzeugfabrikanten, die ein
Geschäft witterten und sich dafür einen
der ersten Plätze sichern wollten. Auch
Majestäten kamen, die sich sonst bevorzugt auf international besuchten Pferde-
rennplätzen und in Kurorten der höchsten
Preisklasse sehen ließen: König Eduard
von England, König Alfons von Spanien
und der König von Italien. Durch ihre
flugzeugtechnischen und fliegerischen
Leistungen, die nun niemand mehr übersehen konnte, waren die beiden amerikanischen Mechaniker Orville und Wilbur

zum Bewußtsein. Das ist die Umgebung
der ersten Schule der Welt für Motorflie-
gerpiloten. Sehen wir uns nun den Bunga-
low, der den beiden fliegenden Brüdern
Wright bei ihrem hiesigen Aufenthalt als
Wohnung dient, etwas genauer an. Die
großen, mit Zinkblech bekleideten Schie-
betüren sind geöffnet, und wir treten in
die Halle ein... In einer geräumigen, als
Werkstätte eingerichteten Nebenhalle,
ist man mit der Montierung eines ... Fliegers ⟨damals verbreitete Bezeichnung für
Flugzeuge; d. Verf.⟩ beschäftigt ... Auf
der Südseite der Halle befinden sich die
Schlafzimmer für die Wrights und ihre Ge-
hilfen, ein Speisezimmer und eine Küche.»

Gewiß, es war kein Luxushotel, aber

Blick in den Werkstattabschnitt
des Wright-Schuppens in
der Pont-Long-Heide

Wright «Baby», verkleinerte einsitzige
Variante: Spannweite 8,20 m;
Flügelfläche 19,0 m²; Länge 7,20 m;
Startmasse 120 kg; Höchstgeschwindig-
keit 60 km/h; Motor: 35-PS⟨25,7 kW⟩-
Wright

Die Besitzer der weltersten Motorfliegerschule: Orville, Katharina
und Wilbur Wright ⟨v.l.n.r.⟩

das Leben in einem Camp in der Heide
waren die Wright-Brüder von zu Hause
gewöhnt. Wenn Könige und Industrielle
mit ihnen speisen wollten, dann mußten
die Gäste auf befrackte Kellner verzichten und damit zufrieden sein, daß der
Koch das Essen auf einen rustikalen Tisch
stellte, der in dem separaten Raum des
Schuppens stand, den der Berichterstatter
als «Speisezimmer» bezeichnet hatte. Die
Begleitmusik zu solchem Diner war der
Lärm des Hämmerns und Sägens und des
Motorenprobelaufes, der lautstark durch
die Bretterwände drang.

Das Flugzeug, mit dem die Wrights bei
Pau flogen und schulten, war der von
ihnen in den USA entwickelte Zweidecker
«Typ A», ein Zweisitzer mit vorgezogenem
Höhenruder, der auf einer hölzernen
Schiene mit Fallgewichtunterstützung gestartet wurde. Mit diesem Muster nahmen
ihre ehemaligen Schüler Paul Tissandier,
Charles de Lambert sowie Eugène Lefèbvre im August 1909 an der ersten internationalen Flugwoche auf dem Flugplatz
Bétheny bei Reims teil ⟨während sich
Orville Wright bereits in Berlin befand,
um dort auf dem Tempelhofer Feld ab
4. September 1909 seine Flugzeugkonstruktion vorzuführen⟩. Im Wettbewerb
«Flugstrecke» belegten de Lambert den
vierten und Tissandier den sechsten Platz.
Im Wettbewerb «Geschwindigkeitsflüge»
kam Lefèbvre auf den dritten, Tissandier
auf den vierten und de Lambert auf den
fünften Platz. Für das zusätzliche Luftrennen um den «Gordon-Bennett-Preis»
konnte sich Lefèbvre vor allen anderen
französischen Teilnehmern qualifizieren,
aber den Sieg holte sich der Amerikaner
Curtiss.

Damit hatten sich die Wright-Piloten
zwar behaupten können, aber der Lei-
stungsvergleich machte deutlich, daß die
französischen Konstrukteure inzwischen
ihren ersten Schrecken überwunden und
die Herausforderung der Brüder Wright
mit Erfolg angenommen hatten. Neue
Flugzeugwerke und Flugfelder waren entstanden, die Flugmotorenindustrie entwickelte sich, und andere Fliegerschulen
wurden eingerichtet. Man mag die Ergeb-
nislisten jener Jahre hin- und herblättern,
auf einem Wright-Doppeldecker ist seit
dem Herbst 1909 bei bedeutenden europäischen Flugveranstaltungen kein Sieger
mehr zu finden. Es dominierten wieder die
französischen Flugzeuge.

Die Quersteuerung der meisten französischen Konstruktionen war entschieden

verbessert worden, das machte die Flugzeuge wendiger. Mit dem neuen Gnôme-Umlaufmotor waren die Flugzeuge vor allem auf Streckenflügen leistungsstärker und zuverlässiger. Hinzu kam, daß die Wright-Brüder allzu lange und hartnäckig an ihrer Konstruktionsweise festhielten und dadurch gegenüber anderen ins Hintertreffen gerieten. Das ist eine Erscheinung, die sich beispielsweise auch an dem deutschen Flieger und Konstrukteur Hans Grade belegen läßt. So konnte man seinerzeit in einer analytischen Betrachtung lesen: «Besonders hat es der Verbreitung des Wright-Apparates geschadet, daß die Erbauer sich so lange dagegen sträubten, ihm ein Räder-Anlaufgestell hinzuzufügen und an der veralteten, unpraktischen Startschiene unerschütterlich festhielten.»

In der Tat, die Wrights verbesserten ihr Flugzeug erst, als einige Käufer von sich aus konstruktive Veränderungen vorgenommen hatten und deswegen weitere Besteller wünschten, daß diese Verbesserungen berücksichtigt werden. Zum Jahresbeginn 1911 brachten die Brüder aus diesem Grunde ihr verbessertes Muster «Typ B» heraus. Das vorgezogene Höhenruder, ein kennzeichnendes Merkmal der Wright-Flugzeuge, war völlig aufgegeben worden. Die beiden Kufen waren stark

Motorflugzeuge der Brüder Wright bis zum Jahre 1911

Flugzeug	Erstflug	Merkmale	Bemerkungen
«Flyer I»	1903	Einsitzer, liegende Haltung des Flugzeugführers, Gleitkufen	erstes nachweisbares erfolgreiches Motorflugzeug
«Flyer II»	1904	Einsitzer, liegende Haltung des Flugzeugführers, Gleitkufen	
«Flyer III»	1905	Einsitzer, sitzende Haltung des Flugzeugführers, Gleitkufen	Verwendung eines Fallgewichtes als Starthilfe
«Typ A»	1908	Zweisitzer, Gleitkufen	Ein Exemplar vom US-Kriegsministerium angekauft («Signal-Corps No. 1»)
«Typ B»	1910/11	Zweisitzer, Räder und Kufen ohne vorgezogene Höhenruder	von nun an unabhängig von Startschiene und Fallgewicht
«Baby»	1910/11	Einsitzer, im wesentlichen verkleinerte Ausführung des «Typ B»	in mehreren Ländern erfolgreich bei Flugwettbewerben eingesetzt

verkürzt und mit je einem Räderpaar versehen. Varianten bestanden dazu später aus einem Vierradfahrgestell und einem Dreiradfahrwerk im Kufenbereich. Der nach wie vor hohe Leitwerkträger war länger, aber mit 0,80 m sehr schmal gehalten, um den beiden Luftschrauben freien Raum zu lassen. Hinter dem zweiflächigen Seitenruder befand sich eine

Schwanzflosse von 4,55 m Breite und 0,90 m Tiefe. Im hinteren Teil war sie flexibel und als Höhenruder wirksam. Beibehalten wurde der Zweischraubenantrieb mit einer geraden und einer gekreuzten Kette, ebenso die Anordnung des Motors (rechts in Flugrichtung), des Flugzeugführersitzes (links) und des Passagiersitzes (in der Mitte). Es waren zwei Steuerknüppel angeordnet, der Höhensteuerknüppel (linke Hand) sowie der Quer- und Seitensteuerknüppel (rechte Hand). Zum Antrieb wurde ein 30/35-PS-Viertakt-Wright-Motor (22,1/25,7 kW) verwendet.

Weitere Veränderungen wurden später von dem deutschen Flieger und Konstrukteur Robert Thelen für die Johannisthaler «Flugmaschine Wright GmbH» vorgenommen, die am 13. Mai 1909 in Berlin gegründet worden war.

Eine einsitzige, verkleinerte Variante des «Typ B» entstand ebenfalls in den Jahren 1910/11. Sie ist als «Wright-Baby» bekanntgeworden und wurde bei Flugwettbewerben in mehreren Ländern erfolgreich geflogen.

In den folgenden Jahren bauten die Wrights Typen, die in der Literatur mit C, D und E bezeichnet werden, aber keine umwälzenden Neuerungen enthielten, weshalb sie hier nicht weiter betrachtet werden.

Eugéne Lefébvre im Tiefflug beim Umrunden der Wendepfosten während der Flugwoche von Reims

Blériot bezwingt
nicht nur den Ärmelkanal

Einer derjenigen Konstrukteure und Flieger, die das von Wilbur Wright mit seinen Flügen im Jahre 1908 angeschlagene Ansehen des französischen Motorfluges rasch wieder herstellen halfen, war Louis Blériot. Er wurde vor allem durch den erstmaligen Kanalüberflug am 25. Juli 1909 zu einem der bekanntesten Flieger in Europa und war Besitzer der französischen Flugzeugführererlaubnis Nr. 1. Louis Blériot kam aus der Automobilbranche zum Flugzeugbau.

Um 1901/02 hatte er ein Schlagflügel-Versuchsmodell gebaut ⟨«Blériot I»⟩, das ihn aber in keiner Weise zufriedenstellte. Als am 8. Juni 1905 ein Gleitflugapparat des «Syndicat d'Aviation» auf der Seine bei Boulogne-Billancourt im Motorbootschlepp erprobt wurde, stand Louis Blériot als aufmerksamer Zuschauer am Flußufer. Drei Tage später besuchte er jenen Mann, der diese Versuche ausgeführt hatte: Gabriel Voisin. Bei ihm bestellte er einen Gleitdoppeldecker mit Schwimmern, «Blériot II», in der französischen Literatur auch als «Blériot-Voisin II» bezeichnet. Bei einem Flugversuch, den Gabriel Voisin am 18. Juli 1905 auf der Seine bei Billancourt unternahm, hob das Flugzeug auch ab, stürzte aber gleich danach in das Wasser und brach dabei vollkommen auseinander, worauf weitere Versuche mit diesem Gleitermuster aufgegeben wurden.

Wenige Tage nach diesem Mißerfolg schlug Blériot eine gemeinsame «Assoziation» zum Bau und zur Erprobung von Flugapparaten vor. Voisin verließ daraufhin das «Syndicat d'Aviation», und Blériot verkaufte seine Werkstatt. Die neuentstandene Verbindung sollte nur von verhältnismäßig kurzer Dauer sein, weil beide Männer, wie sich bald zeigte, unterschiedliche konstruktive Konzeptionen ver-

Louis Blériot, Besitzer der
französischen Flugzeugführererlaubnis Nr. 1

folgten. Blériot sah eine weiterführende Lösung in elliptischen Tragflächenzylindern, während Voisin das Flugproblem mit rechteckigen Kastentragflächen lösen wollte.

Zunächst setzte sich Blériot durch, denn das erste Ergebnis dieser Verbindung wurde «Blériot III» ⟨«Blériot-Voisin III»⟩, ein Flugzeug auf Schwimmern mit zwei ellipsenförmigen hintereinander liegenden Tragflächen. Es war mit einem 25-PS-Antoinette-Motor ⟨18,4 kW⟩ ausgerüstet, der über Ketten zwei Luftschrauben antrieb. Der Motor befand sich in der vorderen Flächenellipse. Dieser Versuchsapparat wurde am 12. Oktober 1906 an den See von Enghien ⟨Lac d'Enghien⟩

gebracht und auf das Wasser gesetzt. Eine Erprobung der Konstruktion kam nicht zustande, weil sich der Apparat nicht von der Stelle rührte. Daraufhin wurde das Versuchsmuster partiell umgerüstet. Es wurden zwei Antoinette-Motoren eingebaut. Diese Variante erhielt die Bezeichnung «Blériot IIIbis» ⟨«Blériot-Voisin IIIbis»⟩. Doch auch die Verdoppelung der Triebwerke führte nicht voran. Die von den Luftschrauben erzeugte Luftbewegung, so schrieb man, «vermochte die Oberfläche des Wassers nur leicht zu kräuseln».

Jetzt griff Voisin ein. Er baute den Flugapparat um, verwendete andersgeartete Schwimmer und ersetzte die vordere Zylindertragfläche durch eine kastenartige Doppeldeckerzelle, die seinen Konstruktionsvorstellungen entsprach und bereits bei seinem Gleitflug-Schleppversuch auf der Seine verwendet worden war. Dieses Muster wurde in der von Blériot registrierten Reihe als «Blériot IV», in der Literatur aber gerechterweise zumeist als «Blériot-Voisin IV» bezeichnet, denn es war ein Kompromiß der Auffassungen beider Konstrukteure. Die Erprobung fand Ende Oktober bis Anfang November 1906 statt, jedoch die Leistungen dieses Musters glichen völlig denen seiner Vorgänger.

Nach diesem neuerlichen Mißerfolg wurde der Flugapparat variiert. Er wurde auf Räder gesetzt, erhielt ein vorgezogenes doppeltes Höhenruder, und hinter den Kastentragflächen wurde ein Motor mit Druckpropeller angeordnet. Schon knappe zwei Wochen später, am 12. November 1906, fand die erste Erprobung mit Blériots Mechaniker Peyret am Steuer in Bagatelle bei Paris statt. Während am selben Tag und am selben Ort der Brasilianer Santos-Dumont mit seinem Kasten-

drachen einen 220-m-Flug vollbrachte, streifte der Zweidecker von Blériot und Voisin beim Rollen mit hoher Geschwindigkeit ein Hindernis, kippte danach in einen Graben und wurde zertrümmert. Das Ende dieses Versuchsapparates beendete zugleich die «Assoziation» der beiden Motorflugpioniere. Jeder von ihnen ging fortan mit großem Erfolg seinen eigenen Weg.

Blériot wandte sich dem Bau von Eindeckern zu. Im Jahre 1907 entstand «Blériot V», sein erster Eindecker in Entenbauart mit stark nach hinten geschwungenen Tragflächen. Auch diese Konstruktion erregte wegen ihrer eigentümlichen Formgebung erhebliches Aufsehen in der Fachwelt. Höhen- und Seitenruder befanden sich an der Spitze des acht Meter langen Rumpfes, der 24-PS-Antoinette-Motor ⟨17,6 kW⟩ hinter der Tragfläche trieb eine Druckschraube an. Das Flugzeug hatte eine Breite von 11 m und eine Flügelfläche von 25 m². Am 5. April 1907 gelangen einige kleine Sprünge, aber noch im selben Monat wurde es bei der Erprobung stark beschädigt. Weitere Versuche wurden mit dieser Blériot-Ente nicht ausgeführt.

Das sechste Flugzeug Blériots wurde dann ein Eindecker mit Zugpropeller und erneut eine ungewöhnliche Konstruktion: ein Tandem-Eindecker. Das Flugzeug hatte einen bespannten Rumpf und zwei hintereinander liegende Tragflächen annähernd gleicher Größe. Der Motor war vorn in den Rumpf eingebaut. Die vorderen Tragflächen besaßen zwei bewegliche Klappenverlängerungen. Sie wirkten als Höhenruder, wenn sie gleichsinnig betätigt wurden, oder als Querruder, wenn sie einander entgegengesetzt betätigt wurden. Mit diesem Flugzeug, das er «Libel-

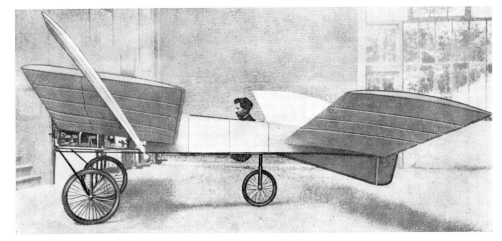

«Blériot III», ein Flugzeug
mit Schwimmern und ellipsenförmigen
Tragflächen ⟨1906⟩ erwies sich als
fluguntauglich

«Blériot V», ein Eindecker
der Entenbauart ⟨Flugrichtung
im Bild: links⟩ nach der Bruchlandung
⟨1907⟩

Der Tandem-Eindecker «Libellule»,
die sechste Motorflugzeugkonstruktion
Blériots ⟨1907⟩

lule» ⟨Wasserjungfrau⟩ nannte, gelang
dem Konstrukteur am 11. Juli 1907 auf
dem Pariser Flugfeld Issy-les-Moulinaux
⟨damals noch Manövergelände⟩ ein erster Erfolg, ein Flug über 150 m Weite.

Blériot baute danach einen stärkeren
60-PS-Antoinette-Motor ⟨44,1 kW⟩ ein und
flog damit 180 m weit. Er erreichte zu dieser Zeit eine geradezu sensationelle Höhe
von 25 m. Bei der plötzlichen, harten Landung, die mehr ein Aufprall war, wurde
auch dieses Flugzeug zerstört. Louis Blériot schilderte kurz danach diesen Vorgang so: «Diesen Apparat, meinen sechsten, versuchte ich nicht ohne tiefe Er-
regung. Würde er emporsteigen? Ich ließ
ihn zuerst mit Vorbedacht auf dem Boden
laufen, um ihn zu erproben. Es ging gut.
Da konnte ich nicht anders, ich mußte
einen Flug wagen. Ich ließ ihn los. Die
Maschine machte einen entsetzlichen
Sprung, o ja, ich hatte Angst ... Mit einer
plötzlichen Bewegung wollte ich zum
Boden zurück. Die Landung geriet zu heftig. Das Gestell war zu schwach, es zerbrach. Der Motor, der in dieser Maschine
vorn war, bohrte sich in ein Holzstück ein,
das nicht nachgab. Ich wäre sonst zerschmettert worden.»

Aber Blériot, der vom Pech verfolgt
schien, gab nicht auf. Er verfügte wohl
über so reichliche finanzielle Mittel, daß
er seine Konstruktions- und Flugversuche
über Jahre hinweg fortsetzen konnte, ein
Flugzeug nach dem anderen aufgebend,
ohne in Schwierigkeiten zu geraten. Jedenfalls war schon ein Vierteljahr später,
gegen Jahresende 1907, der «Blériot VII»
fertig und startbereit. Offenbar hatte der
unermüdliche Flugzeugbauer allmählich
genug von Ellipsenflächen, halbrund geformten Flügeln und Tandem-Formen,
denn sein siebentes Flugzeug sah «ganz
normal» aus. Dennoch handelte es sich
um eine sehr fortschrittliche Konstruktion.

Der Rumpf war völlig verkleidet und
lief nach vorn zu einer Spitze zusammen.
Die Tragflächen waren tief angebracht
und freitragend. Der 50-PS-Antoinette-
Motor ⟨36,8 kW⟩ trieb eine Vierblatt-Luftschraube an. Das Fahrgestell war mittels
Spiralfedern abgefedert. Es bestand aus
zwei Vorderrädern und einem dritten Rad
etwa in der Rumpfmitte. Das Flugzeug
erreichte mit einer Startmasse von 450 kg
im Dezember 1907 bei Flügen über etwa
500 m die damals überraschend hohe Geschwindigkeit von 80 bis 90 km/h. Am
18. Dezember 1907 versuchte Blériot einen
Kurvenflug, der aber erneut mit einer er-

heblichen Bruchlandung und mit einigen
leichten Verletzungen des fliegenden Konstrukteurs endete.

Die ersten länger anhaltenden Fluger-
folge gelangen mit «Blériot VIII», einer
mehrmals umgebauten Eindeckerkonstruktion. Das Flugzeug flog zum ersten Mal
am 17. Juni 1908. Ein kennzeichnendes
Merkmal waren abgerundete Querruderklappen ⟨«Verwindungsklappen»⟩ an den
Tragflächenspitzen. Außerdem war die
Fahrgestellkonstruktion erneuert worden.
Die Räder stellten sich in die Rollrichtung
ein, die stählernen Spiralfedern waren
durch Bündel elastischer Gummischnüre
ersetzt worden. Der Rumpf war entweder
gänzlich oder teilweise verkleidet. Das
Leitwerk bestand aus einem viereckigen
Seitenruder und drehbaren Außenteilen
der Schwanzfläche als Höhenruder. Die
Modifikationen VIIIbis und VIIIter waren
vor allem durch andersgeartete und
anders angeordnete Quer- und Höhen-

«Blériot VIII», ein mehrmals umgebauter
Eindecker ⟨1908⟩

Bruchgelandeter «Blériot VIII»,
deutlich erkennbar sind das viereckige
Seitenruder und die Höhenruder-
klappen am Leitwerk

steuer gekennzeichnet. Mit der achten
Konstruktion seiner Flugzeugreihe gelang
im Juli 1908 Blériots erster Kreisflug, nachdem er wenige Tage zuvor mit 8 min und
24 s einen Dauerflugrekord für Eindecker
aufgestellt hatte.

Im selben Jahr wurde «Blériot IX» fertiggestellt, ein Eindecker mit langem,
schmalem, verkleidetem Rumpf, ausgestattet mit einem 100-PS-Antoinette-Motor
⟨73,5 kW⟩. Er wurde im Dezember 1908

«Blériot IX» auf der Pariser Automobil- und Luftfahrtausstellung ⟨Dezember 1908⟩

Blériots Eindecker am 25. Juli 1909: mit beschädigtem Fahrwerk und zertrümmerter Luftschraube, aber nach erstem Kanalüberflug bei Dover gelandet

auf dem Pariser «Salon de l'Automobile et de l'Aéronautique» ausgestellt.

Gleichfalls dort ausgestellt wurde «Blériot X», erstaunlicherweise nochmals ein Zweidecker, versehen mit einem Druckpropeller. Entstanden war dieses Flugzeug offenbar unter dem starken Eindruck, den die glanzvollen Flüge Wilbur Wrights in Frankreich auf ihn gemacht hatten. Aber das war wieder eine glücklose Konstruktion. Mit ihr gelangen nur kurze Sprünge.

Das dritte Flugzeug, das von Blériot in Paris ausgestellt wurde, war «Blériot XI», ein Eindecker, der zum Vorzeigen auf dem Salon rechtzeitig fertiggestellt, aber noch nicht erprobt worden war. Im Dezember 1908 ahnte natürlich niemand, daß Blériot mit diesem Eindecker für die Sensation des Jahres 1909 sorgen würde.

Der Eindecker Nr. XI, kleiner und leichter als «Blériot VIII», ausgerüstet mit einem 30-PS-REP-Motor ⟨22,1 kW⟩ und Vierblatt-Luftschraube, flog erstmals am 23. Januar 1909 auf dem Gelände von Issy-les-Moulineaux. Danach wurde ein 25-PS-Motor ⟨18,4 kW⟩ des italienischen Motorenkonstrukteurs Alessandro Anzani eingebaut, der nun eine schichtweise verleimte Holzluftschraube ⟨Chauvière-Propeller⟩ antrieb. Man sprach davon, daß sich nach den vielen kostspieligen Versuchen bei zugleich recht spärlichen Ergebnissen die zunächst reichlichen finanziellen Mittel Blériots allmählich erschöpf-

ten. Möglicherweise gab das den Ausschlag für den Entschluß, auf einen der stärkeren, aber kostenaufwendigeren Antoinette-Motoren zu verzichten, denn der Flugmotor war das teuerste Stück am ganzen Flugzeug. Die geringere Triebwerkleistung zwang ihn aber auch, ein kleineres, leichteres Flugzeug zu bauen, eben einen «Baby-Monoplan», die Nr. XI.

Bei den ersten Erprobungen blieb die Querruderwirkung unbefriedigend. Deshalb wurden wölbungsveränderliche Tragflächen angebracht, mit denen das Flugzeug besser reagierte. Am 13. Juni 1909 flog Blériot 41,2 km von Etampes nach Orléans und gewann den vom «Aéro-Club de France» gestifteten «Prix de Voyage» in Höhe von 14 000 Francs für den bislang weitesten Überlandflug eines französischen Fliegers. Jetzt beschloß Blériot den großen Sprung zu wagen — den Sprung über den Ärmelkanal.

Die auflagenstarke englische Zeitung «Daily Mail» hatte für den ersten Flieger, der den Ärmelkanal zwischen England und Frankreich mit einem Motorflugzeug überquert, zunächst einen Preis von 500 Pfund ausgesetzt, der Anfang 1909 auf 1000 Pfund erhöht wurde ⟨25 000 Francs, 20 000 Mark⟩. Zwar war diese Wasserstrecke schon 38 Mal bewältigt worden, allerdings nur durch Freiballons. Es gelang 22 Mal von England nach Frankreich und 16 Mal in der umgekehrten Richtung, am 22. Februar 1784 erstmals mit einem unbemannten, am 7. Januar 1785 mit einem bemannten Ballon, in dessen Korbgondel der französische Luftschiffer Blanchard und der amerikanische Arzt Dr. Jeffries standen.

Die wichtigsten Bestimmungen für den Flug zur Erlangung des «Daily-Mail»-Preises lauteten:

1. Der Flug muß in der Zeit zwischen Sonnenaufgang und -untergang begonnen und beendet werden.
2. Kein Teil des Flugzeuges darf während des Fluges das Meer berühren.
3. Der Flug muß von einem Luftfahrzeug ausgeführt werden, das kein Gas leichter als die Luft enthält.
4. Der Wettbewerb ist für jeden offen, der sich dazu an irgend einem Tag des Jahres 1909 mindestens 48 Stunden vor Antritt des Fluges bei dem Herausgeber der «Daily Mail» in London oder beim kontinentalen Büro des Blattes in Paris anmeldet.
5. Der Bewerber muß Start- und Landeplatz im voraus genau festlegen.

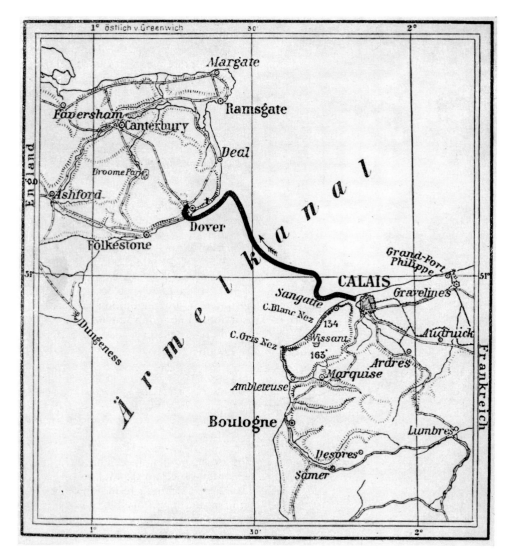

Der Flugweg Blériots über dem Ärmelkanal

Louis Blériot — als erster Kanalbezwinger in Frankreich gefeiert

6. Der Bewerber haftet für alle Personen- und Sachschäden selbst.

Drei Franzosen hatten ihre Absicht, den Preis zu erfliegen, angemeldet: Charles de Lambert mit einem Wright-Doppeldecker, Hubert Latham mit einem Antoinette-Eindecker, Louis Blériot mit seinem Leichtflugzeug. Als Blériot in Calais eintrifft und dort von seinem Freund Alfred Leblanc erwartet wird, der mit den Mechanikern und dem Flugzeug in einem Eisenbahnwaggon vorausgereist war, befinden sich seine Rivalen Latham und de Lambert bereits an der französischen Küste und rüsten zum Kanalüberflug. Auf einem Bauernhof in Les Baraques bei Calais montieren die Mechaniker den Blériot-Eindecker. Auch der Motorkonstrukteur Anzani befindet sich dort, um seinen Motor zu betreuen.

Hubert Latham hat sein Domizil bei Sangatte in Cap Blanc Nez südlich von Calais eingerichtet. Seit dem 14. Juli campiert de Lambert in der Nähe des Strandes von Wissant und trifft in aller Ruhe seine Startvorbereitungen. Weniger ruhig sind Latham und Blériot.

Am 19. Juli, um 6.47 Uhr, startet Latham am Ort seines Vorbereitungslagers. Als er in 300 m Höhe schon etwa die Hälfte der 32 km langen Flugstrecke zurückgelegt hat, setzt plötzlich der Motor aus. Im Gleitflug setzt Latham auf dem spiegelglatten Wasser auf. Minuten später trifft der französische Zerstörer «Harpon» ein und nimmt ihn, der rauchend auf seinem schwimmenden Flugzeug sitzt, an Bord. Das Flugzeug wird aber beschädigt, als

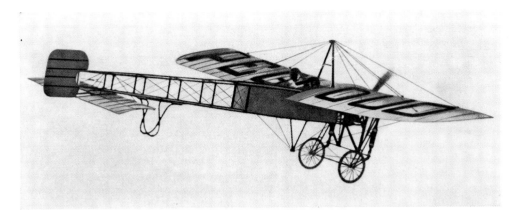

es kurze Zeit später von der Besatzung eines Schoners aus dem Wasser gehievt wird. Latham erteilt unverzüglich den Auftrag, aus Mourmelon bei Reims sofort das bereitstehende Ersatzflugzeug nach Calais zu verfrachten.

Das ist Blériots Gelegenheit, doch starker, anhaltender Westwind zwingt ihn zum Warten. In der Nacht vom 24. zum 25. Juli läßt der Wind plötzlich nach. Darum beginnen um 3 Uhr in aller Eile die Vorbereitungen zum Start. Während der Zerstörer «Eskopette» ausläuft und vor der Küste wartet, startet Blériot gemeinsam mit Leblanc zu einem elfminütigen Probeflug, landet kurz, läßt seinen Freund aussteigen und startet um 4.35 Uhr.

Blériot schrieb später über diesen Flug: «Die Atmosphäre ist so ruhig, als ob ich in einem Ballon wäre. Die gänzliche Windstille erübrigt jede Steuerbewegung. Wenn ich die Ruder blockieren könnte, so wäre es mir möglich, die Hände in die Hosentaschen zu stecken.»

Der Anzani-Motor läuft gleichmäßig wie ein Uhrwerk. Eine Weile fliegt Blériot über die eintönige glatte Wasserfläche dahin, die keine Orientierungspunkte hat, seit er den Zerstörer an der Küste hinter sich gelassen hat. Endlich sieht er weit am Horizont eine graue Küstenlinie vor sich auftauchen. Er korrigiert die Flugrichtung und fliegt auf den Streifen zu. Kurze Zeit später überfliegt er eine Kette von getauchten Unterseebooten und macht die Entdeckung, daß sie vom Flugzeug aus sehr gut zu erkennen sind. Er überfliegt drei Begleitzerstörer und schwenkt in

Eine Variante des Blériot-Eindeckers XI «Pégoud» aus dem Jahre 1913, mit dem der Flieger Adolphe Pégoud durch seine brillanten Kunstflugvorführungen bekannt wurde, war ein Zweisitzer

Der Blériot-Eindecker in Ofenpest (Ungarn) für Strömungsversuche auf eine Schnellbahn montiert (etwa 1911)

Der Kunstflieger Pégoud mit seinem Blériot-Zweisitzer in Johannisthal (1914)

ken. Ein tolles Glücksgefühl bemächtigt sich meiner. Ich steuere auf die Lücke zu, stürze mich der rettenden Erde entgegen, ein Windstoß reißt mich jedoch wieder in die Höhe, ich schalte die Zündung aus, das Flugzeug setzt etwas unsanft auf, so daß das Fahrgestell einknickt und der Propeller zersplittert. Aber – ich überflog den Ärmelkanal.»

Der Journalist Fontaine und der Fotograf Marmier waren Zeugen der Landung, dann kamen die ersten Engländer angelaufen: Küstenwachsoldaten, Matrosen, Journalisten, Einwohner ...

Blériot war um 5.13 Uhr unterhalb des Schlosses von Dover auf einem Gelände gelandet, das man North Foreland Meadow nannte. Seine Flugzeit hatte 38 min betragen. Sie hätte kürzer sein können, denn er war, immer in 80 bis 100 m Höhe fliegend, vor der ersten Kurskorrektur zu weit von der Ideallinie seiner Flugrichtung abgekommen. Dadurch verlängerte sich seine Flugstrecke auf etwa 48 km. Er war ohne Kompaß und ohne Uhr geflogen. Seine Sicherheitsvorkehrungen hatten in einer angelegten Schwimmweste und einem aufgeblasenen Lufttank aus gummiertem Stoff bestanden, der in den Flugzeugrumpf eingebaut worden war und bei einer eventuellen Wasserung den Eindecker an der Oberfläche halten sollte. Außerdem hatte er sein Flugzeug mit einem Zusatztank ausgestattet.

Blériots Kanalüberflug war kein Rekord in dem Sinne, daß es der bis dahin weiteste oder höchste oder zeitlängste Flug gewesen wäre. Es war, wenn man von den besonderen Orientierungsschwierigkeiten absieht, auch kein sonderlich komplizierter Flug gewesen. Aber es war der erste Flug über das offene Meer, von einem Land zum anderen.

Wie keine andere fliegerische Leistung zuvor erregte dieses Ereignis ungeheures Aufsehen. Louis Blériot wurde gefeiert, wohin er auch kam. Sein Eindecker Nr. XI erhielt den Beinamen «La Manche» (Ärmelkanal). Mehrere hundert Flugzeugbestellungen für diesen Typ erreichten den Konstrukteur aus etlichen Ländern. Aus seinen kleinen Werkstätten in Neuilly wurde im Handumdrehen eine Flugzeugfabrik in Levallois vor den Toren von Paris. Im Jahre 1910 erschien in der deutschen «Zeitschrift für Flugtechnik und Motor-Luftschiffahrt» der Bericht eines Besuchers dieser neuen «Blériot-Société», der einige Eindrücke wie folgt schilderte: «Nachdem man an dem Direktions- und

deren Fahrtrichtung ein, annehmend, daß sie dem Kriegshafen Dover zustreben, der auch sein Flugziel ist. Blériot schrieb über den weiteren Fortgang:
«Ich fliege nun über den Hafen von Dover und entdecke in einer Senke der hohen Kreidefelsen einen Mann, der eine mächtige Trikolore schwingt. Das kann nur Charles Fontaine, der Vertreter der Pariser Zeitung «Le Matin», sein, der mir vor einigen Tagen geschrieben hatte, er würde mir in Dover einen geeigneten Landeplatz suchen und mir mit einer Fahne win-

Blériot-Typ «Militaire» (1910):
Spannweite 11,0 m; Flächentiefe 2,30 m;
Länge 8,00 m bzw. 8,50 m;
Motor: 50-PS (36,8 kW)- oder 70-PS (51,5 kW)-Gnôme (mit letzterem wurde eine Geschwindigkeit von 70 km/h erreicht)

Blériot-Typ «Militaire» mit drei Personen vor dem Start (1910), obgleich als Zweisitzer gebaut

dem Konstruktionsbureau vorbeigeführt wurde, betritt man die große Montagehalle. Der erste Eindruck ist ein überwältigender: 23 Apparate werden gleichzeitig montiert, Einsitzer, Zweisitzer und Versuchsapparate. Ich vernehme mit Staunen, daß die Fabrik gegenwärtig pro Woche neun Flugzeuge herausbringt. ⟨Im Jahre 1911 erreichte die Produktionsmenge 40 Flugzeuge im Monat; d. Verf.⟩ Die Arbeiterzahl beträgt 150 Mann ... Als Absatzgebiet kommt die ganze Welt in Frage. Am meisten hat natürlich Frankreich bestellt ..., zweitbester Kunde ist Amerika, von wo ... über 100 Bestellungen eintrafen. Es handelt sich hierbei meist um einsitzige Rennmaschinen. Die zweisitzigen Apparate ... sind hauptsächlich für das Militär bestimmt. Frankreich hat hiervon mehr als 60 Flugzeuge bestellt. Auch Rußland und England haben eine größere Anzahl von Flugzeugen dieses Typs in Auftrag gegeben.»

In jener Zeit war die Serienproduktion von Flugzeugen in der Blériot-Fabrik wohl eine der größten und leistungsstärksten in Frankreich und damit in Europa. Besonders gefragt blieb der Typ XI «La Manche», zumal dieses Flugzeug in vielen Ländern erfolgreich war. Blériot nahm damit im Herbst 1909 unter anderem am «Konkurrenz-Fliegen der ersten Aviatiker der Welt» zur Eröffnung und Inbetriebnahme des Flugplatzes Johannisthal bei Berlin teil. Im Jahre 1910 gewannen beispielsweise mit diesem Eindecker:

— Alfred Leblanc ⟨Frankreich⟩ den ersten Überlandflugwettbewerb «Circuit de l'Est»,
— Claude Graham-White ⟨England⟩ den zweiten Geschwindigkeitswettbewerb um den «Gordon-Bennet-Preis der Lüfte».

Im Jahre 1911 belegten mit dem «Blériot XI» mit Gnôme-Motor:

— André Beaumont ⟨Pseudonym des französischen Marineleutnants Jean Conneau⟩ den ersten Platz des «Europäischen Rundfluges» über neun Etappen und 1715 Kilometer,
— Roland Garros ⟨Frankreich⟩ den zweiten Platz dieses «Europäischen Rundfluges» unter 41 gestarteten und acht bis zum Ziel gelangten Fliegern.

Ebenfalls 1911 flog erstmals der Franzose Pierre Prier ohne Zwischenlandung mit dem Blériot-Eindecker in der Zeit von 3 h und 36 min von London nach Paris.

Im Jahre 1912 flog Audemars ⟨Schweiz⟩ mit dem «La Manche»-Eindecker erstmals

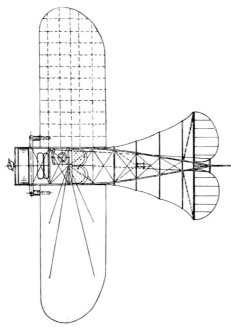

Zweite Blériot-Variante eines Militär-Zweisitzers ⟨1911⟩ mit hintereinander angeordneten Sitzen

Bleriot-Typ «Militaire» (1910) in der Draufsicht

die Fernflugstrecke Paris — Berlin ⟨Johannisthal⟩ mit Zwischenlandungen in Wanne und Döberitz.

Im Jahre 1913 erregte Adolphe Pégoud ⟨Frankreich⟩ weltweites Aufsehen mit seinen brillanten Kunstflügen.

Alles in allem: Das elfte Flugzeug der Blériot-Serie war ein Volltreffer. Es war jahrelang ein herausragendes Erfolgsflugzeug, obwohl auch dieses Baumuster von tragischen Unglücksfällen nicht verschont blieb. Louis Blériot war selbst am 12. Dezember 1909 bei einer Flugvorführung in der Türkei schwer verletzt worden.

Am 23. September 1910 stellte der in Peru geborene französische Flieger Géo ⟨Georges⟩ Chavez in einem Blériot-Eindecker einen neuen Höhenweltrekord mit 2652 m auf, als er erstmals in der Motorfluggeschichte die Alpen über dem Simplon-Paß überflog. Kurz vor der Landung stürzte er aus etwa 10 m Höhe ab, als die Tragflächen plötzlich nach oben klappten. Er starb neun Tage nach diesem Unfall im Hospital.

Am 5. Juni 1911 startete der französische Leutnant C. Bague mit einem Blériot-Eindecker von Nizza an der südfranzösischen Mittelmeerküste zu einem Flug über das Meer nach Korsika. In einem Zusatztank führte er 110 Liter Kraftstoff mit. Er kam in Korsika nicht an. Nachdem Torpedoboote tagelang das Meer abgesucht hatten, fanden Fischer eine Flaschenpost mit der Notiz: «Die Ursache meines Todes ist ein Vergaserbrand. Leutnant Bague.»

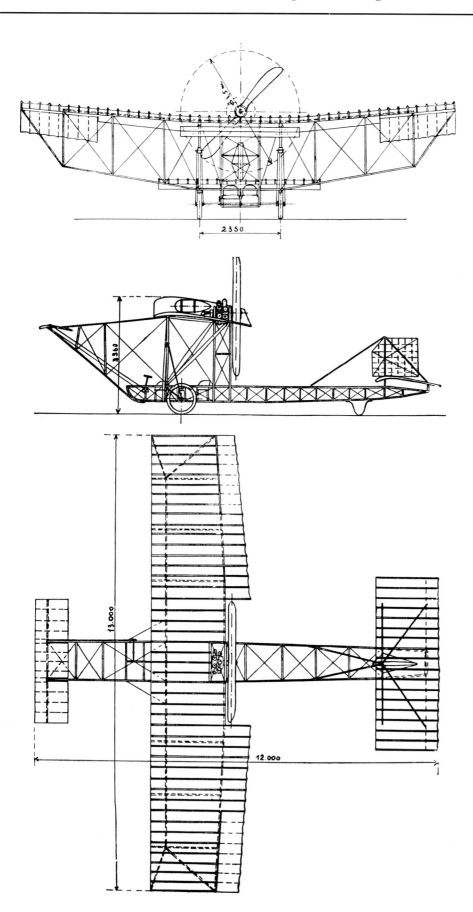

Der Blériot-«Luftomnibus» ⟨1911⟩,
konstruiert als Viersitzer, hier mit
mindestens acht Personen besetzt

Dreiseitenansicht des Passagierflug-
zeuges von Blériot

Aber der Blériot-Eindecker blieb gefragt. Zum Zeitpunkt des erfolgreichen
Kanalüberfluges betrugen die Spannweite
8,20 m, die Flügelfläche 14 m², die Länge
7,60 m. In den Jahren 1910/11 entstanden bereits zwei Versionen eines Eindek-
kers für militärische Zwecke .Der erste
dieser Typen war das Blériot-Muster «Militaire». Es hatte zwei nebeneinander angeordnete Sitze, einen entsprechend breiten Rumpf und eine von der Tragflächen-
hinterkante bis zur Außenkante des
Leitwerkes sich verbreiternde Fläche, um
die Tragfähigkeit des Flugzeuges zu erhöhen. Daran schlossen sich zwei halb-
runde Höhenruder an.

Die zweite Variante eines Zweisitzers
für die militärische Verwendung entstand
zum Jahresbeginn 1911. Sie wird in der
zeitgenössischen Literatur mit unterschiedlichen Typen-Numerierungen versehen
⟨XI/2, XIbis, XII⟩, und es sind einander
widersprechende technische Daten für
dieses Baumuster zu finden, so daß wir
uns hier mit der Feststellung begnügen
wollen, daß Blériot mit diesem Flugzeug
zu den hintereinander angeordneten
Sitzen zurückkehrte.

Erwähnt werden soll aus der Blériot-
Baureihe der «Aérobus», der im Jahre

Ein durch einfache Wände verkleideter
Passagierraum des Blériot-Flugzeuges
führte zu der anspruchsvollen
Bezeichnung «Luftlimousine» ⟨1911⟩

Kanalüberquerungen mit Motorflugzeugen bis zum Jahre 1912

Pilot	Land	Datum	Strecke	Bemerkungen
Louis Blériot	Frankreich	25. 7. 1909	Calais – Dover	erstmals
Jaques de Lesseps	Frankreich	21. 5. 1910	Calais – Dover	
Charles Stewart Rolls	England	2. 6. 1910	Dover – Calais – Dover	erster Hin- und Rückflug
John B. Moisant	Frankreich/ USA	17. 8. 1910	Calais – Dover	erstmals mit Passagier
Thomas Sopwith	England	18. 12. 1910	Sheppey – Beaumont	
Cecil Grace	England/ USA	22. 12. 1910	Dover – Calais	beim Rückflug ins Meer gestürzt und ertrunken
Pierre Prier	Frankreich	12. 4. 1911	London – Paris	Nonstopflug
Jules Védrines	Frankreich	3. 7. 1911	Calais – London	
René Vidart	Frankreich	3. 7. 1911	Calais – London	
Kimmerling		3. 7. 1911	Calais – London	
Jean Conneau	Frankreich	3. 7. 1911	Calais – London	
Valentine	Frankreich	3. 7. 1911	Calais – London	
Roland Garros	Frankreich	3. 7. 1911	Calais – London	7. Etappe des «Europäischen Rundfluges»
Maurice Tabuteau	Frankreich	3. 7. 1911	Calais – London	
Gibert	Frankreich	3. 7. 1911	Calais – London	
Eugéne Renaux	Frankreich	3. 7. 1911	Calais – London	
Barra	Frankreich	3. 7. 1911	Calais – London	
Train	Frankreich	3. 7. 1911	Calais – London	
Duval	Frankreich	4. 7. 1911	Calais – London	
Jules Védrines	Frankreich	6. 7. 1911	Dover – Calais	
Gibert	Frankreich	6. 7. 1911	Dover – Calais	
Kimmerling		6. 7. 1911	Dover – Calais	
Jean Conneau	Frankreich	6. 7. 1911	Dover – Calais	8. Etappe des «Europäischen Rundfluges»
Roland Garros	Frankreich	6. 7. 1911	Dover – Calais	
René Vidart	Frankreich	6. 7. 1911	Dover – Calais	
Maurice Tabuteau	Frankreich	6. 7. 1911	Dover – Calais	
Eugéne Renaux	Frankreich	6. 7. 1911	Dover – Calais	
Barra	Frankreich	6. 7. 1911	Dover – Calais	
Morrisson	England	7. 7. 1911	Paris – London	in drei Etappen
Jules Védrines	Frankreich	4. 8. 1911	London – Paris	in zwei Etappen
Pourpe	Frankreich	27. 8. 1911	Boulogne – Dover	
Pourpe	Frankreich	28. 8. 1911	Dover – Boulogne	
Gustav Hamel	England	2. 4. 1912	Dover – Calais	erstmals mit weibl. Passagier
Harriet Quimby	USA	16. 4. 1912	Dover – Hardelot	erstmals Fliegerin

1911 mit zwei Sitzreihen, für einen Flugzeugführer und drei Passagiere, also als Viersitzer, konstruiert wurde, der aber weitaus mehr Personen trug. Am 23. März 1911 durchflog er mit elf Passagieren eine 5-km-Strecke.

Auffallend an dem «Luftomnibus» war der tiefliegende, breite und flache, unverkleidete Gitterrumpf, der offenbar das Ein- und Aussteigen erleichtern sollte. Die am Ende des Rumpfgitters angebrachte Schwanzfläche war relativ stark gewölbt. Die durchgehende Tragfläche befand sich über der Passagierplattform und war mit Querrudern versehen. Das Höhenruder war in der Art des Wright-Doppeldeckers vorgezogen. Der 100-PS-Gnôme-Motor ⟨73,5 kW⟩ ragte nach oben über die Tragflächen hinaus, wurde von besonders starken Diagonalstreben gestützt und trieb eine Druckluftschraube mit einem Durchmesser von 3,50 m an. Bei Probeflügen hat dieses Passagierflugzeug eine Nutzlast von 503 kg getragen. Das Flugzeug brachte ein Eigengewicht von 600 kg auf die Waage.

Das Fliegen kann allerdings für die Mitreisenden kein reines Vergnügen gewesen sein, denn sie mußten sich nicht nur dick bekleiden, sondern auch irgendwo und irgendwie festhalten. Die hinteren Fluggäste auf einer überbesetzten Plattform mußten sogar aufpassen, daß sie nicht in die hinter ihnen rotierende Luftschraube gerieten. Eine fluggastfreundlichere Variante war demgegenüber die Ausstattung mit Wänden und Fenstern um den Passagierraum, die ebenfalls noch im Jahre 1911 entstand.

Levavasseur-Eindecker scheitern
mit Antoinette-Motoren

Léon Levavasseur war der erfolgreiche Konstrukteur der Firma «Société Antoinette» in Paris-Puteaux, die Flugmotoren und Flugzeuge baute. Der Firmenname war der Vorname seiner Ehefrau Antoinette, der Tochter des leitenden Direktors des Unternehmens, Jules Gastambide. Im Jahre 1910 trug die Firma die Bezeichnung «Antoinette-Aéroplan-Ateliers.»

Antoinette-Motoren, von Levavasseur ursprünglich als Bootsmotoren konstruiert, standen den Flugzeugkonstrukteuren und -experimenteuren bereits ab dem Jahre 1903 zur Verfügung und erwiesen sich als brauchbar, später allerdings nicht immer als zuverlässig. Sie hatten in den ersten Jahren einen wesentlichen Anteil an der Entwicklung des französischen Motorfluges. Im gleichen Jahre wurde eine von Levavasseur gebaute vogelähnliche Flugmaschine erfolglos erprobt. Im Jahre 1907 entstand ein Eindecker als Modell, der ein Jahr später in Normalgröße als personentragendes Versuchsflugzeug «Antoinette I» gebaut wurde.

«Antoinette II» im Jahre 1908 war die verbesserte Ausführung eines Eindeckers von Gastambide und Mengin. Das Flugzeug fiel vor allem durch die trapezförmige Form und die relativ starke Wölbung der Tragflächen sowie deren V-Stellung auf. Die Tragflächen waren mit Seilen nach oben gegen einen Mittelmast verspannt und standen zueinander in einem Winkel von 170°. Am 21. August 1908 gelang ein Flug von mehr als 90 min Dauer, der bis dahin besten Leistung mit einer Eindeckerkonstruktion.

Das nachfolgende Baumuster, ein Doppeldecker, trug zwei Bezeichnungen: «Ferber IX» (nach dem Konstrukteur Ferdinand Ferber, einem verdienstvollen

Ingenieur Leon Levavasseur

Förderer des Luftfahrtgedankens, der unter dem Pseudonym de Rue an flugsportlichen Veranstaltungen teilnahm) und «Antoinette III» (nach der Firma, die das Flugzeug baute). Es war ein Flugzeug mit vorgezogenem Höhenruder und Zugpropeller. Im Herbst 1908 wurde es erprobt, aber nicht weiterentwickelt.

Die Serie der erfolgreichen Eindecker von Levavasseur begann mit «Antoinette IV». Dieses Flugzeug hatte bereits den schlanken Rumpf des späteren Standardmusters und eine leichte V-Stellung der

Tragflächen, deren Enden leicht nach oben gerichtet waren. An den Tragflächen befanden sich Querruder («Verwindungsklappen»). Die Flächengröße betrug rund 30 m². Als Motor wurde ein 50-PS-Antoinette (36,8 kW) verwendet.

Seit Ende März 1909 wurde dieses Flugzeug vor allem durch die Flüge des Anglo-Franzosen Hubert Latham bekannt. Er startete damit am 19. Juli 1909 bei Sangatte erstmals zum Flug über den Ärmelkanal, mußte aber nach der Hälfte der Wegstrecke notwassern, weil der Motor ausgesetzt hatte.

Hubert Latham wiederholte mit der Weiterentwicklung «Antoinette VII» den Kanalüberflugversuch am 27. Juli 1909. Aber auch diesmal schafft er es nicht. Wieder versagte der Motor. Wieder mußte er auf dem Wasser niedergehen. Nur zwei Kilometer vor Dover, wo sich an der Küste mehrere tausend (man schrieb 40 000) Menschen versammelt hatten, um seine Ankunft zu erleben. Diesmal traf man Latham nicht rauchend auf dem schwimmenden Eindecker an, sondern weinend.

Die Baumuster V der Antoinette-Reihe (Erstflug am 20. Dezember 1908) und VI (Erstflug am 17. April 1909) sind kaum erwähnenswert, denn sie wurden bald aufgegeben. «Antoinette VII» hingegen war neben «Blériot XI» der erfolgreichste französische Eindecker des Jahres 1909 und wurde von Latham bei diversen Flugveranstaltungen geflogen. Während der Flugwoche bei Reims holte er sich den Preis für die größte erreichte Höhe mit 155 m. Vom 23. bis 27. September 1909 führte Latham über Tempelhof, dem Exerzierplatz der Berliner Garnison, seinen Eindecker vor. Orville Wright flog dort zu gleicher Zeit mit seinem Doppeldecker.

Am 27. September 1909 startete Latham zum letzten Mal um 15.40 Uhr in Tempelhof, stieg auf eine Höhe von 70 m und flog über den Ort Britz nach Johannisthal. Dort landete er kurz vor 16 Uhr mitten hinein in die Flugvorführungen der dortigen internationalen Eröffnungsflugwoche. Dieser Flug über 10 km in der Zeit von 14 min und 31 s war der erste Überlandflug über deutschem Gebiet und ein entsprechendes Ereignis. Begeistert wurde Latham deshalb in Johannisthal begrüßt. Allerdings hatte dieser Flug noch ein Nachspiel, denn da Derartiges in keinerlei preußischen Vorschriften geregelt war, erhielt Latham von der Berliner Polizeibehörde wegen «groben Unfugs» ein Strafmandat in Höhe von 150 Mark.

Die Johannisthaler Albatros-Werke erwarben im Jahre 1910 die Baulizenz für dieses Flugzeug. Das Baumuster geriet aber allmählich ins Hintertreffen und nahm im Jahre 1911 an keinem bedeutenden Flugwettbewerb teil. Einer der wesentlichen Gründe war, daß der Antoinette-Motor nicht weiterentwickelt wurde und unzuverlässig blieb. Seit dem Jahre 1909, als Lathams Kanalüberflug in beiden Versuchen allein am Motorversagen scheiterte, hatte das Antoinette-Unternehmen an seinem Motor und dessen Konstruktion strikt festgehalten. Den Rest ihres Ansehens verlor die Firma, als am 28. Dezember 1910 zwei Franzosen ⟨Laffont und Pola⟩ mit einem Antoinette-Eindecker tödlich abstürzten, weil plötzlich in der Luft ein Flügelende gebrochen war. Man sprach von Verarbeitungsfehlern.

«Antoinette I» von Gastambide und Mengin, ein Versuchsflugzeug mit Tandemfahrwerk und Stützkufen unter den Tragflächen ⟨1908⟩

Eindecker «Antoinette II»:
Spannweite 13 m; Flügelfläche 35 m²;
Startmasse zwischen 470 und 510 kg;
Motor: vorwiegend 50-PS⟨36,8 kW⟩-Antoinette

Der Doppeldecker «Ferber IX» trug die Firmenbezeichnung «Antoinette III»

Latham mit «Antoinette IV» beim Versuch der Kanalüberquerung am 19. Juli 1909

Latham im «Antoinette VII»-Eindecker

Im Herbst 1911 wurde zu einem Wettbewerb, den das französische Kriegsministerium ausgeschrieben hatte, nochmals ein Eindecker völlig neuer Bauart vorgestellt. Es gab keinerlei Spanndrähte, selbst die Verwindungskabel waren in das Tragflächeninnere verlegt worden. Das gesamte Flugzeug war verkleidet. Selbst das Fahrwerk hatte eine Haube erhalten, um die aerodynamische Umströmung wesentlich zu verbessern. Dieses Baumuster wurde in einzelnen Details mehrmals verändert und war als «Typ Latham» wie auch als «Monobloc» bezeichnet worden. Den einzelnen Änderungen entsprechend finden sich in der Literatur unterschiedliche Datenangaben. Das Flugzeug hatte eine für das Jahr 1911 ungewöhnlich fortschrittliche aerodynamische Form, aber es konnte nicht zum Fliegen gebracht werden.

Im selben Jahr trennte sich Hubert Latham vom Antoinette-Unternehmen sowie von der Fliegerei und beschäftigte sich mit der Großwildjagd. Am 14. August 1912 meldete die in Frankfurt (Main) herausgegebene «Flugsport»-Zeitschrift:

Schwanzleitwerk des «Antoinette IV»

«Antoinette VII», mit dem Latham
am 27. Juli 1909 seinen zweiten Versuch
unternahm, den Kanal zu überfliegen

Bergung des Flugzeuges
nach dem mißglückten zweiten
Überflugversuch von Calais nach Dover

«Hubert Latham, einer der volkstümlichsten Flieger, welcher seinerzeit auf den Antoinette-Maschinen so großartige Leistungen erzielte, wurde in Ostafrika bei einer Büffeljagd getötet ... Latham ... verfehlte einen angreifenden Büffel. Er wurde von den Hörnern des Tieres in die Luft geschleudert und dann am Boden zerstampft.» Zu diesem Zeitpunkt war er 32 Jahre alt. Er war Ehrenmitglied des damaligen «Frankfurter Flugsportklubs».

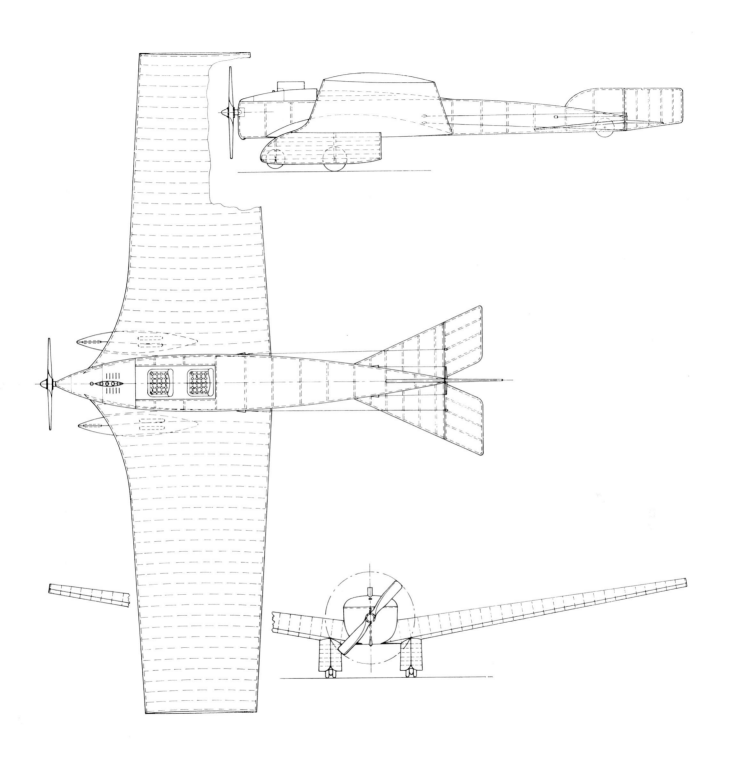

«Monobloc», der durch seine
fortschrittliche, aerodynamisch günstige
Formgebung auffiel, aber nicht flog,
sondern nur Sprünge von wenigen
Metern Weite ausführen konnte:
Spannweite 15,90 m;

«Monobloc»
(1911)

Flügelfläche 56,00 m²;
Länge 11,50 m;
Höhe etwa 2,50 m;
Startmasse 1350 kg;
Motor: 50/60-PS ⟨36,8/44,1 kW⟩-
Antoinette

«Antoinette VIII» im Fluge
(mit nach hinten an die Flächen
gesetzten Querrudern)

Militäreindecker «Monobloc»
der Firma Antoinette (1911)

Die Flugroute Lathams
am 27. September 1909 von Tempelhof
nach Johannisthal

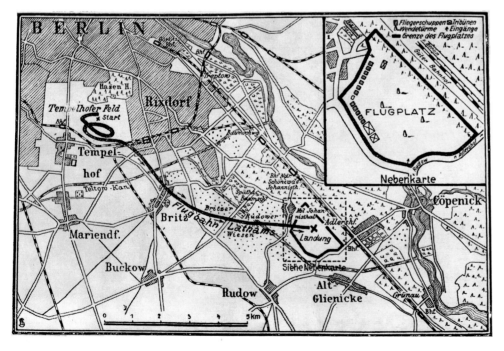

Werbeplakat für die Flüge
Hubert Lathams im September 1909
auf dem Tempelhofer Feld bei Berlin

Erster Looping
mit Nieuport-Eindecker 1913

Der französische Flugzeugkonstrukteur Edouard de Niéport, der aus der Automobilbranche zum Flugzeugbau kam, firmierte unter dem Namen Nieuport und konstruierte schnelle, wendige Eindecker. Im Jahre 1909 hatte er die «Société Anonyme des Établissements Nieuport» in Issy-les-Moulineaux gegründet, und im Jahre 1910 beeindruckte er die Fachwelt bereits mit seiner ersten, eleganten Eindeckerkonstruktion.

Schon vor ihm hatten Flugzeugkonstrukteure das Prinzip verfolgt, einen großen Rumpfquerschnitt zu wählen, der den Piloten vollständig aufnehmen konnte. Edouard de Niéport hat dieses Prinzip am konsequentesten verwirklicht, denn der im Vorderteil fast anderthalb Meter hohe Rumpf umgab den Flieger so vollständig, daß nur sein Kopf herausragte. Mit einer stumpfen Spitze und der hinteren vertikalen Kante, in die der vollverkleidete Rumpf mit einer Länge von 8,40 m auslief, hatte das Flugzeug eine für den damaligen Erkenntnisstand bemerkenswerte aerodynamische Form. Daher verwundert es kaum, daß in zeitgenössischen Berichten das auffallend günstige Verhältnis von Motorleistung und Fluggeschwindigkeit hervorgehoben wurde. Mit einem Darracq-Motor, der lediglich eine Leistung von 20 PS ⟨14,7 kW⟩ brachte, erreichte das Flugzeug im Jahre 1910 eine Gechwindigkeit von 72 km/h.

Mehrere Quellen weisen darauf hin, daß der erfolgreiche Schweizer Flugzeugkonstrukteur Franz Schneider die Nieuport-Flugzeuge konstruiert hat. Das macht auch sofort klar, warum die Formen und Flugeigenschaften dieser Flugzeuge ab 1912 das Produktionsprofil der Johannisthaler «Luft-Verkehrs-Gesellschaft A. G.»

Edouard de Niéport in seinem Nieuport-Eindecker, für den der große Querschnitt des aerodynamisch vorteilhaft geformten Rumpfes kennzeichnend war, aus dem nur der Kopf des Fliegers herausragte

⟨LVG⟩ bestimmten, denn von diesem Zeitpunkt an wurde dort Franz Schneider der Chefkonstrukteur.

Eine Weiterentwicklung, den Typ II N, stellte Niéport auf einer Ausstellung im März 1911 in London vor. Dieses Flugzeug machte Furore. Es beherrschte sämtliche Geschwindigkeitskonkurrenzen und verbesserte alle Geschwindigkeitsrekorde des Jahres 1911. Am 11. Mai 1911 wurde mit einer Variante dieses Baumusters in Mourmelon der Geschwindigkeitsrekord auf 119,68 km/h erhöht. Und am 1. Juli 1911 gewann der US-Amerikaner Charles T. Weymann mit einem Nieuport-Eindecker in Eeastchurch ⟨England⟩ den «Gor-

don-Bennett-Preis der Lüfte», die bedeutendste internationale Geschwindigkeitskonkurrenz, die vor dem ersten Weltkrieg jährlich ausgetragen wurde.

Im selben Jahr, am 15. September 1911, starb Edouard de Niéport an den Folgen eines Flugzeugabsturzes. Das Unternehmen wurde von seinem Bruder Charles weitergeführt, bis diesen ebenfalls am 24. Januar 1913 bei einem Landeunfall der Fliegertod ereilte.

Noch im Jahre 1911 hatten die Nieuport-Werke eine zweisitzige Version IV G mit einem 50-PS-Grôme-Motor ⟨36,8 kW⟩ herausgebracht. Mehrere Flugzeuge dieses Typs wurden mit 80-PS-Gnôme-Motor ⟨58,8 kW⟩ an die französische Fliegertruppe sowie nach Italien und Rußland verkauft. Der russische Flieger Pjotr Nikolajewitsch Nesterow war es, der mit einem dieser Flugzeuge, die in Lizenz auch in Rußland hergestellt wurden, am 27. August 1913 erstmals in der Luftfahrtgeschichte einen Looping flog.

Eine jüngere Quelle besagt, dieser erste Looping-Flug sei mit einem «Nieuport-4-Doppeldecker» ausgeführt worden. Jedoch belegen alle aufgefundenen zeitgenössischen Unterlagen, daß die Nieuport-Werke vor dem ersten Weltkrieg nur Eindecker gebaut haben. Die ersten Anderthalb- und Doppeldecker entstanden bei Nieuport im ersten Weltkrieg.

Eine weiterentwickelte Variante des Nieuport-Eindeckers war der Dreisitzer, der im Herbst 1911 geflogen wurde und eine Spannweite von 12 m sowie eine Länge von 7,50 m hatte.

Im Januar 1914 übernahm der Konstrukteur Gustave Delage die technische Leitung des Werkes. Er entwickelte die Nieuport-Flugzeuge, die in den Kriegsjahren eine Rolle spielten.

Nieuport-Eindecker «II N» ⟨1910⟩:
Spannweite 8,65 m; Flügelfläche 14 m²;
Länge 7,15 m; Höhe 2,60 m;
Startmasse 340 kg; Höchstgeschwindig-
keit bei 120 km/h; Motor: 28-PS
⟨20,6 kW⟩-Nieuport

Modell des Nieuport-Eindeckers «IV G»;
Daten des Flugzeugoriginals:
Spannweite 11,60 m; Flügelfläche
18,0 m²; Länge 8,0 m; Höhe 2,50 m;
Leermasse 340 kg; Geschwindigkeit
105 km/h — in der Ausstattung
mit 50 PS ⟨36,8 kW⟩-Motor

Draufsicht des dreisitzigen Nieuport-
Eindeckers: Spannweite 12,0 m;
Länge 7,50 m; Höhe 2,60 m

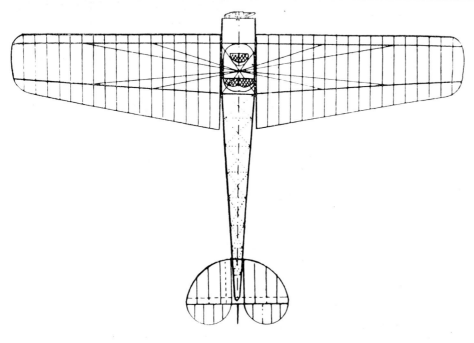

Deperdussin schlägt 1912
alle Geschwindigkeitsrekorde

Die Erfolge der ersten Jahre des französischen Motorfluges lockten nicht nur Flugbegeisterte an, sondern auch Kapital aus anderen Branchen. Schnelle und zuverlässige Flugzeugkonstruktionen zogen sofort Käufer aus mehreren Ländern an und sicherten von vornherein hohe Umsätze und Gewinne. Das hatte auch Armand Deperdussin erkannt, der durch den Großhandel mit Seide ein finanzkräftiger Unternehmer geworden war und im Jahre 1910 in Reims eine Flugzeugbaugesellschaft, die «Société pour les Appareils Deperdussin» ⟨SPAD⟩, gründete.

Noch im Gründungsjahre wurde mit dem Bau des Eindeckertyps A begonnen, der das Erprobungsmuster für den B-Typ war, mit dem die Deperdussin-Gesellschaft im Jahre 1911 sofort in die Spitzengruppe der französischen Flugzeugproduzenten vordrang. Allein am europäischen Rundflug vom 18. Juni bis 7. Juli 1911 nahmen sechs Deperdussin-B-Eindecker teil. Der erfolgreichste Flieger mit einem dieser Flugzeuge wurde René Vidard, der in der Gesamtwertung hinter Jean Conneau und Roland Garros ⟨auf Blériot-XI-Eindeckern⟩ den dritten Platz belegte. Dieser B-Eindecker ist offenbar in verschiedener Weise variiert worden:

— in den Abmessungen ⟨Spannweitenangaben für die Einsitzer-Version zwischen 8,75 m und 13 m⟩,
— in der Motorenverwendung ⟨Anzani-Motoren mit 80 PS/58,5 kW und Gnôme-Motoren mit 50 PS/36,8 kW, 70 PS/51,5 kW und 100 PS/73,5 kW⟩.

Außerdem wurde noch im Jahre 1911 eine zweisitzige Version dieses Eindeckers gebaut. Das Flugzeug ist als Ein- und Zweisitzer bald von mehreren französischen und englischen Piloten geflogen worden. Vier Exemplare hat im Jahre 1911 das

Deperdussin-Eindecker, Typ A
⟨1910/11⟩

Deperdussin-Eindecker, Typ B ⟨1911⟩:
Spannweite 8,75 m; Flügelfläche ca.
15,50 m²; Länge 7,25 m; Höhe 2,50 m;
Startmasse ca. 250 kg;
Geschwindigkeit 105 km/h mit
50-PS⟨36,8 kW⟩-Gnôme-Motor

französische Kriegsministerium gekauft. Lizenzfabrikate entstanden in England und wurden dort erfolgreich bis in die Zeit des ersten Weltkrieges verwendet. Einflieger und Leiter der englischen Deperdussin-Gesellschaft war der britische Marineoffizier J. C. Porte.

Das erfolgreichste Flugzeug wurde der vom Konstrukteur der Deperdussin-Gesellschaft in Reims, Ingenieur Louis Béche-

Datum	Ort, Land	Sieger, Land	Flugzeug	Flugleistung
28. August 1909	Reims, Frankreich	Curtiss, USA	Herring-Curtiss-Zweidecker	20 km in 15 min, 50,4 s
29. Oktober 1910	New York, USA	Graham-White, England	Blériot-Eindecker	100 km in 1 h, 1 min, 4,7 s
1. Juli 1911	Eastchurch, England	Weymann, USA	Nieuport-Eindecker	151,3 km in 1 h, 11 min, 36,2 s
10. September 1912	Chicago, USA	Védrines, Frankreich	Deperdussin-Eindecker	200 km in 1 h, 10 min, 56,8 s
29. September 1913	Reims, Frankreich	Prévost, Frankreich	Deperdussin-Eindecker	200 km in 59 min, 45,6 s

Gordon-Bennett-Konkurrenzen vor dem ersten Weltkrieg

Der «Gordon-Bennett-Preis der Lüfte» war von dem amerikanischen Zeitungsmillionär James Gordon Bennett für Geschwindigkeitskonkurrenzen gestiftet worden. Er wurde erstmals während der Flugwoche 1909 bei Reims ausgeflogen und sollte nachfolgend jeweils in dem Lande des Siegers erneut erkämpft werden. Die folgenden Wettbewerbe fanden vor dem ersten Weltkrieg statt.

reau, entwickelte Renneindecker, mit dem der Franzose Jules Védrines am 10. September 1912 in Chikago (USA) den «Gordon-Bennett-Preis der Lüfte» gewann. Er durchflog die 200-km-Strecke in knapp 71 min mit der Durchschnittsgeschwindigkeit von rund 170 km/h. Damit verdrängte der Deperdussin-Renneindecker (oder auch SPAD-Eindecker) im Jahre 1912 den schnellen Nieuport-Eindecker, der noch ein Jahr zuvor tonangebend war, aus der führenden Position. Deperdussin-Flugzeuge wurden buchstäblich die «Renner» der Flugwettbewerbe.

Sie blieben es auch, denn im Jahre 1913 konnte der Franzose Maurice Prévost den großen Erfolg wiederholen, als er am 29. September in Reims erneut den begehrten Bennett-Preis für die Firma Deperdussin gewann. Mit einer durchschnittlichen Geschwindigkeit von etwas mehr als 200 km/h siegte Maurice Prévost vor Emil Védrines, Jules Védrines Bruder, der mit einem Ponnier-Eindecker (eine Weiterentwicklung des Hanriot-Eindeckers) eine Durchschnittsgeschwindigkeit von 197,5 km/h erreichte. Es war ein Meilenstein der flugzeugtechnischen wie auch der fliegerischen Leistungsentwicklung, daß damit am 29. September 1913 in Anwesenheit offizieller Sportzeugen erstmals die Fluggeschwindigkeit 200 km/h überschritten wurde.

Der Deperdussin-Renneindecker des Jahres 1913: Spannweite 6,40 m; Flügelfläche 9,0 m²; Länge 6,10 m; Höhe 2,30 m; Motor: 160 PS (117,6 kW)-Gnôme

Die Deperdussin-Eindecker-Wasserflugzeugvariante, mit der Maurice Prévost (im Flugzeug) im April 1913 in Monaco das erste Schneider-Pokal-Rennen gewann

Der kleine, aerodynamische vorzüglich geformte Deperdussin-Renneindecker des Jahres 1912 hatte einen sperrholzverkleideten Rumpf mit kreisförmigem Querschnitt. Wie schon beim Nieuport-Eindecker ragte nur der Kopf des Flugzeugführers heraus. Die Quersteuerung wurde durch Tragflächenverwindung bewirkt. Experimentiert wurde, wie bereits 1911 beim «Deperdussin-B»-Eindecker, mit der Triebwerksanlage. Verwendet wurden Gnôme-Motoren mit Leistungen von 100 PS ⟨73,5 kW⟩ und 140 PS ⟨102,9 kW⟩. Mit Erfolg wurde auch eine Variante ausprobiert, bei der die 100-PS-Leistung ⟨73,5 kW⟩ dadurch bewirkt wurde, daß man zwei 50-PS-Rotationsmotoren ⟨36,8 kW⟩ mit einem gemeinsamen Kurbelwellenlager installierte. Das Triebwerk war halbverkleidet. Am zweirädrigen Fahrwerk war zusätzlich eine Mittelkufe angebracht. Der kleine Renner hatte eine Spannweite von nur 7 m bei einer Flügelfläche von rund 10 m², eine Länge von 6,25 m und eine Höhe von 2,30 m.

Mit Eindeckern eigener Produktion beteiligte sich die Deperdussin-Gesellschaft auch an Wasserflugwettbewerben. Dazu wurden die Rennflugzeuge auf Schwimmer gesetzt. Mit einem derartigen Flugzeug gewann Maurice Prévost im April 1913 in Monaco das erste Schneider-Pokal-Rennen, im Jahre 1912 von Jacques Schneider initiiert, der einen Pokal und einen Geldpreis gestiftet hatte.

Aerodynamisch weiter verfeinert wurde der Renneindecker des Jahres 1913. Erstens wurde das Flugzeug weiter verkleinert ⟨geringere Spannweite, Flügelfläche und Länge⟩. Zweitens war der Motor nunmehr völlig umkleidet. Drittens wurde ein stärkeres Triebwerk mit 160 PS ⟨117,6 kW⟩ verwendet ⟨sowohl Gnôme als auch Le Rhône⟩. Viertens war sogar der Pilotensitz mit einer stromlinienförmigen Kopfstütze versehen worden. Dieser Eindecker konnte für seine Zeit im Hinblick auf Form und Leistung als das modernste Flugzeug angesehen werden. Offenbar war dieser Renneindecker auch entsprechend teuer, denn obwohl er buchstäblich von einem Erfolg zum anderen flog, ermöglichten die spärlichen Aufträge keine Serienproduktion.

Deperdussin blieb am Ende ohne dauerhaften kommerziellen Erfolg und gelangte im Jahre 1913 in erhebliche finanzielle Schwierigkeiten. Man schrieb später, daß der Unternehmer Deperdussin zunehmend das typische Beispiel eines lebewütigen Bourgeois gewesen sei und dadurch die Finanzen seines Flugzeugbauunternehmens ruiniert habe. Drei Schlösser sowie mehrere Wohnungen und Autos hatte er besessen und unterhalten. So schnell, wie die Flugzeuge waren, die Louis Bécherau für ihn konstruiert und Arbeiter seines Werkes in Präzisionsarbeit gebaut hatten, so schnell floß das Geld durch seine Finger. Am Ende soll er Schulden in Höhe von mehr als 30 Millionen Francs gehabt haben.

Das Unternehmen wurde im Jahre 1914 von Louis Blériot übernommen. Er behielt Bécherau als Chefkonstrukteur und benannte die Gesellschaft auf eine Weise um, die es ermöglichte, die Kurzbezeichnung SPAD weiterzuführen. Das Werk hieß fortan «Société pour l'Aviation et ses Dérives». Aus dieser Fabrikationsstätte kamen während des ersten Weltkrieges die bekannten SPAD-Flugzeuge.

Geschwindigkeitsrekorde im Motorflug vor dem ersten Weltkrieg (bis Ende 1913)

Datum	Pilot, Land	Flugzeug	Flugleistung
12. November 1906	Alberto Santos-Dumont, Frankreich	Santos-Dumont-Zweidecker	41,292 km/h
26. Oktober 1907	Henry Farman, Frankreich	Voisin-Zweidecker	52,700 km/h
20. Mai 1909	Paul Tissandier, Frankreich	Wright-Zweidecker	54,810 km/h
23. August 1909	Glenn Hammond Curtiss, USA	Herring-Curtiss-Zweidecker	69,821 km/h
24. August 1909	Louis Blériot, Frankreich	Blériot-Eindecker	74,318 km/h
28. August 1909	Louis Blériot, Frankreich	Blériot-Eindecker	76,995 km/h
23. April 1910	Hubert Latham, Frankreich	Antoinette-Eindecker	77,579 km/h
10. Juli 1910	Léon Morane, Frankreich	Blériot-Eindecker	106,508 km/h
29. Oktober 1910	Alfred Leblanc, Frankreich	Blériot-Eindecker	109 ,756 km/h
12. April 1911	Alfred Leblanc, Frankreich	Blériot-Eindecker	111,801 km/h
11. Mai 1911	Edouard de Niéport, Frankreich	Nieuport-Eindecker	119,760 km/h
12. Juni 1911	Alfred Leblanc, Frankreich	Blériot-Eindecker	125,000 km/h
16. Juni 1911	Edouard de Niéport, Frankreich	Nieuport-Eindecker	130,057 km/h
21. Juni 1911	Edouard de Niéport, Frankreich	Nieuport-Eindecker	133,136 km/h
13. Januar 1912	Jules Védrines, Frankreich	Deperdussin-Eindecker	145,161 km/h
22. Februar 1912	Jules Védrines, Frankreich	Deperdussin-Eindecker	161,290 km/h
29. Februar 1912	Jules Védrines, Frankreich	Deperdussin-Eindecker	162,454 km/h
1. März 1912	Jules Védrines, Frankreich	Deperdussin-Eindecker	166,821 km/h
2. März 1912	Jules Védrines, Frankreich	Deperdussin-Eindecker	167,910 km/h
13. Juli 1912	Jules Védrines, Frankreich	Deperdussin-Eindecker	170,777 km/h
9. September 1912	Jules Védrines, Frankreich	Deperdussin-Eindecker	174,100 km/h
17. Juni 1913	Maurice Prévost, Frankreich	Deperdussin-Eindecker	179,820 km/h
27. September 1913	Maurice Prévost, Frankreich	Deperdussin-Eindecker	191,897 km/h
29. September 1913	Maurice Prévost, Frankreich	Deperdussin-Eindecker	203,850 km/h

Jalousien-Vieldecker mit Tragflächenprofil von Phillips

Die Jahre des beginnenden Motorfluges waren eine ungewöhnlich kreative Zeit der flugtechnischen Entwicklung. Das offenbarte sich in der Vielfalt der Ideen, Formen und technischen Details, die von Experimenteuren und Konstrukteuren hervorgebracht wurden und für andere den Ausgangspunkt zum Weiterknobeln bildeten. Zu den originellsten Konstruktionen gehören ganz gewiß die des Engländers Horatio Frederick Phillips.

Es sollte keineswegs übersehen werden, daß damals wie auch heute selbst die Erfahrung, wie etwas nicht erreicht werden kann, eine weiterhelfende Erkenntnis ist. Immer gehört besonderer Mut dazu, eine ungewöhnliche Idee zu verfolgen. Dort, wo Erfolg oder Mißerfolg nicht eindeutig vorausberechenbar waren – und dazu gehörte die weitgehend empirische Flugzeugkonstruktion in ihren Kinderjahren – mußte der experimentelle Weg beschritten werden. Die Versuchsergeb-

Phillips-Versuchsvieldecker ⟨1893⟩:
Spannweite 6,80 m ⟨lt. Wissmann, 1966⟩; 5,80 m ⟨lt. Munson 1969⟩;
Flügelfläche etwa 12 m²; Höhe 2,80 m;
Startmasse 160 kg; Antrieb:
5,5-PS ⟨4 kW⟩-Dampfmaschine

«Phillips I» ⟨1904⟩, ein Zwanzigdecker, am Boden

nisse von Phillips ergaben, daß seine Konzeption mit den Konstruktionen, die er baute, nicht realisierbar war. Er gehörte zu den glücklosen Erfindern, obwohl er eine wichtige Entdeckung gemacht hatte.

Bereits im Jahre 1884 wies Phillips im Ergebnis umfangreicher hydrodynamischer Experimente auf die Bedeutung gewölbter Tragflächenprofile für den Auftrieb hin. Das war eine wesentliche Erkenntnis, zu der wenig später auch Otto Lilienthal

durch systematische Beobachtungen des Vogelfluges gelangte. Im Jahre 1884 erhielt Phillips beispielsweise ein Patent für «eine Tragfläche, die in der Nähe der Eintrittskante einen dicken Querschnitt aufweist und deren Oberseite so gewölbt ist, daß ein Sog erzeugt wird». Um seine verschiedenen Einsichten in aerodynamische Gesetzmäßigkeiten zu überprüfen, baute er diverse Experimentiergeräte.

Seit dem Jahre 1893 erprobte Phillips einen Versuchsapparat, der an Drahtseile gefesselt auf einer hölzernen Kreispiste von etwa 60 m Durchmesser um einen Befestigungsmast kreiste. Auf einem Dreiradfahrgestell war ein Tragwerk montiert, das aus einem Holzrahmen bestand, der in neun vertikale Felder unterteilt war. Daran waren im Abstand von 51 mm insgesamt fünfzig extrem schmale Tragflächen, jeweils 38 mm tief, befestigt. Auf dem dreirädrigen Fahrgestell trieb eine 5,5 PS ⟨4 kW⟩ starke Dampfmaschine eine zweiflügelige Luftschraube an. Damit wurden mehrere unbemannte gefesselte Sprünge und Flüge ausgeführt. Die größte Flugweite auf der Kreisbahn soll 76 m betragen haben.

Der erste personentragende einsitzige Vieldecker «Phillips I» wurde im Jahre 1904 fertiggestellt. Der verwendete Kolbenmotor, vermutlich eine Eigenkonstruktion, hatte eine Leistung von 22 PS ⟨14,7 kW⟩ und trieb einen Zweiblattpropeller an. Der Flugzeugführersitz war hinter das Tragflächengitter verlegt worden. Dieses bestand aus einem Rahmen, der in neun vertikale Felder unterteilt und mit zwanzig übereinander angeordneten schmalen Tragflächen versehen war. Damit sollen Sprünge von 15 m Weite stattgefunden haben.

Die Nachfolgekonstruktion, «Phillips II», bestand, wie die vom Jahre 1893, aus fünfzig übereinander angeordneten Leistentragflächen je Flächenrahmen. Da vier Rahmen angeordnet waren, kam der Flugapparat auf insgesamt 200 Leistentragflächen. Die Erprobung begann im Jahre 1907 in Streatham mit einigen kurzen Sprüngen.

Die Zeitschrift «The Air» behauptete Jahre später in einem Artikel vom Januar 1910, daß damit ein Flug von 155 m Weite gelungen sein soll. Diese Angabe wurde in einzelnen Publikationen bis in die Gegenwart wiederholt. Daraus wird abgeleitet ⟨z. B. 1969 durch Munson⟩, daß dies der erste Flug in der englischen Motorfluggeschichte war. Das kann angezweifelt werden, weil der Apparat mit keinerlei Steuereinrichtungen zur Erhaltung der Flugstabilität ausgestattet war. Die Luftschraube hatte gewaltige Blätter wie eine Schiffsschraube und damit wohl auch ein entsprechendes Eigengewicht.

Phillips soll vor dem ersten Weltkrieg zumindest noch einen 110-Decker mit Sechszylinder-Reihenmotor plus schwerem Fahrwerk und zwei großen Kufen gebaut und erprobt haben. Der Apparat konnte nicht zum Fliegen gebracht werden.

«Phillips I» ⟨1904⟩ im Fluge –
allerdings in einer Bildmontage;
ein unverfälschter Beleg dafür,
daß dieser Vieldecker je flog,
wurde nicht aufgefunden, aber daß
damit Sprünge gelungen sind,
kann als wahrscheinlich gelten

«Phillips II», ein Leistenkasten mit Motor
und vier Rädern ⟨1907⟩:
Spannweite 6,10 m; Länge 4,57 m;
Höhe 3,00 m; Leermasse 227 kg

„Fliegende Kathedrale" von Cody

Der aus Texas in den USA ausgewanderte Samuel Franklin Cody wurde im Jahre 1909 in Großbritannien eingebürgert. In einigen luftfahrthistorischen Publikationen wurde die Auffassung vertreten, er sei Buffalo Bill gewesen. Das ist aber ein Irrtum, denn der legendäre berüchtigte Büffelschlächter hieß William Frederic Cody und war mit dem späteren englischen Motorflugpionier Samuel Franklin Cody nur sehr entfernt verwandt.

Auch die Bezeichnung «Oberst Cody», die sich für den Flieger in der Literatur findet, wird hinsichtlich ihrer sachlichen Richtigkeit angezweifelt, denn es gibt Belege dafür, daß sich Samuel Franklin Cody den militärischen Dienstgrad Colonel ⟨Oberst⟩ als Artistennamen zugelegt hat. Das war zu jener Zeit, als er nach England einwanderte und sich dort zunächst für Show-Auftritte als texanischer Cowboyheld mit «Colonel Sam Cody» ankündigen ließ. Später wechselte er von der Manege zur Fliegerei über und machte sich dort einen Namen als gefeierter Draufgänger. Eine andere Quelle teilt ergänzend mit, daß der englische König den Flieger Cody auf einem Fluggelände besucht und ihn mit «Colonel» angeredet hatte. Majestäten irren sich eben nicht, und so behielt Cody das moralische Recht, sich Colonel zu nennen.

Uns interessiert aber hier seine Leistung als Flugzeugbauer und Flieger. Cody baute nach mehreren Modellversuchen im Jahre 1905 seinen ersten Gleitdoppeldecker mit einer Spannweite von fast 16 m. Es wurde in Farnborough zuerst ohne, danach mit Motor erprobt. Cody hatte damit einen Weg beschritten, den Otto Lilienthal nicht mehr bis zum geplanten Ziel gehen konnte: Bau eines Gleiters, Gleitflugerprobungen, Einbau

Samuel Franklin Cody, der aus Texas einwanderte und einer der bekanntesten englischen Motorflieger der Anfangsjahre wurde

eines Motors und erneute Flugerprobung. Unbemannt, im Fesselflug, erhob sich der Gleiter mit einem eingebauten 22-PS-Motor ⟨16,2 kW⟩ und blieb länger als 4 min in der Luft.

Durch diesen ersten kleinen Erfolg angespornt, baute Cody im Jahre 1907 einen Doppeldecker ähnlich der Wright-Konstruktion mit zwei Druckpropellern und vorgezogenem Höhenruder. Die Quersteuerung erfolgte jedoch nicht durch Tragflächenverwindung, sondern mit Querruderflächen, die zwischen den Tragflächen angebracht waren. Das Flugzeug wurde ab April 1908 erprobt. Am 16. Oktober 1908 gelang eine Flugweite von 424 m.

Der Flugapparat wurde von der britischen Armee gekauft, erhielt die Bezeichnung «British Army Aeroplane No. 1», wurde hartnäckig immer wieder verändert,

mit verschiedenen Motoren ausgerüstet und neu erprobt, bis schließlich im Jahre 1909 Streckenflüge über eine Distanz bis zu 64 km gelangen. Da dieses Cody-Flugzeug wie auch spätere Baumuster durch seine großen Dimensionen auffiel und zum Unterstellen eine besonders geräumige Halle gebaut werden mußte, wurde erst die Halle als «Kathedrale», dann der Cody-Doppeldecker Nr. 1 mit dem Beinamen «Flying Cathedral» ⟨Fliegende Kathedrale⟩ bezeichnet.

Cody baute seinen zweiten Motordoppeldecker im Jahre 1910, erwarb damit die britische Flugzeugführererlaubnis Nr. 9 und stellte bald danach einen neuen Streckenrekord über 153 km in einer Flugzeit von 2 h und 24 min auf. Am letzten Tage des Jahres 1910, am 31. Dezember, erhöhte er die Distanz auf 298,4 km in 4 h und 47 min. Damit gewann er den zweiten Dauerflugwettbewerb um den Michelin-Preis, der mit 500 Pfund ⟨10 000 Mark⟩ dotiert war. Drei weitere Michelin-Preise in einer Gesamthöhe von 1500 Pfund erflog Cody bis Oktober 1912. Er wurde auf diese Weise einer der bekanntesten Langstreckenflieger Englands.

Das Baumuster des Jahres 1910 ist wiederholt überarbeitet und auch mit verschiedenen Motoren geflogen worden. Während es für die Michelin-Flugwettbewerbe mit einem Curtiss-Motor von 50 PS ⟨36,8 kW⟩ ausgestattet war, wurde es im Januar 1912 mit einem 120-PS-Austro-Daimler-Motor ⟨88,2 kW⟩ ausgerüstet und für einen Passagierflugwettbewerb eingesetzt. Cody flog mit vier Passagieren, die sich hinter ihm ins Gestänge des Flugzeugrahmens klemmen mußten, über eine Strecke von 11,25 km. Eine weitere Variante des Cody-Doppeldeckers wurde etwa 1911/12 ohne zusätzliche Querruder

zwischen den Tragflächen gebaut und statt dessen mit nach hinten verlängerten Querruderklappen an beiden Tragflächen versehen.

Auf die Tragflächenverwindung griff Cody zurück, als er im Jahre 1911 einen zweisitzigen Eindecker vorstellte, in dem die Sitze nebeneinander angeordnet waren. Das Flugzeug hatte, was bei Eindeckern völlig ungewöhnlich war, ein kastenförmiges Heckleitwerk mit doppeltem Seiten- und doppeltem Höhenruder. Die Spannweite betrug 13,62 m. Im Juli fand der Erstflug statt. Schon im August wurde der Cody-Eindecker zertrümmert, als er bei der Landung auf einem Feld mit einem Hindernis, einer Kuh, zusammenprallte. Danach kehrte Cody zum Bau seiner Doppeldecker zurück.

Der Cody-Doppeldecker des Jahres 1910 auf dem Flugfeld Brookland in der englischen Grafschaft Surrey: Spannweite 15,00 m; Flügelfläche 39,00 m²; Länge 9,80 m; Höhe 2,90 m, Startmasse 390 kg; Geschwindigkeit 64 km/h; Motor: 50-PS(36,8 kW)-Curtiss

Codys «British Army Aeroplane No. 1» (1908/09) vor einer Flugerprobung ohne Querruder zwischen den Tragflächenenden: Spannweite 15,60 m (als Variante mit Querruderflächen 15,82 m); Flächentiefe 2,28 m; Länge 12,00 m; Leermasse 750 kg; Motor: 80-PS(58,8 kW) mit zwei Druckluftschrauben

Samuel Franklin Cody, der auch als Flieger viel Sinn für Show-Effekte entwickelte, mit einem indianischen Fluggast im Doppeldecker des Jahres 1910

Die in London erscheinende Zeitung «Daily Mail» hatte im Jahre 1911 den ersten «Rundflug um Großbritannien» ausgeschrieben, der von dem Franzosen Jean Conneau unter dem Pseudonym André Beaumont mit einem Blériot-Eindecker gewonnen worden war. Für den zweiten Rundflug baute Cody einen neuen Flugapparat in der von ihm bevorzugten Grundbauart mit vorgezogenem Höhenruder, aber mit einem Mittelschwimmer und zwei kleineren seitlichen Stabilisierungsschwimmern, denn es sollte ein Wasserflugwettbewerb sein. Vom 16. bis 30. August 1913 mußten die Teilnehmer einen Neun-Etappen-Kurs über eine Gesamtstrecke von 2478 km zurücklegen. Die Stationen waren Southampton – Ramsgate – Yarmouth – Scarborough – Aberdeen – Cromarty – Oban – Dublin – Falmouth – Southampton.

Bei einem der vorbereitenden Erprobungsflüge, die Cody immer wieder zu Verbesserungen an seinem Flugzeug anregten, fand der Flieger überraschend den Tod. Er hatte inzwischen weit über England hinaus wegen seines draufgängerischen Vorwärtsstrebens einen legendären Ruf erworben. Eine deutsche Luftfahrtzeitschrift schrieb damals: «Der 7. August war ein schwarzer Tag für das englische Flugwesen. Colonel Samuel Franklin Cody, Englands populärster und erfolgreichster Flugmaschinenkonstrukteur und Flieger, ist nicht mehr. Oberst Cody machte in den Morgenstunden auf seinem neuen Wasserdoppeldecker, mit dem er sich um den ‹Daily-Mail›-Preis bewerben wollte, auf der Laffans Plain, in der Nähe von Aldershot, Probeflüge ... Einige Male Aldershot umkreisend, flog der Apparat in der Richtung nach Cove Common davon. Plötzlich, ohne jedes vorherige Anzeichen, klappten die Tragflächen gleich einem Buche nach oben zusammen, und der Apparat stürzte mit rasender Geschwindigkeit in die Tiefe. Durch den gewaltigen Ruck wurde der Flieger aus seinem Sitze geschleudert, und man fand ihn, ungefähr 24 Meter von der Maschine entfernt im Grase liegend, tot vor, ebenso wurde sein Fluggast tot unter den Trümmern der Maschine hervorgezogen.» Die englische Luftfahrtzeitschrift «Flight» hob hervor, daß Cody «zu dem Menschenschlag gehörte, der echte Pioniere hervorbringt.»

Zu den Pionierleistungen, die Cody bekannt gemacht hatten, gehörten der erste nachweisbare Motorflug in England im

Cody-Doppeldecker mit Querruderklappen ⟨1911/12⟩

Flugwettbewerbe um den «British Empire Michelin Cup No. 1»

Die französischen Brüder André und Edouard Michelin ⟨Reifenhersteller⟩ stifteten im Jahre 1908 einen Preis für einen Dauerflugwettbewerb. Der erste Michelin-Preis wurde in Frankreich ausgetragen und am 31. Dezember 1908 von Wilbur Wright gewonnen. Die weiteren Wettbewerbe fanden in England statt. Für diesen «British Empire Michelin Cup» waren nur Flugzeugführer britischer Nationalitäten zugelassen, die auf Flugzeugen inländischer Konstruktion flogen. Die Höhe des Preises betrug 500 Pfund ⟨10 000 Mark⟩. Fünf Wettbewerbe dieser Art fanden vor dem ersten Weltkrieg statt.

Datum	Sieger	Flugzeug	Flugleistung
1. März 1910	J. T. C. Moore-Brabazon	Short-Doppeldecker	30,6 km in 31 min
31. Dezember 1910	S. F. Cody	Cody-Doppeldecker	298,4 km in 4 h, 47 min
29. Oktober 1911	S. F. Cody	Cody-Doppeldecker	420,8 km
24. Oktober 1912	H. G. Hawker	Wright-Doppeldecker ⟨von Sopwith veränderter Howard-Nachbau⟩	8 h, 23 min
6. November 1913	R. H. Carr	Graham-Withe-Doppeldecker	483 km

Flugwettbewerbe um den «British Empire Michelin Cup No. 2»

Parallel zum britischen Cup-Wettbewerb No. 1 wurde im Jahre 1911 ein zweites Preisfliegen um die größte Überlandstrecke eingeführt. Dabei wurden die zu erreichenden Flugweiten vorgegeben und die Wettbewerbspreise gestaffelt festgelegt: 400 Pfund für das Jahr 1911, 600 Pfund für das Jahr 1912 und 800 Pfund für das Jahr 1913. Den Preis erhielt, wer die vorgegebene Strecke in der kürzesten Zeit zurücklegte.

Datum	Sieger	Flugzeug	Flugleistung
11. September 1911	Cody	Cody-Doppeldecker	201,2 km in 3 h, 7,5 min
12. Oktober 1912	Cody	Cody-Doppeldecker	299,3 km in 3 h, 23 min
1913	Preis wurde nicht vergeben, weil keiner der teilnehmenden Flieger das Dauerflugrennen über die vorgegebene Strecke von 449 Kilometern erfolgreich beendete		

Jahre 1908, der erste Flug in England über die Ein-Meilen-Grenze hinaus am 14. Mai 1909 und der erste Flug eines Engländers mit vier Passagieren im Januar 1912.

Mr. Dunne baut Flugzeuge
ohne Rumpf und Schwanzwerk

Ein Vertreter schwanzloser Flugzeugkonstruktionen war der Engländer John William Dunne, der mit seinen damals ungewöhnlichen Flugzeugen durchaus Erfolg hatte.

Nach Versuchen mit Pappmodellen baute Dunne mehrere personentragende Gleitflugzeuge mit pfeilförmigen Tragflächen, die in der Dunne-Flugzeugreihe die Bezeichnugen D.1 ⟨Eindecker⟩, D.2 ⟨vermutlich ebenfalls ein Eindecker⟩ und D.3 ⟨Doppeldecker⟩ erhielten. Die Erprobungen wurden im Jahre 1907 vorgenommen. Das erste Motorflugzeug, die D.4, entstand im Jahre 1908 und erreichte bei Flugversuchen lediglich einen 36-m-Sprung. Daraufhin verweigerte das britische Kriegsministerium, das seine Entwicklungsarbeiten unterstützt hatte, weitere finanzielle Zuwendungen.

Mit der Förderung durch die «Blair Atholl Aeroplane Co.» konnte Dunne aber seine Bemühungen fortsetzen und baute mit D.5 sein erstes flugfähiges Motorflugzeug, einen schwanzlosen Doppeldecker, der sich erstmals am 11. März 1910 in die Luft erhob und mit dem bereits im Mai 1910 eine Flugstrecke von 3,5 km zurückgelegt werden konnte. Der Motor war am Hinterteil der länglichen Zweisitzer-Rumpfgondel angebracht und trieb zwei seitlich versetzte Luftschrauben an. Für damalige Konstruktionsweisen sehr modern gelöst war die Befestigung der Querruder mit Scharnieren in den oberen Tragflächenenden. Die Erprobung verlief vielversprechend, bis das Flugzeug zum Jahresanfang bei einem dieser Flüge vollständig zertrümmert wurde.

Der Flugzeug D.6 war eine gleichartige Ausführung, aber als Eindecker konstruiert. Wie beim vorausgegangenen Doppeldecker hatten die Tragflächen einen

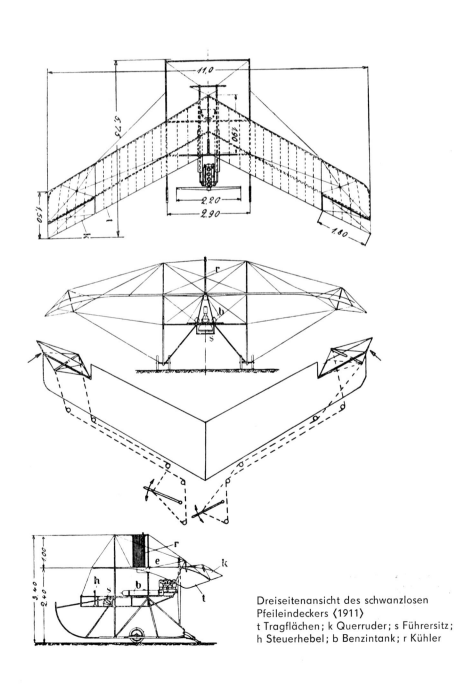

Dreiseitenansicht des schwanzlosen
Pfeileindeckers ⟨1911⟩
t Tragflächen; k Querruder; s Führersitz;
h Steuerhebel; b Benzintank; r Kühler

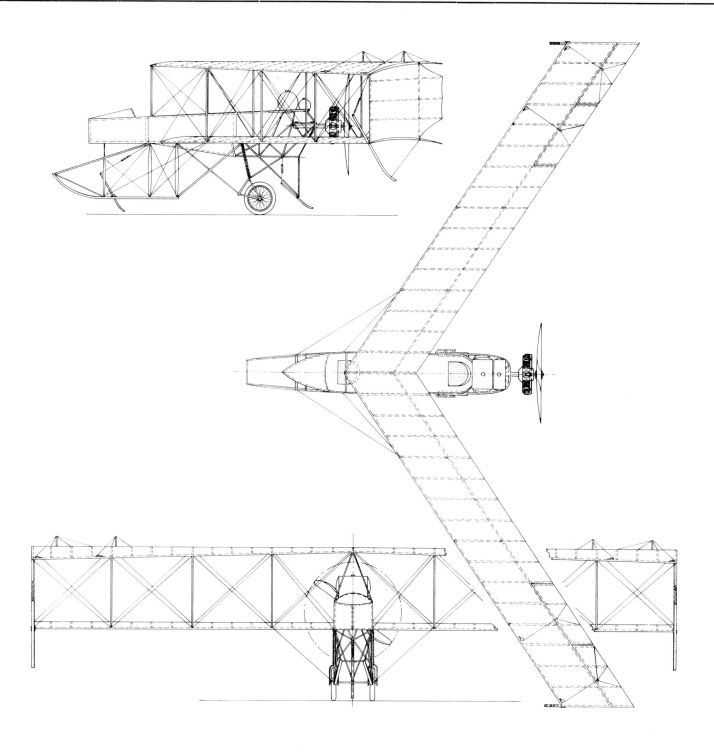

Spannweite 14,00 m;
Flügelfläche 50,63 m²;
Länge ca. 8,00 m;
Höhe ca. 4,00 m;

Dunne-Nurflügeldoppeldecker «D.8»
(1912)

Startmasse 860 kg;
Geschwindigkeit rd. 90 km/h;
Motor: 80-PS(58,8 kW)-Gnôme

Pfeilwinkel von 38°, wodurch sich die hinteren Tragflächenspitzen 4,50 m hinter der Pfeilspitze befanden. Wie die Flugerprobung bestätigte, war das eine Länge, die den Verzicht auf eine Schwanzkonstruktion möglich machte. In die hinteren Tragflächenenden waren mit Scharnieren Doppelfunktionsklappen eingefügt, die mit jeweils einem der beiden Steuerhebel des Flugzeugführers verbunden waren. Wenn beide Steuerhebel im gleichen Sinne vor- oder zurück bewegt wurden, wirkten die beiden Klappen als Höhenruder. Sie wirkten als Querruder, wenn man die Steuerhebel in entgegengesetzter Richtung bewegte.

Das Fahrgestell bestand aus zwei Laufräderpaaren ohne durchgehende gemeinsame Achse. Dadurch konnten niedrige Baumstümpfe oder kleine Büsche überrollt werden, wenn diese Hindernisse zwischen die Laufräder genommen wurden. Der Fliegersitz befand sich unterhalb der Tragfläche, etwa einen Meter über dem Boden. Das Flugzeug war mit einem 40/45/60-PS-Green-Motor ⟨29,4/33,1/44,1 kW⟩ ausgerüstet. Es wurde später in einen Zweisitzer umgebaut und dafür mit einem 70-PS-Gnôme-Motor ⟨51,5 kW⟩ ausgestattet.

Eine etwas kleinere, aber sonst kaum unterscheidbare Ausführung war der Eindecker D.7 mit 50-PS-Gnôme-Motor ⟨36,8 kW⟩. Dieses Flugzeug flog erstmals im Juni 1911.

Das nächste Muster, der Doppeldecker D.8, wurde unter Verwendung von brauchbaren Teilen des zerstörten D.5 im Jahre 1912 gebaut. Im Unterschied zu diesem Doppeldeckervorgänger, der über zwei kettenangetriebene Luftschrauben verfügte, wurde für den D.8 nur eine direkt angetriebene Luftschraube verwendet. Außerdem waren die Querruder vergrößert und in alle vier Tragflächenenden eingefügt worden. Der gondelartig verkleidete Flugzeugführersitz ragte jetzt über die Tragflächenspitze hervor. Zunächst war ein 50-PS-Gnôme-Motor ⟨36,8 kW⟩ eingebaut worden, der bald nach der Flugerprobung, die im Juni 1912 begann, durch einen 80-PS-Motor ⟨58,8 kW⟩ des gleichen Fabrikates ersetzt wurde.

Dieses Flugzeug erregte in Fachkreisen großes Aufsehen wegen seiner Eigenstabilität im Fluge. Die französische Firma Nieuport wurde auf Dunne aufmerksam. Daraufhin erwarb das Nieuport-Unternehmen die Lizenz für den Bau

dieses Flugzeuges, baute es mit geringen Veränderungen als zweisitzige Version nach und stellte es im Dezember 1912 auf dem «Pariser Aerosalon» aus. Interessanterweise kaufte das englische Fliegerkorps im März 1913 zwei Flugzeuge dieses Typs, aber nicht vom britischen Hersteller, sondern von Nieuport in Frankreich.

Zweisitziger Nieuport-Dunne-Nurflügeldoppeldecker ⟨französischer Lizenzbau des Doppeldeckers «D.8»⟩ am Start ⟨1912⟩: Spannweite 14,75 m; Flügelfläche 50,00 m²; Länge 6,75 m; Leermasse 425 kg; Höchstgeschwindigkeit 95 km/; Motor: 180-PS⟨132,3 kW⟩-Gnôme

Zweisitziger Burgess-Dunne-Nurflügeldoppeldecker auf Schwimmern ⟨Juli 1914⟩

Dunne entwickelte in England noch ein weiteres Flugzeug mit der Typenbezeichnung D.9, das aber keinerlei Erfolg brachte. Dagegen fand der schwanzlose Doppeldecker D.8 nicht nur in Frankreich, sondern auch in den USA Aufmerksamkeit, denn auf der Basis einer erworbenen Lizenz ließ dort der Flugzeugindustrielle Burgess mehrere Flugzeuge dieses Typs bauen und verkaufen. Die ersten beiden D.8-Nachbauten wurden auf Schwimmer gesetzt und bewährten sich. Das eine Exemplar wurde das erste kanadische Militärflugzeug, das andere wurde von der amerikanischen Marine mit der Bezeichnung AH-7 in Dienst gestellt.

John William Dunne zog sich noch vor dem ersten Weltkrieg vom Flugzeugbau zurück, nachdem er die Anfänge des Motorfluges um seine interessanten Konstruktionen bereichert hatte.

Avro-Doppeldecker
in Riesenserie

Von Alliot Verdon Roe stammen die als Avro-Typen bekannt gewordenen englischen Motorflugzeuge. Der Typenname wurde aus den Anfangsbuchstaben seiner beiden Vornamen und aus den ersten beiden Buchstaben seines Familiennamens gebildet.

Im Jahre 1907 hatte Roe, ein ehemaliger Ingenieur der britischen Handelsmarine, zunächst ein Flugmodell gebaut, das dem Wright-Doppeldecker ähnlich war. Danach baute er auf der Grundlage dieses Modells einen personentragenden Gleitdreidecker und probierte ihn im Frühjahr 1908 bei kurzen Schleppflügen hinter einem vorgespannten Automobil aus. Nach einigen konstruktiven Korrekturen wurde aus dem Gleiter ein Motorflugzeug mit einem 24-PS-Antoinette-Motor ⟨17,6 kW⟩. Mit diesem Versuchsflugzeug gelangen erste Sprünge, über deren Distanz in der Literatur sehr unterschiedliche Angaben zu finden sind. Das war die Zeit, als man den später bedeutenden Flugzeugproduzenten noch geringschätzig «Roe the Hopper» ⟨Roe, der Floh⟩ nannte.

Seine Werkstatt hatte er zunächst auf dem Flugplatz Brooklands eingerichtet. Aus vorwiegend finanziellen Gründen zog Roe noch im Jahre 1908 in einen kleinen ländlichen Ort um und baute unter einer Eisenbahnbrücke weiter. Dort entstand ein leichter Dreidecker «Roe I», bei dem zwei Tragflächen übereinander angeordnet waren, während sich die dritte mit vogelflügelähnlicher Ausformung davor befand. Das Flugzeug hob aber nie vom Boden ab, was bei dem verwendeten 6-PS-Motor ⟨4,4 kW⟩ sicherlich auch nicht erwartet werden konnte.

Es folgte der leichte Dreidecker «Roe II» ⟨Beiname «Avroplane»⟩ mit einem 9-PS-

Alliot Verdon Roe am Steuer seines Versuchsdreideckers ⟨1908⟩

Motor ⟨6,6 kW⟩, mit dem im Jahre 1909 erst einige Sprünge, und ab Juli 1909 mit einem 20-PS-Motor ⟨14,7 kW⟩ bereits mehrere Flüge gelungen sind. Am 23. Juli 1909 wurde eine Flugstrecke von 274 m registriert, im Dezember des gleichen Jahres soll eine Flugweite von 805 m gelungen sein. Die drei Leitwerkflächen des «Roe II» waren so groß, daß man schon von einem Tandem-Dreidecker sprechen könnte.

Ende 1909 oder Anfang 1910 gründete Roe die «A. V. Roe & Co. Ltd.» und baute vorerst an seinen Dreideckern weiter. Im Jahre 1910 erschien «Roe III» mit dem Beinamen «Mercury». Das Flugzeug wurde in mehreren Versionen gebaut: mit Tragflächen sowohl gleicher Spannweite von 6,10 m als auch mit unterschiedlich verlängerter Ober- und Unterfläche, mit sperrholzverkleidetem und mit unverkleidetem Rumpf, mit Tragflächenverwindung und mit Querruderklappen. Dadurch ist es schwierig, anhand alter Bilder zu bestimmen, ob es sich jeweils um eine Version des Typs II oder des Typs III handelt.

Deutlichere Unterschiede zu den Vorgängern finden sich im Jahre 1911 beim Dreidecker «Roe IV». Die Tragflächen waren schmaler und länger und zur Quersteuerung verwindbar geworden. Gleichfalls schlanker war der in einigen Exemplaren vollständig, in anderen teilbespannte Rumpf. Das Leitwerk hatte sich gänzlich verändert und erinnerte an den Blériot-Militärtyp. Das Fahrwerk bestand aus zwei Radpaaren mit Kufen. Aus den anfangs plump wirkenden Flugapparaten war ein eleganter Dreidecker geworden. Dennoch blieben offenbar die Flugleistungen unter den Erwartungen, denn Roe ging nunmehr zum Bau von Doppeldeckern über.

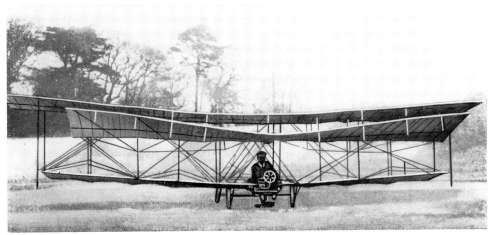

Als erstes Doppeldeckermuster wurde im März 1911 der Typ D vorgestellt, von dem eine Version als Wasserflugzeug mit Schwimmern ausgestattet wurde. Aus ihm ging im Jahre 1912 der Typ E, «Avro 500», hervor, dessen Erstmuster mit einem 60-PS-Motor ⟨44,1 kW⟩ flog. Weitere Variationen folgten, darunter der Kabinendoppeldecker Typ G, «Avro 501», der nur in zwei Exemplaren mit einem 60-PS-Green-Motor ⟨44,1 kW⟩ und einem 80-PS-Motor ⟨58,8 kW⟩ gebaut wurde.

Der Durchbruch setzte für die Avro-Flugzeugbaugesellschaft ein, als Roe den Doppeldecker «Avro 504» herausbrachte, der im Juli 1913 in Brookland eingeflogen wurde. Damals glaubte Roe, daß er davon kaum mehr als sechs Exemplare verkaufen würde, aber dieses Flugzeug war das, was man als «großen Wurf» bezeichnen kann. Nach einigen Veränderun-

Dreidecker-Versuchsanordnung «Roe I», bei der die dritte Tragfläche mit vogelflügelähnlicher Ausformung vor die Doppeldeckerkonstruktion gesetzt wurde ⟨1908⟩

Der Dreidecker «Roe II» (⟨«Avroplane»⟩ im Fluge ⟨1909⟩: Spannweite 6,10 m; Flügelfläche 20,20 m²; Länge 7,00 m; Höhe 3,35 m; Startmasse 181 kg; Motor: 20 PS/14,7 kW

Roe-Dreidecker mit unbespanntem Leitwerksträger und Heckrad ⟨Variante des Typs II «Avroplane» oder des Typs III «Mercury»⟩

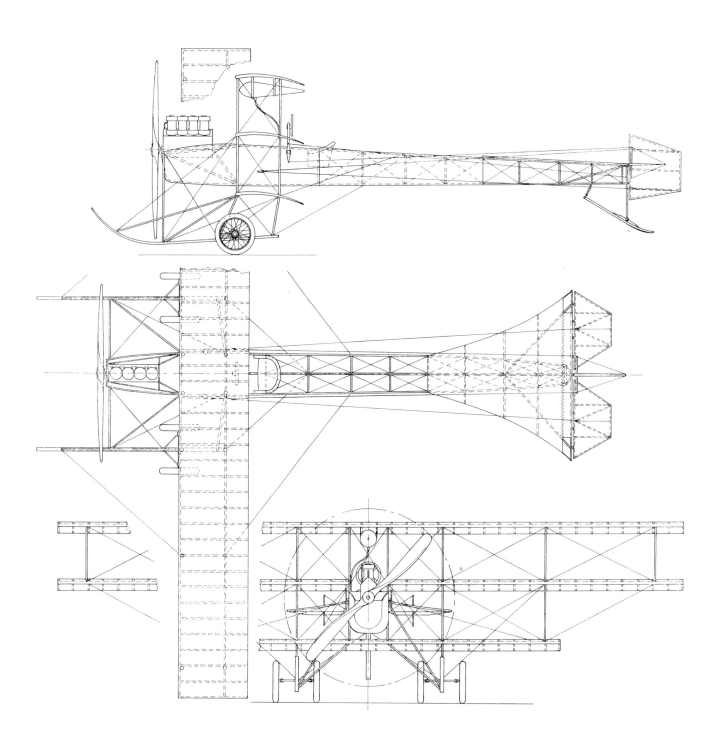

Die letzte Versuchsversion des Konstruk-
teurs A. V. Roe mit drei Tragflächen:
Spannweite 9,75 m;
Flügelfläche 27,30 m²;

**«Roe IV»-Dreidecker
(1911)**

Länge 9,15 m;
Höhe 2,70 m;
Startmasse 295 kg;
Motor: 35-PS⟨25,7 kW⟩-Green

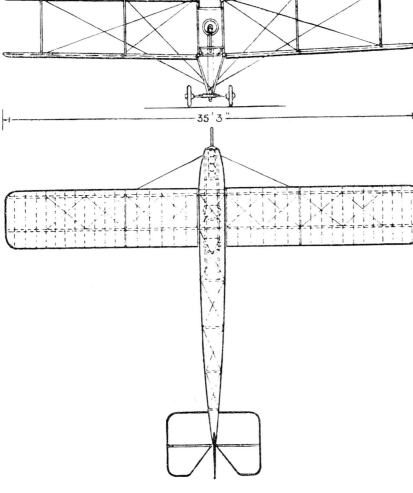

gen des Prototyps wurden die folgenden Leistungen erreicht:
— im November 1913 bei Versuchen der staatlichen britischen Flugzeugwerke «Royal Aircraft Factory» (RAF) eine Geschwindigkeit von 130,2 km/h,
— im Februar 1914 mit 4395 m ein britischer Höhenrekord.

Das britische Kriegsministerium bestellte zwölf «Avro 504», die britische Admiralität ein Exemplar. Noch vor Beginn des ersten Weltkrieges entstanden 63 Flugzeuge dieses Typs. Die Serienproduktion wurde wegen der zunehmenden und anhaltenden Nachfrage bis in die Jahre nach dem ersten Weltkrieg weitergeführt. Die Gesamtproduktion der «Avro 504» betrug am Ende mehr als 10 000 Stück. Das war, selbst wenn berücksichtigt wird, daß vor allem der militärische Bedarf den Ausschlag gab, eine geradezu einmalige Produktionsserie eines Flugzeugtyps und seiner Modifikationen.

Nicht unerwähnt bleiben soll, daß sich die Avro-Werkstätten auch mit Eindeckern beschäftigten. Das einzige bekannt gewordene Muster war der Typ F, der im Sommer 1912 geflogen wurde. Es war ein Kabineneindecker, aus dem der bereits erwähnte Kabinendoppeldecker Typ G, «Avro 501», hervorging.

Die Wasserflugzeugversion des Doppeldecker-Typs D der Avro-Werke (1911)

Avro-Typ G («Avro 501»), ein Kabinendoppeldecker, der nur in zwei Exemplaren gebaut wurde (August 1912):
Spannweite 10,75 m;
Flügelfläche 28,80 m²;
Länge 8,69 m;
Höhe 3,00 m;
Startmasse 813 kg;
Höchstgeschwindigkeit um 100 km/h

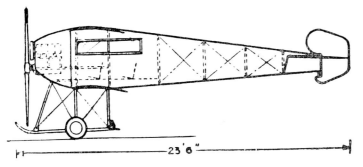

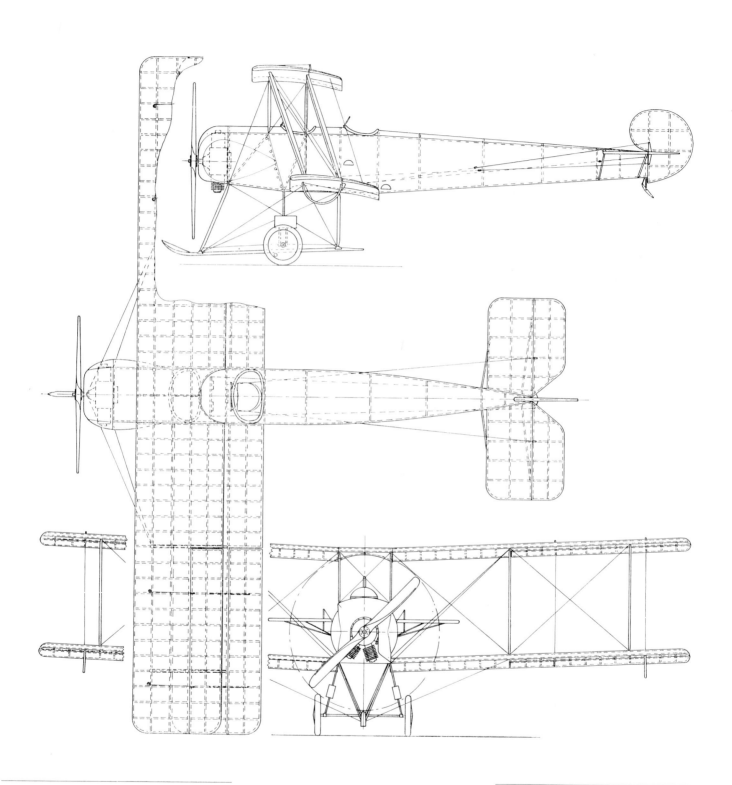

In der Ausführung
des Jahres 1913 ⟨etwa November⟩:
Spannweite 10,97 m;
Flügelfläche 31,77 m²;
Länge 8,91 m;

«Avro 504»

Höhe 3,15 m;
Startmasse 703 kg;
Höchstgeschwindigkeit 132 km/h;
Motor: 80-PS⟨58,8 kW⟩-Gnôme

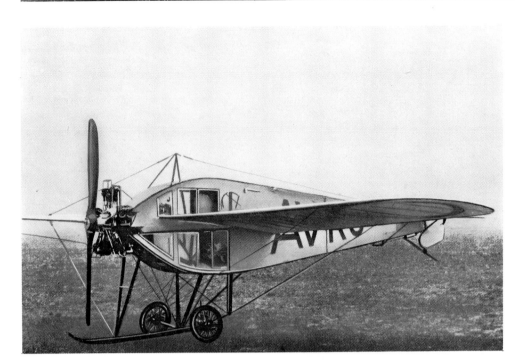

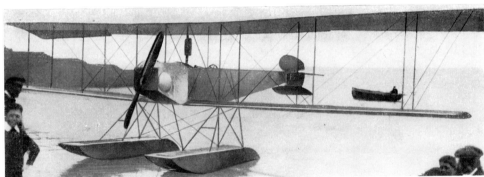

Avro-Typ F, ein Kabineneindecker, der im Sommer 1912 geflogen wurde und aus dem der Kabinendoppeldecker Typ G ⟨«Avro 501»⟩ hervorging

Die «Avro 504» als Marineflugzeug-version ⟨1913⟩

Die «Avro 504», das Erfolgsflugzeug, von dem im Verlaufe eines knappen Jahrzehnts mehr als 10 000 Exemplare gebaut wurden

De Havilland gelingen eigenwillige Reparaturen

In die Reihe der unermüdlichen und begabten Konstrukteure der Pionierjahre des Motorfluges gehört wegen seiner Vielseitigkeit zweifellos auch Geoffrey de Havilland. In der zweiten Jahreshälfte 1909 baute er, gemeinsam mit einem Freund, seinen ersten Doppeldecker. Das Flugzeug wurde zum Jahresbeginn 1910 an einem Hang bei Beacon Hill ⟨Grafschaft Hampshire⟩ zertrümmert.

Beim Bau des zweiten Doppeldeckers griff de Havilland auf die bewährte und bekannte Konstruktion Henry Farmans zurück, weshalb das Flugzeug, mit dem nun weitere Studien vorgenommen werden sollten, die Musterbezeichnung F.E. 1 ⟨«Farman-Experimental 1»⟩ erhielt. Am 10. September 1910 wurde das Flugzeug wieder bei Beacon Hill eingeflogen. Es bewährte sich bei Dauerflugversuchen wie auch bei Passagierflügen.

De Havilland und sein Freund Frank T. Hearle, der auch an diesem Muster mitgearbeitet hatte, besaßen nun zwar ein Flugzeug, aber ihre finanziellen Möglichkeiten ließen keine weiteren Entwicklungsarbeiten zu. Aus diesem Grunde sahen sie sich nach Förderern um. De Havilland bemühte sich um eine Anstellung als Flugzeugkonstrukteur und Einflieger bei den staatlichen Ballonwerken in Farnborough, der späteren «Royal Aircraft Factory» ⟨RAF⟩. Zugleich bot er dort den F.E.1-Doppeldecker für 400 Pfund zum Kauf an. Auf diese Weise erwarben die Werke in Farnborough ihr erstes Flugzeug, das noch lange Zeit flog. Bei einer Notlandung wurde es stark beschädigt, unter Verwendung noch brauchbarer Teile als F.E.2 wieder aufgebaut, auf Schwimmer gesetzt und als Wasserflugzeug verwendet.

In den staatlichen Werken in Farn-

Die zweisitzige Doppeldeckervariante «B.E.2c» ⟨1913/14⟩ der «Royal Aircraft Factory» wurde das meistverwendete Aufklärungsflugzeug des ersten Weltkrieges: Spannweite 11,28 m; Länge 8,31 m; Höhe 3,40 m; Höchstgeschwindigkeit 116 km/h; Motor: 90-PS⟨66,2 kW⟩-RAF 1a

borough war de Havilland nicht der einzige Konstrukteur, der an der Flugzeugentwicklung interessiert war, aber alle Bestrebungen dieser Art wurden durch eine Anordnung der britischen Regierung durchkreuzt. Sie verfügte nämlich im Jahre 1910, daß in diesen Werken keine eigenen Flugzeugkonstruktionen mehr entstehen, sondern nur noch Reparaturen an Flugzeugen ausgeführt werden sollen. Von diesem Zeitpunkt an begannen sich unter den Händen von de Havilland die Reparaturflugzeuge auf sehr geheimnisvolle Weise zu verwandeln. Da keine Neukonstruktionen gebaut werden durften, nahm er flugzeugtechnische Entwicklungsarbeiten eben an jenen Flugzeugen vor, die zur Reparatur angeliefert oder als reparaturbedürftig angekauft worden waren. Die erste Verwandlung wurde an einem Voisin-Flugzeug vorgenommen. Nach der

Reparatur hatte dieser Doppeldecker sein kastenförmiges Leitwerk plötzlich nicht mehr hinten, sondern vorn. Aus dem Flugzeug war ein Apparat der Entenbauart geworden, der jetzt wie das Santos-Dumont-Flugzeug 14bis aussah. De Havilland gab ihm die Musterbezeichnung S.E.1 ⟨«Santos Experimental 1»⟩. Im Juni 1911 begann die Flugerprobung; im August 1911 geriet ein junger Fliegeroffizier mit diesem Experimentierflugzeug ins Trudeln und stürzte tödlich ab.

Die nächste Um-Entwicklung betraf noch im Jahre 1911 einen Eindecker von Blériot, denn als dessen Reparatur abgeschlossen war, hatte sich das Flugzeug in einen Doppeldecker verwandelt.

Im Jahre 1911 waren die staatlichen Ballonwerk in «Army Aircraft Factory» ⟨Heeres-Luftfahrzeug-Fabrik⟩ und im Jahre 1912 in «Royal Aircraft Factory» ⟨Königliche Luftfahrzeug-Fabrik⟩ umbenannt worden.

Die Abkürzung RAF darf nicht mit der «Royal Air Force» ⟨Königliche Luftwaffe Großbritanniens⟩ verwechselt werden, die im April 1918 durch die Vereinigung der Fliegerkräfte von Heer und Marine entstand und abgekürzt mit R.A.F. bezeichnet wurde.

Im Jahre 1912 entwickelte de Havilland für die RAF einen weiteren Doppeldecker, der als B.S.1 ⟨«Blériot Scout 1»⟩ bezeichnet wurde. Der Erstflug wurde im August 1913 von de Havilland vorgenommen. Die Erprobungen ergaben sehr gute Leistungen. Bei einem der Erprobungsflüge wurde das Flugzeug beschädigt, konnte aber repariert und etwas modifiziert werden ⟨z. B. größeres Seitenruder⟩. Es flog dann unter der Bezeichnung S.E.2 ⟨«Scouting Experimental 2» – Aufklärungs-Versuchsflugzeug 2⟩ weiter.

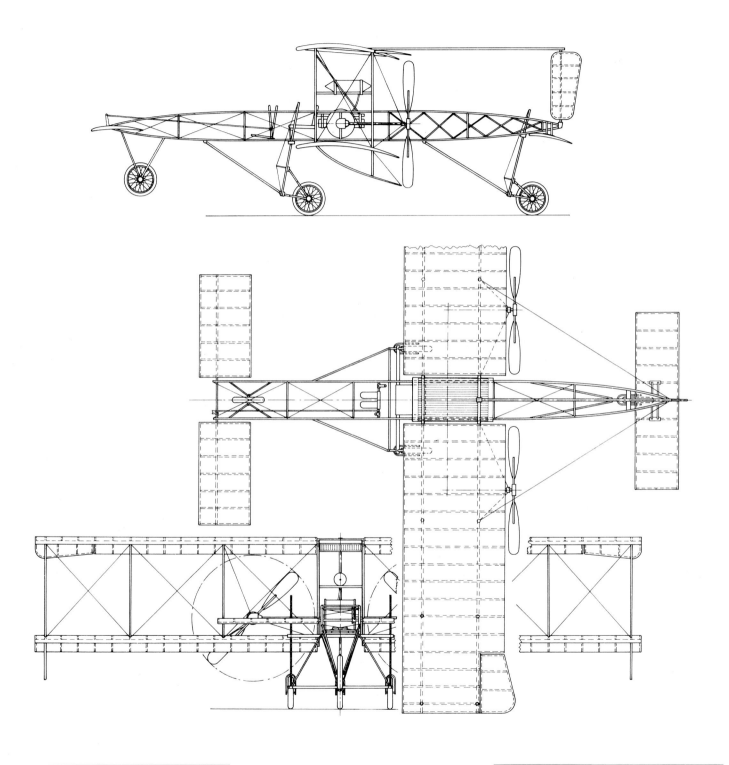

Eine geradezu graziles Flugbauwerk
aus Holzleisten
und Baumwollstoffbespannung:
Spannweite 10,97 m;

**Erster Doppeldecker
von Geoffrey de Havilland
(1910)**

Flügelfläche 37,90 m²;
Länge 8,84 m;
Höhe etwa 3,00 m;
Motor: 45-PS⟨33,1 kW⟩-Iris

Fliegende Sicheln
von Handley Page

Wer die Anfangsjahre des Motorfluges mit ihren vielfältigen Konstruktionslösungen überschaut, könnte meinen, daß nach allem, was bis 1909 ausprobiert worden ist, neue Ideen nicht mehr möglich waren. Dennoch gab es immer wieder nicht nur neue Details, sondern auch neue Formen. Einer der englischen Konstrukteure, die in der Fachwelt große Aufmerksamkeit fanden, war Frederick Handley Page.

Er hatte nach vorbereitenden Versuchen mit einem Gleitflugmodell im Juni 1909 Mut gefaßt und eine Flugzeugbauwerkstatt gegründet. Schon sein erstes Eindeckerflugzeug hatte sichelförmige Tragflächen. Er lackierte es graublau, weshalb man es «Bluebird» ⟨Blauer Vogel⟩ nannte. In der Entwicklungsreihe von Handley Page wurde dieser Eindecker als Typ A geführt. Aber der Vogel erhob sich nicht aus dem Grase.

Nachdem ein anderer Motor eingebaut worden war, gelang mit diesem Typ B ein Sprung, der aber mit einer Bruchlandung endete. Erst im Jahre 1910, als an die Stelle bisher verwendeter 25-PS-Motoren ⟨18,4 kW⟩ ein 65-PS-Isaacson-Triebwerk ⟨47,8 kW⟩ trat, gelang ein kurzer Flug. Diese als Typ C bezeichnete Variante wurde weiterentwickelt und mit ansprechenden Flügen erprobt, bis sie als Typ D im Juni 1911 bei einer der Erprobungen total zerstört wurde.

Unter Berücksichtigung der gesammelten Erfahrungen wurde im Jahre 1912 das nächste Flugzeug mit gleichen sichelförmigen Tragflächen gebaut, das gegenüber den Vorgängern einige konstruktive Verbesserungen enthielt. Die wichtigste Neuerung war offenbar die Verwendung eines 50-PS-Gnôme-Rotationsmotors ⟨36,8 kW⟩, denn das Flugzeug zeigte vom ersten Probestart an sehr gute Flugleistungen.

Der Doppeldecker «Typ G» mit der für Handley Pages Konstruktion typischen Sichelform der Tragflächen ⟨1913⟩ hatte drei Sitze und war mit einem 100-PS⟨73,5 kW⟩-Anzani-Motor ausgestattet

stungen. Da Handley Page die Trag- und Leitwerkflächen mit einem gelben, leicht grünlich schimmernden Zelluloselack angestrichen hatte, nannte man den Eindecker sogleich «Yellow Peril» ⟨Gelbe Gefahr⟩. Der erfahrene englische Flieger Wilfred Parke absolvierte mit diesem Typ E im Jahre 1912 einen Überlandflug über 48 km von Fairlop über Essex nach Brookland und äußerte nach dem Flug:

«Dieser Apparat ist so angenehm zu fliegen, daß er bei weitem alles übertrifft, was ich je geflogen habe.»

Dieses Lob auf den Konstrukteur und sein Flugzeug verhieß für weitere Entwicklungsarbeiten gute Aussichten. Dafür war aber die Werkstatt zu klein geworden. Aus diesem Grunde sah sich Handley Page nach einem ausbaufähigen Gelände um und kaufte schließlich ein großes Grundstück in Cricklewood, das er zum Standort der Flugzeugwerke «Handley Page Ltd.» machte.

Kurz darauf wurde das Flugzeug wieder bei einer Bruchlandung stark beschädigt. Es bekam beim Wiederaufbau eine dreieckige Kielflosse, die Tragflächen erhielten Querruderklappen, und die beiden Sitze wurden in einem gemeinsamen Sitzraum angeordnet. Diese Variante, trotz der Änderungen offenbar weiter als Typ E bezeichnet, war als Passagierflugzeug erfolgreich. Im Verlaufe von 15 Monaten betrug die geflogene Gesamtstrecke 3219 km, und es wurden mehr als 100 Fluggäste befördert. Das war damals keineswegs die Regel, denn allzu oft dauerten die Betriebszeiten eines Flugzeuges lediglich bis zum nächsten Bruchschaden oder bis zur vollständigen Zertrümmerung. Diese Abstände waren mitunter sehr kurz.

So erging es auch dem Nachfolgeflugzeug, dem Typ F, einem Eindecker, der als Einsitzer im Jahre 1912 speziell für einen englischen Militärflugzeugwettbewerb gebaut worden war. Als das Flugzeug vorgeführt werden sollte, regnete und stürmte es. Daher entschloß sich der Flugzeugführer, sofort nach dem Start wieder zu landen. Für den zweiten Vorführungsflug war das Wetter günstig, aber der Motor blieb plötzlich stehen. Bei der Notlandung wurde eine Tragfläche beschädigt.

Erst im November 1912 konnte das inzwischen zum Zweisitzer umgebaute Flugzeug erneut eingeflogen werden. Wenige Tage danach startete Wilfred Parke mit einem Passagier, setzte nach dem Flug mit starkem Rückenwind und abgeschaltetem Motor zum Gleitflug an, flog direkt vor der Landung noch eine Kurve, um gegen den Wind landen zu können, und stürzte dabei ab. Flieger und Fluggast fanden den Tod.

Der erste Doppeldecker der Handley-Page-Flugzeugfabrik wurde im Jahre 1913 der Typ G. Wieder hatten die Tragflächen die charakteristische Sichelform. Der Sitzraum war für 2 bis 3 Personen bestimmt. Als Triebwerk wurde ein 100-PS-Anzani ⟨73,5 kW⟩ verwendet. Nach dem erfolgreichen Erstflug im November 1913 ging die Erprobung bei der «Royal Aircraft Factory» ⟨RAF⟩ weiter. Dabei erreichte das Flugzeug mit drei Personen ⟨zwei Passagiere⟩ eine Höchstgeschwindigkeit von 112,6 km/h. Es bewährte sich für Passagierflüge, denn nachdem es zum Jahresbeginn 1914 von der «Northern Aircraft Company» gekauft worden war, legte es bis zur Jahresmitte rund 16 000 km zurück und beförderte dabei etwa 200 Fluggäste. Zum Beginn des ersten Weltkrieges wurde es in einer britischen Marinefliegerabteilung mit der Kenn-Nummer 892 bis zum Jahre 1915 als Schulflugzeug verwendet.

Zum Jahresbeginn 1914 begannen bei Handley Page die Arbeiten an dem Typ L/200. Ziel war der Transatlantikflug, für den die Zeitung «Daily Mail» einen 10 000-Pfund-Preis ausgesetzt hatte. Die Spannweite sollte 18,30 m betragen. In einer Kabine konnten zwei Passagiere nebeneinander sitzen. Als Triebwerk war ein 200-PS-Salmson-Sternmotor ⟨147 kW⟩ vorgesehen. Die Arbeiten wurden abgebrochen, als zu erkennen war, daß der Flugwettbewerb infolge des Kriegsbeginns ausfallen würde.

In zwei Ansichten:
Zweisitziger Eindecker «Typ F»
⟨1912/13⟩: Spannweite 12,90 m;
Flügelfläche 22,00 m²; Länge 8,35 m;
Geschwindigkeit 90 km/h;
Motor: 50-PS⟨36,8 kW⟩-Gnôme

Der Flieger Sopwith
wird Flugboot-Konstrukteur

Bevor Thomas O. M. Sopwith im internationalen Motorflug bekannt wurde, hatte er nur ein Problem zu lösen: ein brauchbares Flugzeug zu erwerben und fliegen zu lernen. Geldsorgen kannte er offenbar nicht, denn er kaufte sich kurz hintereinander einen Avro-Eindecker und die Kopie eines Wright-Doppeldeckers. Er begann in Brookland zu fliegen und erhielt im November 1910 seine Flugzeugführererlaubnis. Danach rüstete er zu einem aufsehenerregenden Flug. Ein Preis von 4000 Pfund (80 000 Mark) wartete auf jenen englischen Flieger, der von Großbritannien nach Belgien fliegen würde und dabei die größte Flugdistanz zurücklegt. Wahrscheinlich war die Ausschreibung bis zum Ende des Jahres 1910 befristet, denn noch im Dezember 1910, bei eisiger Kälte, startete Sopwith in Eastchurch. Nach mehrstündiger Flugzeit soll er 272 km bis Thirimont (lt. Munson) bzw. 285 km bis Beaumont (lt. Wachtel) erreicht haben.

Das war eine erstmalige Leistung dieser Art, und es war eine Tortur. Die Piloten der legendären fliegenden Kisten waren auf ihren offenen Sitzen ständig Wind und Wetter ausgesetzt. Das machte sich besonders im Winter empfindlich bemerkbar. Da half es wenig, wenn sich der Flieger warm anzog und beim Einsteigen wie ein Pelztier vermummt war, denn der Zwang, sich mehrere Stunden kaum bewegen und daher den Körper nicht auf natürliche Weise erwärmen zu können, bewirkte schon nach kurzer Zeit, daß «selbst die Muskeln vor Kälte erstarrten», wie es mancher in seinen Erinnerungen an ähnliche Flüge beschrieben hat. Die Finger waren schon vor Ablauf einer Stunde kaum noch zu bewegen. Sopwith behalf sich mit gymna-

Das Sopwith-Flugboot «Bat Boat», von dem noch kurz zuvor das vordere Höhensteuer entfernt worden war, bei einer Zwischenwasserung beim Flug um den Singer-Preis (Juli 1913):
Spannweite 12,50 m;
Flügelfläche 39,76 m²; Länge 9,24 m;
Höhe 3,50 m; Startmasse 770 kg;
Geschwindigkeit 105 km/h;
Motor: 100 PS (73,5 kW)-Green

stischen Teilübungen, soweit ihm das auf seinem Sitze und ohne Nachteile für die Flugzeugsteuerung möglich war. Fast pausenlos bewegte er die Finger, ruderte mal mit dem einen, mal mit dem anderen Arm in der Luft herum, ließ die Zehen spielen – und fror trotzdem. Zur inneren Erwärmung hatte er sich am Sitz einen Thermosbehälter mit Gummischlauch anbauen lassen, aus dem er in kleinen Schlucken heiße Fleischbrühe trank. Am liebsten hätte er manchmal den Behälter aufgeschraubt und die Hände über den wärmenden Dampf gehalten. Trotz allem, er erreichte sein Ziel und war am Abend dieses kalten Dezembertages ein bekannter Mann. Weitere Preise holte er sich im Jahre 1911 während einer umfangreichen Flugvorführungstournee durch die USA.

Nach seiner Rückkehr kaufte er einige neue Flugzeuge, mietete sich auf dem

Flugplatz Brookland ein und eröffnete dort eine eigene Fliegerschule. Einer seiner Flugschüler, Harry G. Hawker aus Australien, schaffte innerhalb von 7 Wochen den Weg vom Anfänger zum Gewinn des vierten «British Empire Michelin Cup» am 24. Oktober 1912 mit einem englischen Rekorddauerflug von 8 h und 23 min.

Das war eine Flugleistung, die bis zum Beginn des ersten Weltkrieges von keinem britischen Flieger überboten wurde. Er hatte eine von Sopwith veränderte Howard-Kopie des Wright-Doppeldeckers benutzt. Offenbar war Sopwith durch diesen Erfolg zum Experimentieren ermuntert worden, denn als nächstes Muster baute er eine recht eigenartige Flugmaschine. Er setzte ein Tragwerk und ein Leitwerk der Wright-Konstruktion auf ein Fahrwerk der Farman-Bauart, versah diese Neuschöpfung mit einem 70-PS-Gnôme-Motor (51,5 kW), den er aus einem Blériot-Eindecker ausmontieren ließ, und begann Flugversuche. Dabei wurde das Flugzeug stark beschädigt. Sopwith ließ es wieder reparieren und verkaufte es der britischen Admiralität.

Danach begann in der Firma «Sopwith Aviation Co.» eine ernsthafte Arbeit an eigenen Flugzeugentwicklungen. Das erste Sopwith-Flugzeug wurde – offenbar durch die neuentstandene Verbindung zur Marine angeregt – das erste erfolgreiche englische Flugboot. Den Bootskörper mit 6,40 m Länge hatte er von der Rennbootfirma «Saunders & Co.» anfertigen lassen. Über dem hinteren Teil des Bootsrumpfes waren zwei Tragflächen gleicher Spannweite montiert. Das Leitwerk hatte zwei Ruderflächen und befand sich am Ende eines nach hinten verjüngten Gitterträgers. Die Druckluftschraube wurde von einem 90-PS-Austro-

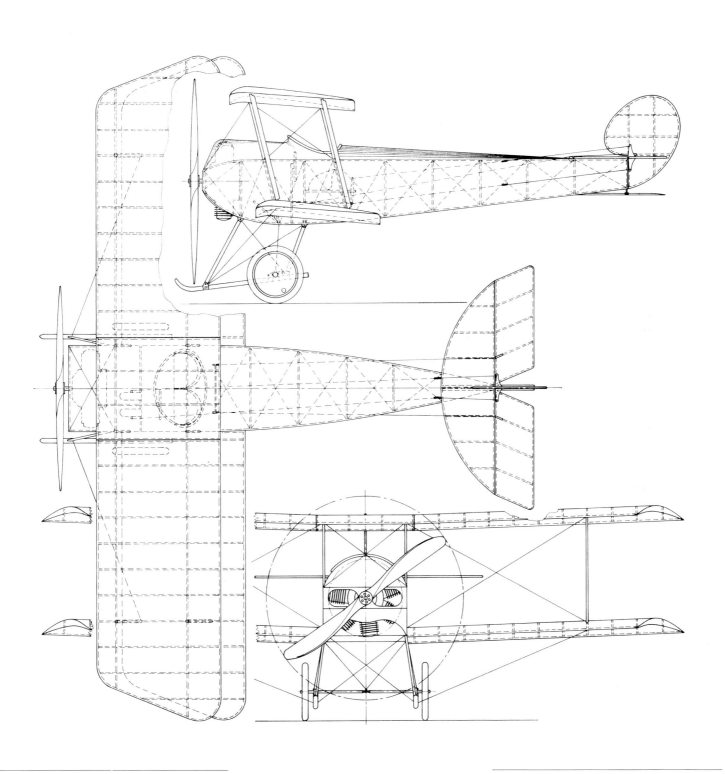

Mit zwei nebeneinander
angeordneten Sitzen in dem relativ
breiten Rumpfvorderstück ⟨1913⟩:
Spannweite 7,77 m;
Flügelfläche 22,30 m²;

«Tabloid»-Doppeldecker

Länge 6,10 m;
Höhe 2,57 m;
Startmasse 480 kg;
Höchstgeschwindigkeit 148 km/h;
Motor: 80-PS⟨58,8 kW⟩-Gnôme

Daimler-Motor ⟨66,2 kW⟩ angetrieben. An der Spitze des Bootsrumpfes war ein zusätzliches Höhenleitwerk angeordnet. Das Flugzeug erhielt den Namen «Bat Boat» ⟨Fledermaus-Boot⟩ und wurde im März 1913 eingeflogen.

Dieses Flugboot wurde seinerzeit in der Fachpresse als «Wendepunkt in der Konstruktion von Wasserflugzeugen» bezeichnet. Anlaß bestand weniger aus aerodynamischer als aus hydrodynamischer Sicht, weil die Erfahrungen der Gleitboottechnik für den Marineflugzeugbau praktisch genutzt wurden. Nach erfolgreichen Flügen rüstete Sopwith das fliegende Boot für die Teilnahme am Wettbewerb um den «Mortimer-Singer-Preis» um, der im Jahre 1913 mit 500 Pfund ⟨10 000 Mark⟩ ausgeschrieben worden war. An dieser Konkurrenz durften nur Amphibienflugzeuge britischer Konstruktion teilnehmen, deren Teile, einschließlich Motor, aus Großbritannien stammten. Die Bedingungen schrieben unter anderem vor:
— sechs Hin- und Rückflüge zwischen zwei Punkten, die mindestens 8,05 km voneinander entfernt sind und von denen einer auf dem Wasser, der andere auf dem Lande liegen muß,
— Zwischenlandung und Zwischenwasserung bei jedem Erreichen dieser Wendepunkte,
— Bewältigung der zwölf Teilstrecken innerhalb der Zeit von 5 h nach dem Start,
— Erreichen einer Höhe von mindestens 460 m bei einem dieser Teilstreckenflüge und von mindestens 230 m bei allen anderen.
Es ging also um den Nachweis der Eignung, innerhalb eines Zeitlimits eine Flugstrecke von rund 100 km zurücklegen zu können und dabei je sechsmal auf dem Lande und auf dem Wasser zu starten und zu landen.

Sopwith ging sehr zweckmäßig vor. Da er über ein ausgezeichnetes Flugboot verfügte, kam es allein darauf an, das «Bat Boat» für die Bedingungen des Preises zu modifizieren. Also tat er zweierlei. Er rüstete das Flugzeug mit einem zusätzlichen Zweiradfahrwerk aus: damit war das Amphibienflugzeug fertig. Den ausländischen Austro-Daimler-Motor ersetzte er durch ein 100-PS-Green-Triebwerk ⟨73,5 kW⟩: damit war das Flugzeug jetzt vollständig britisch. Nachdem noch kurz vor dem Start das zusätzliche Höhenleitwerk an der Bootsrumpfspitze entfernt

worden war, setzte sich Harry G. Hawker ans Steuer und erflog für die Firma Sopwith am 9. Juli 1913 den Singer-Preis. Die Flugzeit auf der Strecke zwischen Hamble und dem Solent, der südenglischen Meeresstraße zwischen der Grafschaft Hampshire und der Isle of Wight ⟨Insel Wight⟩, betrug 3 h und 25 min.

Merkwürdig ist, was danach geschah. Offenbar gab es für ein Amphibienflugzeug gar keinen Bedarf, denn um das erfolgreiche Flugzeug an die britische Marine verkaufen zu können, mußte Sopwith zuvor den Austro-Daimler-Motor wieder einbauen und das Fahrwerk entfernen lassen. Im August 1913 machte das Flugzeug in der Marine eine Bruchlandung, aber da es sich sehr bewährt hatte, entstand bei Sopwith sofort ein zweites «Bat Boat».

Eine vergrößerte Variante, das «Bat Boat 2», wurde im März 1914 vorgestellt. Das Flugzeug war mit einem 200-PS-Salmson-Motor ⟨147 kW⟩ ausgerüstet und hatte eine Startmasse von 1442 kg. Die obere Tragfläche war auf eine Spannweite von 16,76 m vergrößert worden, die untere Tragfläche hatte eine V-Stellung. Das Flugzeug sollte vom 1. bis 15. August 1914 am dritten «Rundflug um Großbritannien» teilnehmen. Dieser Langstrecken-Wasserflugwettbewerb konnte wegen des Kriegsbeginns nicht mehr ausgetragen werden. Wahrscheinlich ist das Flugzeug in den ersten Kriegstagen von der britischen Marine übernommen worden.

Ein weiteres erfolgreiches Sopwith-Flugzeug war im Jahre 1913 der dreisitzige Doppeldecker mit Zugpropeller. Damit stellte der inzwischen zum Chefpilot der Sopwith-Werke avancierte Harry G. Hawker innerhalb weniger Wochen drei neue britische Höhenflugrekorde auf. Er erreichte:
— am 31. Mai 1913 im Alleinflug 3490 m,
— am 16. Juni 1913 mit einem Passagier 3930 m,
— am 27. Juli 1913 mit zwei Passagieren 2560 m.
Dieses mit einem 80-PS-Motor ⟨58,8 kW⟩ ausgestattete Flugzeug wurde in mehreren Exemplaren vom britischen Heer und von der Marine angekauft. Sopwith entwickelte daraus im Marineauftrag ein Wasserflugzeug mit zwei Schwimmern und 200-PS-Salmson-Motor ⟨147 kW⟩. Ab Ende 1913 waren mehrere dieser Flugzeuge mit einer von Murrey Sueter entwickelten Torpedoabwurfvorrichtung ausgerüstet.

Eine noch leistungsfähigere Weiterentwicklung war der zweisitzige Sportdoppeldecker «Tabloid», der im November 1913 eingeflogen wurde. Die Sitze waren nebeneinander angeordnet. Die Quersteuerung wurde durch Tragflächenverwindung bewirkt. Die Konstruktionsarbeiten begannen im neuen Sopwith-Fabrikteil in Kingston, der Zusammenbau folgte in Brookland und das Einfliegen in Farnborough.

Gleich danach führte die «Royal Aircraft Factory» mit diesem Doppeldecker eine Testflugreihe aus, bei der das Flugzeug eine Steigleistung von 6,10 m/s und eine Höchstgeschwindigkeit von 148 km/h erreichte. In mehreren Exemplaren wurde dieser Doppeldecker als Einsitzer für das «Royal Flying Corps» gebaut und vor allem als Aufklärer, aber in einzelnen Fällen auch als leichter Bomber für handliche 9-kg-Bomben eingesetzt. Bis zur Einstellung der Produktion dieses Typs im Juni 1915 verließen etwa 40 Tabloid-Doppeldecker das englische Werk. Es war in der Standardausführung mit einem 80-PS-Gnôme-Rotationsmotor ⟨58,8 kW⟩ ausgestattet.

Wie er es schon einmal mit dem Flugboot «Bat Boat» für den Wettbewerb um den Singer-Preis getan hatte, rüstete Sopwith ein Exemplar des Tabloid-Doppeldeckers für den Wettbewerb um den Schneider-Pokal um. Dieser Wanderpreis im Werte von 25 000 Francs mit einem Bargeldpreis in gleicher Höhe war von Jaques Schneider für einen internationalen Geschwindigkeitswettbewerb mit Wasserflugzeugen gestiftet worden. Er wurde erstmals am 15. April 1913 in Monaco ausgeflogen. Dabei hatten die Teilnehmer eine 10-km-Rennstrecke 28 Mal zu umfliegen. Diesen ersten Wettbewerb hatte der Franzose Maurice Prévost mit einem auf Schwimmer gesetzten Deperdussin-Eindecker gewonnen.

Sopwith setzte einen Tabloid-Doppeldecker auf zwei Schwimmer und tauschte den 80-PS-Motor ⟨58,8 kW⟩ gegen ein 100-PS-Triebwerk ⟨73,5 kW⟩ aus. Damit nahm der englische Flieger Howard Pixton am 20. April 1914 am Wasserflugwettbewerb in Monaco teil. Er gewann das Rennen über die 280 km lange Distanz mit einer Durchschnittsgeschwindigkeit von 139,66 km/h.

Während des ersten Weltkrieges wurden in den Sopwith-Werken mehrere Typen von Kampfflugzeugen gebaut.

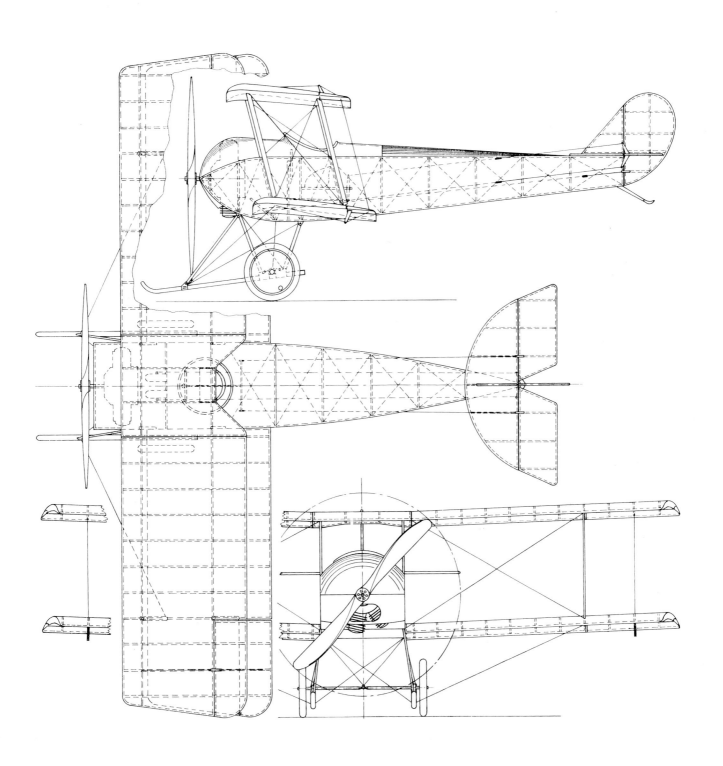

Mit modifiziertem Seitenruder
und Hecksporn,
verlängerten Kufen;
das Flugzeug hatte eine

**«Tabloid»-Doppeldecker
(Ende 1914)**

um 25 kg höhere Startmasse
als die Sportflugzeugversion
des Jahres 1913 und erreichte
eine Dienstgipfelhöhe von 4600 m

Etrich-Taube
mit Porsche-Motor

Das erste österreichische Motorflugzeug wurde von Igo Etrich entwickelt. Aber das hat eine kleine Vorgeschichte, auf die hier nicht verzichtet werden soll, weil sie auf besondere Weise mancherlei Schwierigkeiten kennzeichnet, die den beginnenden Motorflug begleiteten.

Wie es begann, beschrieb Igo Etrich in seinen Erinnerungen an jene Jahre: «Ich erwarb, durch ... die Gleitflüge Lilienthals in Berlin angeregt, nach dessen Todessturz ⟨1896⟩ im Jahre 1898 seinen Apparat zu Studienzwecken und konstruierte im Jahre 1900 meinen ersten Monoplan, mit dem ich in meiner Heimat bei Trautenau in Böhmen persönlich Gleitflugversuche anstellte, die mich die Schwierigkeit des Stabilisierungsproblems erkennen und eingehende Studien nötig erscheinen ließen.»

Etrich gewann Franz Wels für die Mitarbeit, bei der es zunächst darum gehen sollte, die «Flugerscheinungen der Tier- und Pflanzenwelt» für weitere Überlegungen heranzuziehen. Dabei stießen sie auf eine Veröffentlichung des Hamburger Professors Friedrich Ahlborn «Über die Stabilität der Flugapparate» aus dem Jahre 1897. Darin machte der Verfasser darauf aufmerksam, daß die Natur mit den Flugsamen von Pflanzen Modelle hervorgebracht hat, die sich durch beachtliche Flugeigenschaften auszeichnen. Unter anderem verwies er auf den Samen des palmenartigen Baums Zanonia macrocarpa auf Java ⟨neuere botanische Bezeichnung: Macrozanonia macrocarpa⟩ und schilderte dessen vorzügliche Flugstabilität. Etrich und Wels besuchten Ahlborn, besprachen mit ihm ihr Problem, nahmen ein paar Flugsamen mit und begannen, das Naturvorbild konstruktiv nachzuformen.

Igo Etrich, seit dem Jahre 1910 einer der herausragenden europäischen Motorflugzeugkonstrukteure

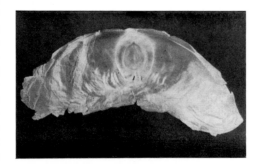

Der Zanonia-Samen, der Igo Etrich zu Modellversuchen und zum Bau eines Gleiteindeckers inspirierte

Zuerst bauten und experimentierten sie im Jahre 1904 mit kleinen Modellen, bis schließlich ein Gleitflugzeug entstand, das erstmals im Jahre 1906 eingeflogen wurde und von dessen Flugstabilität sie hellauf begeistert waren. Die Flächenform entsprach dem Zanonia-Samen, der konstruktive Aufbau der tragenden Fläche dem Lilienthal-Gleiter. Die früheren Studien, die Etrich an diesem Gleiter betrieben hatte, waren dafür hilfreich gewesen. Im Oktober 1906 wurden von Wels mit dem «Zanonia-Gleiter» mehrere Gleitflüge mit Weiten bis zu 250 m unternommen. Dieser Gleiter war, wie der Vergleich luftfahrthistorischer Dokumentationen ergab, das erste funktionstüchtige Nurflügelflugzeug der Welt.

Nach erfolgreichen Versuchen wurde der Gleiter erstmals im Jahre 1908 mit einem 24-PS-Antoinette-Motor ⟨17,6 kW⟩ in der Hoffnung ausgestattet, daß auf so unkomplizierte Weise der Übergang vom Gleitflugzeug zum Motorflug zu vollbringen sei. Aber diese Motorflugversuche kamen nicht recht voran. Wels wandte sich schließlich von dem Projekt ab. Über die Umstände, die dazu führten, schrieb Etrich: «Zur selben Zeit ⟨im Jahre 1908, als die Motorflugversuche mit dem Etrich-Wels-Eindecker gerade begonnen hatten; d. Verf.⟩ war Wilbur Wright nach Frankreich gekommen und setzte durch seine Leistungen ganz Europa in Erstaunen. Ich entsandte Wels zu einer Studienreise nach Frankreich, der von dem Gesehenen so begeistert war, daß er, heimgekehrt, vom Monoplan nichts mehr wissen wollte und mit dem Bau eines Doppeldeckers begann. Dies war der Grund zu meiner Trennung von Wels.»

Im Jahre 1909 bezog Igo Etrich den ersten fertigen Flugzeugschuppen auf dem ersten österreichischen Flugplatz Steinfeld bei Wiener Neustadt und setzte mit seinem Werkmeister Karl Illner die Motorflugversuche fort, die zu einer eigenen Konstruktion führen sollten. Etrich schrieb darüber: «Nur mit großer Mühe gelang es mir, dem mehr als drei Jahre alten Apparat mit dem Antoinette-Motor vom 20. Juli bis August 1909 einige kurze (ca. 100 bis 200 Meter) Flüge abzuringen, in deren Verlauf der Apparat bei einer brüsken Landung am 19. August desselben Jahres endgültig niederbrach.»

Inzwischen hatte Igo Etrich aber einen neuen Eindecker fertiggestellt, den er als «Etrich I» bezeichnete und der den Beinamen «Praterspatz» erhielt. Die Zanonia-Flächenform war beibehalten worden, aber es war nun kein Nurflügelflugzeug mehr, weil eine nach hinten ausgespreizte Schwanzfläche mit einem Seitenruder hinzugekommen war. Mit einem 40-PS-Clerget-Motor (29,4 kW) und mit Tragflächenverwindung gelangen damit vom 29. November bis 14. Dezember 1909 mehrere Flüge. Der «Praterspatz», das erste österreichische Motorflugzeug, das wirklich flog, erreichte eine Geschwindigkeit von 70 km/h und eine Flugstrecke von fast 5 km.

Dieser Eindecker blieb, wie Etrich beschrieb, nur ein Zwischenstadium: «Es zeigte sich, daß die normale Zanonia-Form zwar sehr stabil flog, jedoch einen relativ geringen Nutzeffekt ergab. Ich brach daher Mitte Dezember die Experimente ab und baute ... auf Grund der gesammelten Erfahrungen einen neuen Monoplan II, der zwar nicht mehr die Zanonia-, sondern Vogelform aufweist, dessen Stabilisierungsprinzip jedoch von dem des Gleitfliegers abgeleitet ist. Ich ging deshalb zur Vogelform über und entwarf die Konstruktionspläne für einen Apparat, der, nach seiner Form die ‹Taube› genannt, später so erfolgreich werden sollte. Die Tragfläche entsprach der Form eines Vogels in Gleitflugstellung, das Höhensteuer war taubenschwanzähnlich ausgebildet, und unter den Flügeln war eine Brückenkonstruktion angeordnet, welche außerordentlich zur Versteifung der Flügel beiträgt und ein Abbrechen derselben ... als ausgeschlossen erscheinen läßt.»

Für dieses Flugzeug hatte der damalige Direktor der «Austro-Daimler-Werke» in Wiener Neustadt, Dr.-Ing. Ferdinand Porsche, auf Etrichs Wunsch einen 60-PS-Flugmotor (44,1 kW) konstruiert, der in die Etrich-Taube eingebaut wurde. Mit diesem Flugzeug «Etrich II» vollbrachte Karl Illner im Mai 1910:
— einen Dauerflug von 68 min in einer Höhe bis zu 300 m,
— einen Überlandflug von Wiener Neustadt nach Wien und zurück, jeweils rund 50 km.

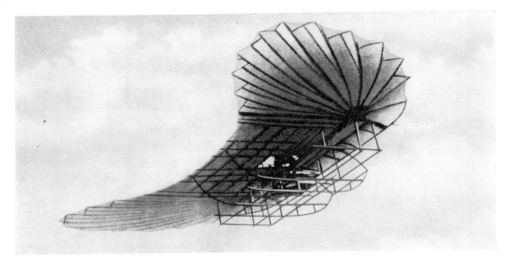

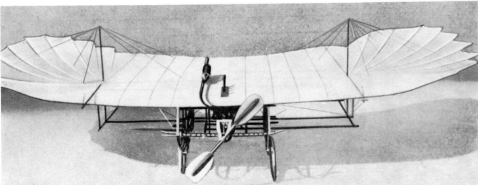

Der nach dem Naturvorbild von Etrich und Wels gebaute «Zanonia-Gleiter» im Fluge (1906): Spannweite 12,00 m; Flügelfläche 36,00 m²

Zwei Ansichten des Etrich-Wels-Eindeckers (1908/09) mit dem versucht wurde, den Übergang vom «Zanonia-Gleiter» zum Motorflugzeug zu vollziehen

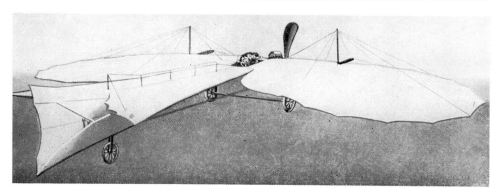

Beim Flugmeeting in Wiener Neustadt holte Illner im September 1910 mit dem neuen Eindecker fast alle ausgesetzten Preise. Der gute Ruf der Etrich-Taube war damit begründet. Er verbreitete sich rasch, zumal Illner mit dem Eindecker erfolgreich an internationalen Flugvergleichen teilnahm.

Und nun geschah etwas Originelles. Plötzlich trat Friedrich Ahlborn aus Hamburg an die Öffentlichkeit und meldete Ansprüche auf das Konstruktionspatent der Etrich-Taube an, obgleich er außer dem Hinweis auf die Flugstabilität des Zanonia-Samens keinen konstruktiven oder praktischen Beitrag zur Entwicklung des Flugzeuges geleistet hatte. Ahlborn betrachtete sich nunmehr augenscheinlich als geistigen Vater dieses Flugzeugtyps. Bis heute ist unklar geblieben, worauf er eigentlich Anspruch erhob. Daß er ganz allgemein auf die mögliche Verwendbarkeit des Naturvorbildes für einen stabilen Gleiter hingewiesen hatte, um den es sich bei der Etrich-II-Taube schon längst nicht mehr handelte, ist zwar eine anerkennenswerte wissenschaftliche, aber keine patentrechtliche Leistung. Sie wurde deshalb auch von keiner Seite als eine solche anerkannt. Doch dieses Intermezzo hatte noch ein Nachspiel in der Beziehung zwischen Igo Etrich und dem Johannisthaler Flugzeugfabrikanten Edmund Rumpler, der im Jahre 1910 die deutschen Nachbau- und Vertriebsrechte für die Etrich-Taube erworben hatte. Davon wird in einem späteren Abschnitt noch zu reden sein.

Igo Etrich hat sein Flugzeug im Verlaufe der folgenden Jahre in manchen Details weiterentwickelt, auch stärkere Flugmotoren verwendet, ohne die Grundidee aufzugeben, die sich so vorzüglich bewährt hatte. Noch im Jahre 1910 baute er in einer Bauzeit von 3 Wochen den Eindecker «Möwe». Dieser «Etrich III» war zuerst mit einem Einradfahrwerk versehen, danach aber wieder auf das Zweiradfahrwerk umgestellt worden.

Zwei Detailansichten des
Etrich-Wels-Eindeckers ⟨1908/1909⟩

Der Eindecker Etrich I «Praterspatz» ⟨1909⟩

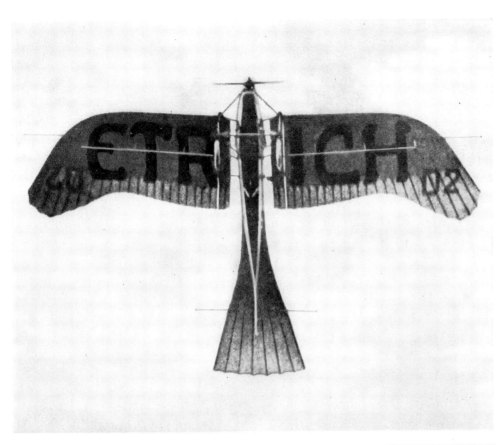

Gleichfalls im Jahre 1910, aber bei der Firma «Jacob Lohner & Co.» in Wien-Floridsdorf gebaut, wurde die Taube «Etrich IV» vorgestellt. Dieses Flugzeug ist in mehreren, geringfügig veränderten Ausführungen gebaut worden, denn aus der Literatur sind Ausführungen mit Heckrad oder Hecksporn sowie mit spitz auslaufenden oder stumpfen Seitenruderflossen bekannt.

Im Jahre 1911 richtete Igo Etrich in Liebau eine eigene Flugzeugfabrikation ein und gründete die «Etrich-Flieger-Werke». Als erste Neukonstruktion entstand dort im gleichen Jahr die «Schwalbe», ein Eindecker, der vor allem durch Tragwerk und Leitwerk als Nachbildung einer fliegenden Schwalbe auffiel. Außerdem entwickelte er seine Tauben-Konstruktion weiter und übertrug ab 1912 die deutschen Alleinvertriebsrechte seiner Fabrikate der «Sport-Flieger GmbH.» auf dem Flugplatz Johannisthal bei Berlin. Inzwischen wurde seine Flugzeugkonstruktion sowohl von der «Rumpler-Luftfahrzeugbau GmbH.» in Johannisthal als auch von der «Jacob Lohner & Co.» in Wien-Floridsdorf, ab 1913 auch vom «Fliegerarsenal Flugzeugwerk» in Fischamend gebaut und modifiziert.

Im Jahre 1912 zog Igo Etrich erneut die Aufmerksamkeit der Fachwelt auf sich, als er, ausgehend von seiner Tauben-Konstruktion, eine Luftlimousine herausbrachte, die in Quellen jener Zeit als das erste Passagierflugzeug mit vollständig geschlossener Sitzkabine bezeichnet wird. Der geschlossene Kabinenraum, mit drei Sitzen ausgestattet, erlaubte mit seinen großen Fenstern eine ausgezeichnete Sicht. Dieses fortschrittliche Flugzeug ist um so bemerkenswerter, als Passagierflugzeuge anderer Konstrukteure nicht den geringsten Komfort boten. Dort saßen die Fluggäste völlig im Freien, der Witterung ausgesetzt. Sie mußten sich teilweise noch irgendwo festklammern, um nicht herauszufallen. Der Erstflug fand am 7. Mai 1912 statt. Am 16. August

Drei Ansichten und zugleich Modifikation der Originalkonstruktion des Eindeckers Etrich II «Taube» ⟨1910⟩:
Spannweite 13,70 m;
Flügelfläche 33,75 m²; Länge 9,40 m;
Höhe 3,30 m; Leermasse 370 kg;
Motor: 60/65-PS ⟨44,1/47,8 kW⟩ - Austro-Daimler

1912 wurden mit drei Personen 106 km/h und mit zwei Personen 112 km/h erreicht.

In den Jahren 1911 bis 1914 entstanden mehrere Modifikationen als zweisitziger Etrich-Renneindecker. Das erste Flugzeug dieser Version wurde im Januar 1912 an die russische Heeresverwaltung verkauft. Der Renneindecker fand weite Verbreitung als Sport- und Schulflugzeug.

Bedeutendes Ereignis war ein Fünfländerflug, den der Flugzeugführer Alfred Friedrich mit Begleiter im September 1913 auf einem Etrich-Renneindecker unternahm. Am 5. September startete er um 5.26 Uhr mit Dr. Hermann Elias als Begleiter in Johannisthal. Sie gelangten über Hannover, Gelsenkirchen und Brüssel bis zu der belgischen Kleinstadt La Bruyère, wo Regen und Dunst eine Zwischenlandung erzwangen. Verständnisvolle Helfer trugen Decken, Säcke, sogar Bettwäsche herbei, damit das Flugzeug wenigstens provisorisch abgedeckt werden konnte.

Erst am folgenden Mittag können sie weiterfliegen. Sie gelangen bis in die Nähe der französischen Ortschaft Guise, fliegen von dort nach Senlis und weiter zum Flugplatz Villacoublay bei Paris. Für Dr. Elias, der nach Johannisthal zurück-

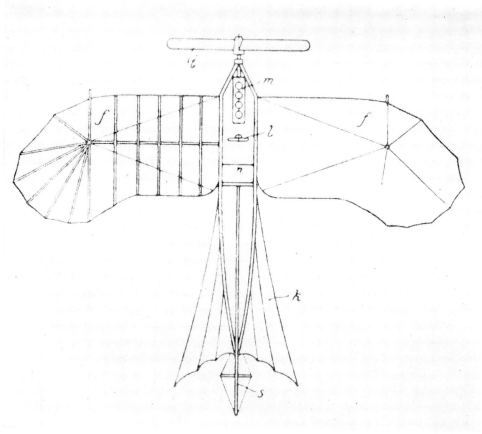

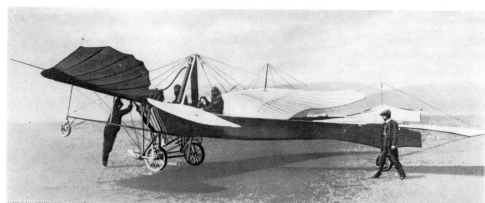

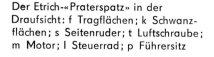

Der Etrich-«Praterspatz» in der Draufsicht: f Tragflächen; k Schwanzflächen; s Seitenruder; t Luftschraube; m Motor; l Steuerrad; p Führersitz

Die Etrich IV-«Taube» ⟨1910⟩ mit Heckrad und stumpfen Seitenruderflossen; Spannweite 14,00 m; Flügelfläche 35,00 m²; Länge 10,25 m; Höchstgeschwindigkeit 95 km/h; Motor: 65-PS⟨47,8 kW⟩-Austro-Daimler

Die Etrich IV«Taube» ⟨1911⟩ mit Hecksporn und spitz auslaufenden Seitenruderflossen

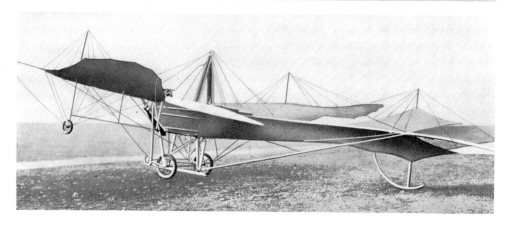

kehren muß, springt Igo Etrich als Begleiter ein. Am 8. September 1913 fliegen Friedrich und Etrich zum Pariser Flugplatz Issy-les-Moulineaux, starten in den folgenden Tagen mehrmals zu Flügen über Paris, umkreisen wiederholt den Eiffelturm und fliegen schließlich am 13. September 1913 nach Les Barraques. Nach diesem Zwischenaufenthalt überfliegen sie in einer Höhe von 1500 m den Ärmelkanal und landen um 17.26 Uhr auf dem Flugplatz Hendon. Dort folgen mehrere Vorführungsflüge. Am 19. September 1913 kehren Friedrich und Etrich von London über Holland nach Johannisthal zurück. Der Fünfländerflug findet mit der Landung am 20. September 1913 um 16.15 Uhr seinen Abschluß. Er demonstrierte erneut die Zuverlässigkeit der Etrich-Konstruktion.

Inserat im Jahre 1912

Etrich-«Schwalbe» ⟨1911⟩

Die Etrich-«Luftlimousine»,
der welterste Passagiereindecker
mit geschlossener Kabine ⟨Mai 1912⟩:
Spannweite 13,00 m; Flügelfläche
31,00 m²; Länge 8,30 m; Höhe 2,60 m;
Höchstgeschwindigkeit 120 km/h;
Motor: 65-PS⟨47,8 kW⟩-Austro-
Daimler

Etrich-Renneindecker ⟨1912/13⟩:
Spannweite 14,63 m; Flügelfläche
35,30 m²; Länge 11,63 m; Höhe 3,58 m;
Höchstgeschwindigkeit 120 km/h;
Motor: vorwiegend 120-PS⟨88,2 kW⟩-
Austro-Daimler, im Jahre 1914
auch 100-PS⟨73,5 kW⟩-Mercedes

Pischof-Eindecker
mit Autokarosserie

Der Wiener Alfred von Pischof hatte während seines Studiums in Paris nach mehreren Modellversuchen im Jahre 1907 einen kleinen Doppeldecker mit einem 18-PS-Anzani-Motor ⟨13,2 kW⟩ und im Jahre 1908 einen Eindecker gebaut. Mit beiden Apparaten gelangen aber nur Sprünge. Nach seiner Rückkehr ließ er bei der Wiener Firma «Werner & Pfleiderer» einen Eindecker bauen, der Anfang April 1910 eingeflogen wurde. Diese Erprobungen auf dem Flugplatz Steinfeld bei Wiener Neustadt sind von Pischof protokolliert worden. Pischof schilderte eine der typischen Versuchsreihen, mit denen damals ganz allmählich die möglichen Flugleistungen eines neuen Flugzeuges festgestellt wurden.

1. April:
«Als erste Flüge eine sechsmalige Überquerung des Flugfeldes in gerader Linie in 3 bis 5 m Höhe. Wendungen am Boden ohne den Motor abzustellen.» ⟨Also: Start – Geradeausflug – Landung – Wenden des Flugzeuges im Rollvorgang – Start – Geradeausflug – Landung usw.⟩

6. April:
«Fünfmalige Überquerung in 8 bis 10 m Höhe.»

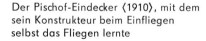

Der Pischof-Eindecker ⟨1910⟩, mit dem sein Konstrukteur beim Einfliegen selbst das Fliegen lernte

Detailansicht des Pischof-Eindeckers ⟨Fahrwerk mit Kufen, Motor-, Tank- und Sitzanordnung⟩ als zweisitzige Variante für Passagierflüge und Schulungszwecke ⟨1910⟩

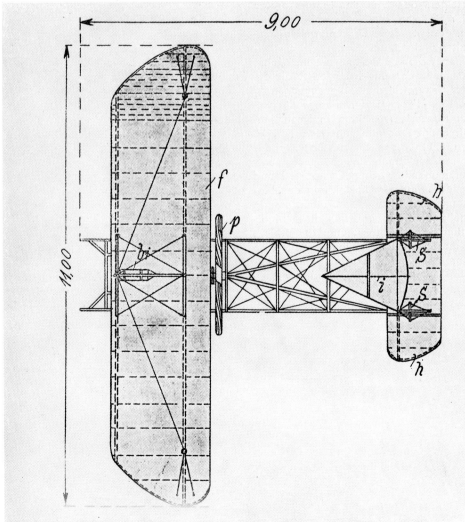

12. April:
«Versuche einer kleinen Kurve. Außerdem ein gerader Flug nach Wöllersdorf und retour am Boden, in Höhe bis 15 m.» ⟨Folglich: Geradeausflug über die Flugplatzgrenzen hinaus, aber Rücktransport des Flugzeuges auf der Straße.⟩

13. April:
«Erster Kurvenflug in der Dauer von 5 Minuten und 30 Sekunden. Zweimal mußte ich dabei über einen kinematographischen Apparat ⟨Filmkamera, d. Verf.⟩ hinwegfliegen, was beide Male gelang.»

17. April:
«Morgens als erster vollführte ich einen Versuchsflug von drei Runden bei $1\frac{1}{2}$ Metersekunden Wind in 18 bis 20 m Höhe. Gegen 10 Uhr flog ich behufs Ablegung der Pilotenprüfung zweimal und in entgegengesetztem Sinne eine Strecke von 1 km, um meine Fluggeschwindigkeit zu konstatieren. Eintretender Regen verhinderte die Fortsetzung der Prüfung . . .»

Pischof hatte einen Eindecker mit Druckpropeller gebaut und fliegen gelernt, indem er seine Konstruktion erprobte. Er erwarb die österreichische Flugzeugführererlaubnis Nr. 2 am 24. April 1910. Wenige Wochen später, am 9. Mai 1910, fand er den ungeteilten Beifall der österreichischen Öffentlichkeit, als er mit seinem Eindecker in Steinfeld zu einem Überlandflug in die Umgebung des Flugplatzes startete und nach 45 min wohlbehalten wieder vor seinem Flugzeugschuppen landete. Es war in der Pionierzeit des Motorfluges oft ein Wagnis, über die Flugplatzgrenzen hinauszufliegen. Deshalb waren demjenigen stets die Schlagzeilen in der Presse sicher, der den Mut dazu fand.

Im Jahre 1910 wurde das Flugzeug für Schulungszwecke mit einem zweiten Sitz ausgestattet und die Möglichkeit vorgesehen, hinter diesen beiden nebeneinander befindlichen Sitzen einen dritten für

Flugzeugführersitz mit Steuerung und Motoranlage im französischen Lizenzbau des Pischof-Eindecker ⟨1910⟩

Draufsicht des leicht modifizierten Pischof-Eindeckers ⟨horizontale Stabilisierungsfläche über dem Heckleitwerk⟩: f Tragfläche; h Höhenruder; s Seitenruder; i Schwanzstabilisierungsfläche; b_1 Benzintank; p Druckluftschraube

Der Pischof-Eindecker «Autoplan»
mit Autokarosserie und Querrudern
⟨1911⟩

Passagierflüge aufzumontieren. Die Quersteuerung des Flugzeuges wurde durch Tragflächenverwindung bewirkt.

Bemerkenswert sind einige originelle konstruktive Details des Pischof-Eindekkers. Die beiden Seitenruder des Heckleitwerkes waren an einer Vertikalachse befestigt, die durch die Schwanzfläche hindurch ging und unten federnd mit den hinteren kleinen Laufrädern verbunden war. Mit dieser Anordnung ließ sich das Flugzeug auch am Boden sehr gut steuern, weil sich jede Bewegung des Handrades für das Seitenruder synchron auf die Stellung der hinteren Laufräder übertrug. Das begünstigte nicht nur das Rollen auf dem Fluggelände, sondern auch den Straßentransport mit Auto- oder Pferdedroschkenschlepp. Dafür konnte die Tragfläche mit wenigen Handgriffen an beiden Seiten heruntergeklappt und am Leitwerkträger befestigt werden.

Ein weiterer Vorteil bestand in der Möglichkeit, die in Verlängerung der Motorwelle liegende Kettenwelle beliebig ein- oder auszukuppeln. Der vor dem Sitz gelagerte 50-PS-Motor ⟨36,8 kW⟩ war mit einer Andrehkurbel versehen. Der Flugzeugführer konnte ihn also ohne fremde Hilfe in Gang setzen, ohne Hast einsteigen, den Lauf des Motors prüfen und regulieren, die Kettenwelle einkuppeln, damit den Druckpropeller einschalten und starten.

Der Pischof-Eindecker galt im Jahre 1910 neben dem Etrich-Eindecker als die beste österreichische Flugzeugkonstruktion. Das Flugzeug wurde zeitweilig von einer französischen Firma in Lizenz gebaut. Einige Veränderungen wurden im Jahre 1911 vorgenommen. Anstelle der Tragflächenwindung gab es jetzt Querruderklappen. Zwischen Fahrgestell und Tragfläche war zur Umkleidung des Motors und der Sitze eine Autokarosserie eingebaut worden, weshalb diese Modifikation den Namen «Autoplan» erhielt. Für dieses Muster wurden verschiedene Motoren verwendet, darunter der 65-PS-Austro-Daimler ⟨47,8 kW⟩ und der 100-PS-Gnôme ⟨73,5 kW⟩.

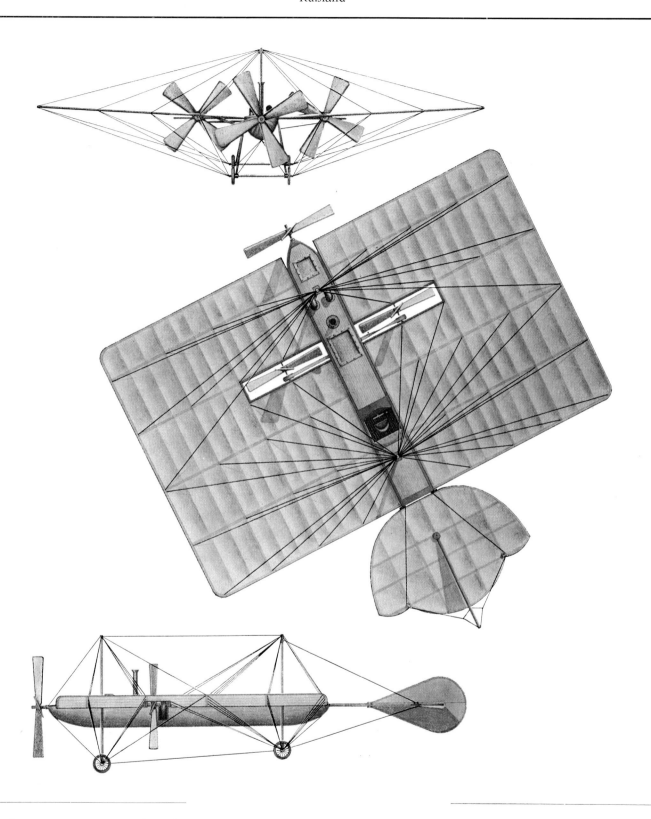

Länge des Bootsrumpfes 20,5 Arschin ⟨14,6 m⟩ ;
Spannweite je Tragflügel 15 Arschin ⟨10,7 m⟩ ;
Flächentiefe 20 Arschin ⟨14,2 m⟩ ;
Flügelfläche etwa 370 m² ;
Startmasse 933 kg ;

**Die Flugmaschine Moshaiskis
nach der Patentschrift von 1881
⟨ein Arschin = 0,71 m⟩**

Antrieb ⟨gesamt⟩ : 30 PS ⟨22,1 kW⟩ ;
eine Dampfmaschine mit 20 PS/15 kW zum
Antrieb der vorderen großen Luftschraube,
eine mit 10 PS/7,4 kW zum Antrieb der
beiden kleinen Luftschrauben

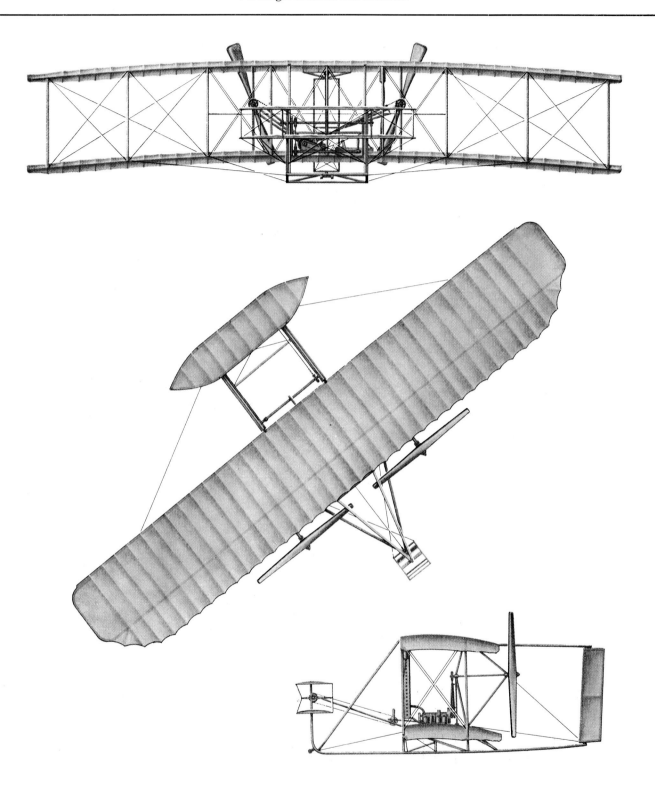

Wright-«Flyer I»
⟨1903⟩

Spannweite 12,30 m;
Länge 6,40 m;
Höhe 2,80 m;
Flügelfläche 47,40 m²;
Leermasse 274 kg;

Startmasse 340 kg;
Geschwindigkeit 48 km/h;
Motor: wassergekühlter
Wright-Vierzylinder-Reihenmotor
⟨ungefähr 13 PS/9,6 kW⟩

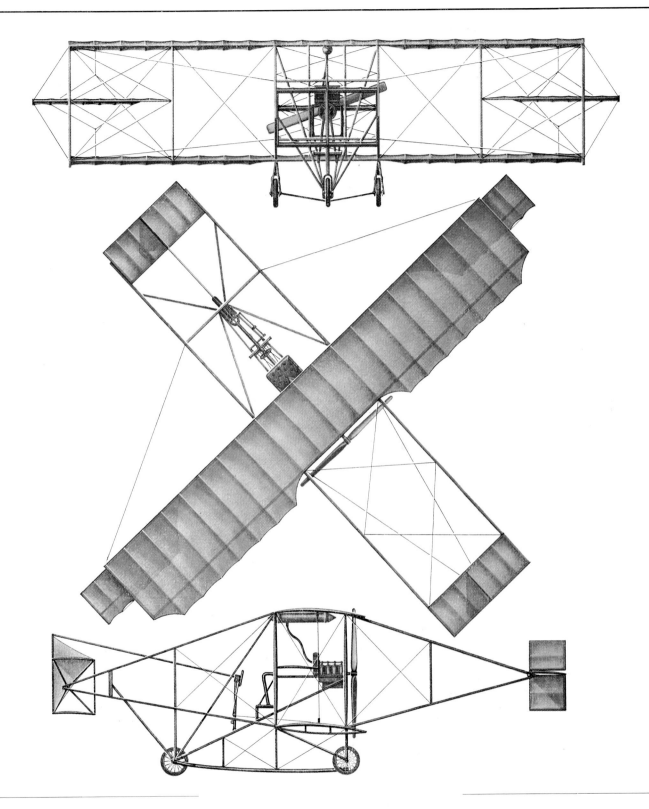

Siegerflugzeug im «Coupe Gordon Bennett»
in Betheny bei Reims;
Spannweite 8,76 m;
Spannweite mit Querruder 9,98 m;
Länge 8,69 m;

Herring-Curtiss «Golden Flyer»
(1909)

Höhe ca. 2,74 m;
Flügelfläche mit Querruder 23,97 m²;
Startmasse 376 kg;
Geschwindigkeit 76 km/h;
Motor: 50-PS (36,8 kW)-Curtiss

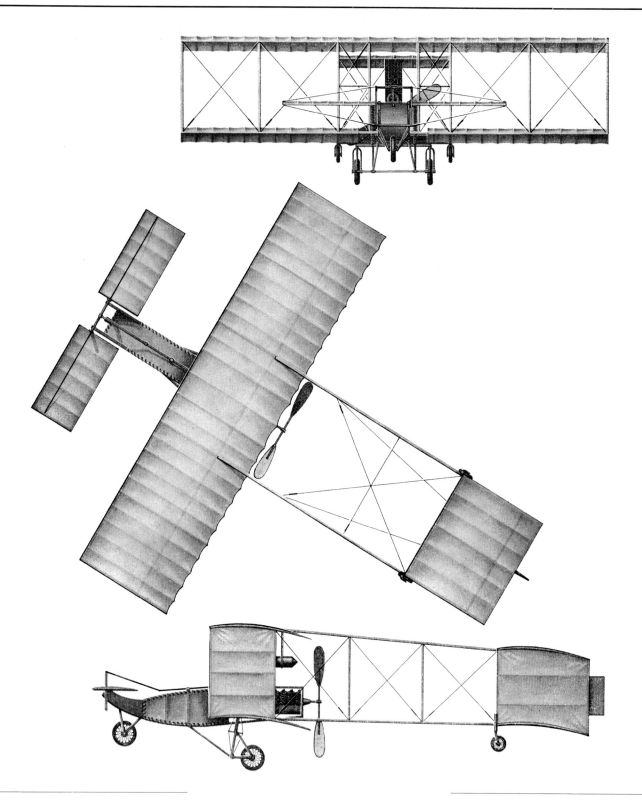

In der für die Voisin-Brüder
kennzeichnenden Kastenbauweise:
Spannweite 10,00 m;
Flügelfläche 40,00 m²;
Länge 12,00 m;

**Voisin-Standardtyp
⟨1910/11⟩**

Höhe 3,35 m;
Startmasse 600 kg;
Geschwindigkeit 55 km/h;
Motor: 60-PS⟨44,1 kW⟩-Achtzylinder-V-Motor,
wassergekühlt

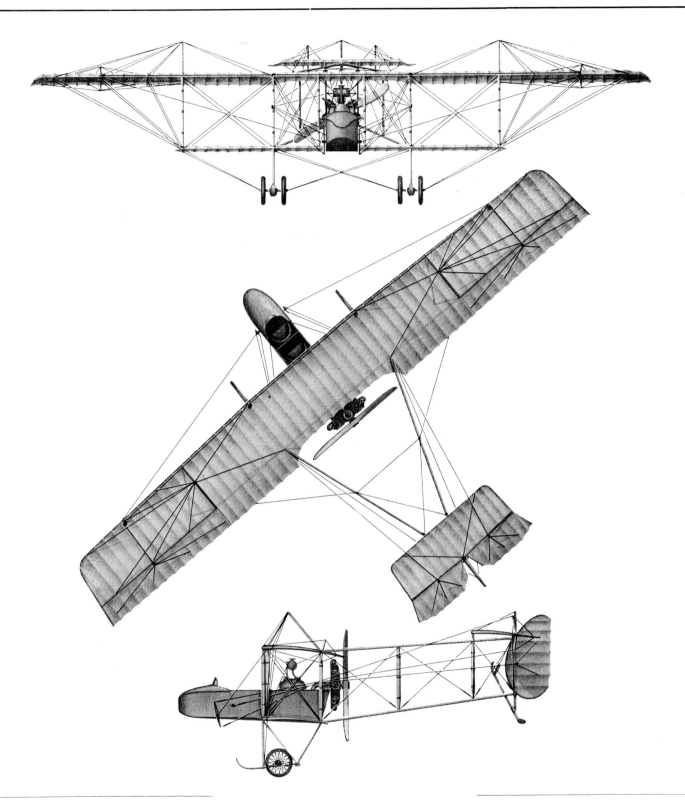

Anderthalbdecker «Farman F-20»
(1912)

Dieser Zweisitzer mit verkleidetem
Rumpfbug wurde zum Ausgangsmuster
für erste Militärdoppeldecker
von Henry Farman:
Spannweite: 13,72 m;

Flügelfläche 35,00 m²;
Länge 8,25 m; Höhe 3,50 m;
Startmasse 365 kg;
Höchstgeschwindigkeit 105 km/h;
Motor: 80-PS⟨58,8 kW⟩-Gnôme

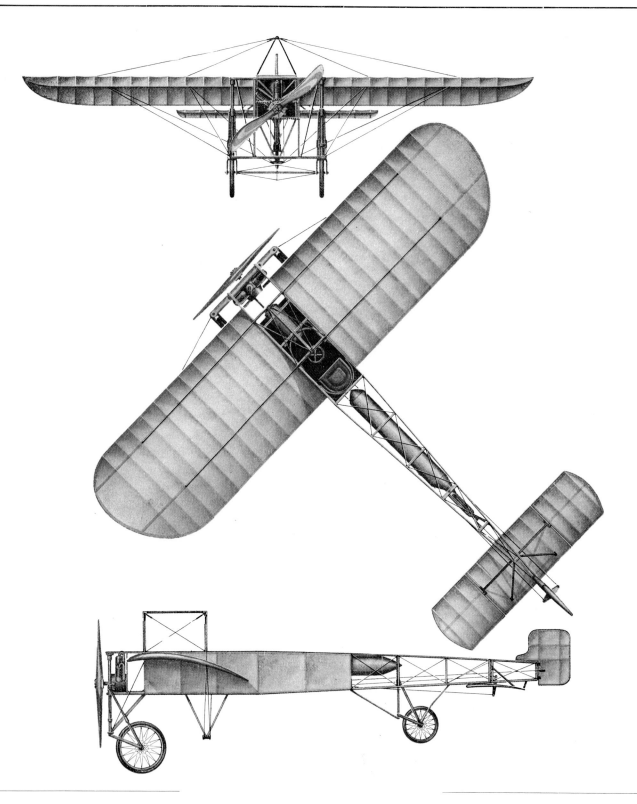

Das international beachtete
Erfolgsflugzeug, mit dem sein
Konstrukteur als erster
Motorflieger den Meereskanal
zwischen Les Baraques bei Calais
und Dover überflog:

**Blériot-Eindecker XI
«La Manche» (1909)**

Spannweite 8,20 m;
Flügelfläche 14,00 m²;
Länge 7,60 m;
Startmasse 270 kg;
Höchstgeschwindigkeit 70 km/h;
Motor: 25-PS⟨18,4 kW⟩-Anzani

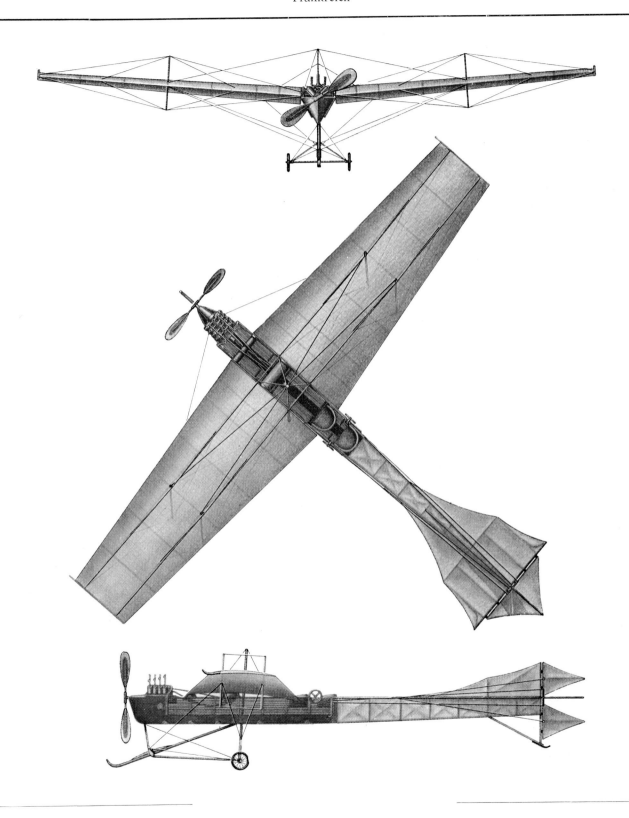

Eindecker «Antoinette VII»
(1909)

Zu diesem Flugzeug wurden
teilweise deutlich voneinander
abweichende Datenangaben aufgefunden.
Wir beziehen uns auf eine französische
Quelle: Spannweite 14,40 m;
Flügelfläche 50 m²;

Länge 12,37 m; Höhe 3,00 m;
Startmasse 550 kg;
Höchstgeschwindigkeit 68 km/h;
Gipfelhöhe 1000 m;
Motor: 50-PS⟨36,8 kW⟩-Antoinette
⟨Levavasseur⟩

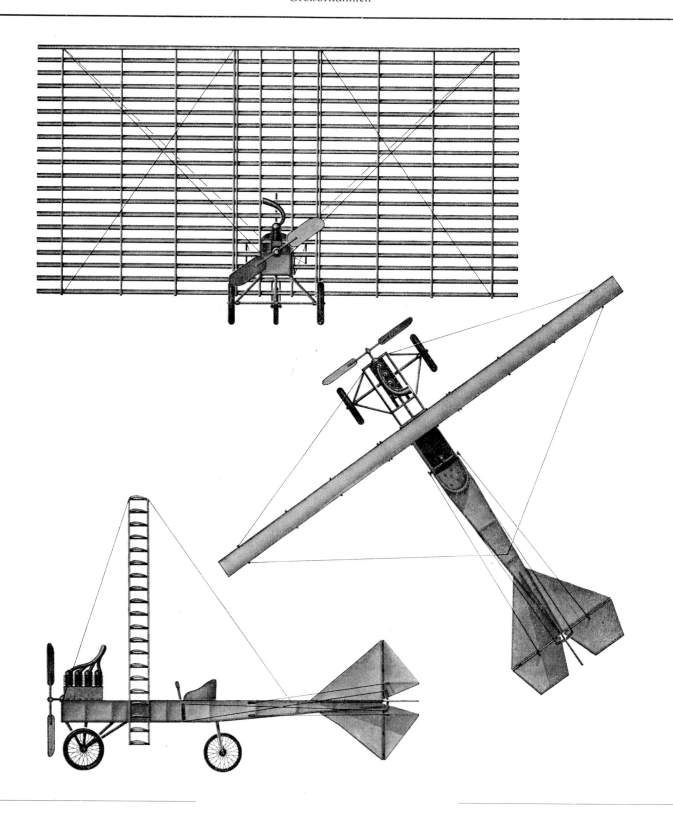

Dazu fanden sich in der Literatur folgende, auf mathematischem Wege ermittelte und daher vermutbare technische Daten:
Spannweite 5,40 m;
Länge 4,20 m;
Höhe 3,00 m;

Zwanzigdecker «Phillips I»
(1904)

Startmasse 272 kg;
die Motorleistung betrug 22 PS/14,7 kW;
die Abhebegeschwindigkeit wurde in einer englischen Publikation des Jahres 1910 mit 55 km/h angegeben

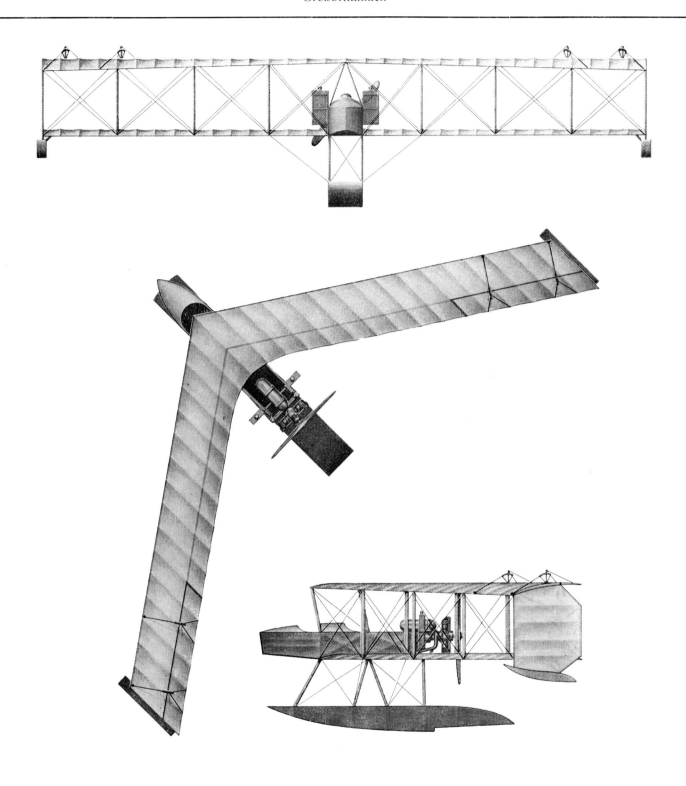

Eine als Lizenzbau auf Schwimmer gesetzte Version des schwanzlosen Doppeldeckers D.8 des Engländers J. W. Dunne, die in der Marine der USA und Kanadas militärisch verwendet wurde:

Burgess-Dunne-Wasserdoppeldecker (1914)

Spannweite 14,30 m;
Flügelfläche 44,80 m²;
Länge etwa 7,30 m;
Höhe 3,35 m;
Startmasse rund 970 kg; Motor:
90-PS⟨66,2 kW⟩-Curtiss

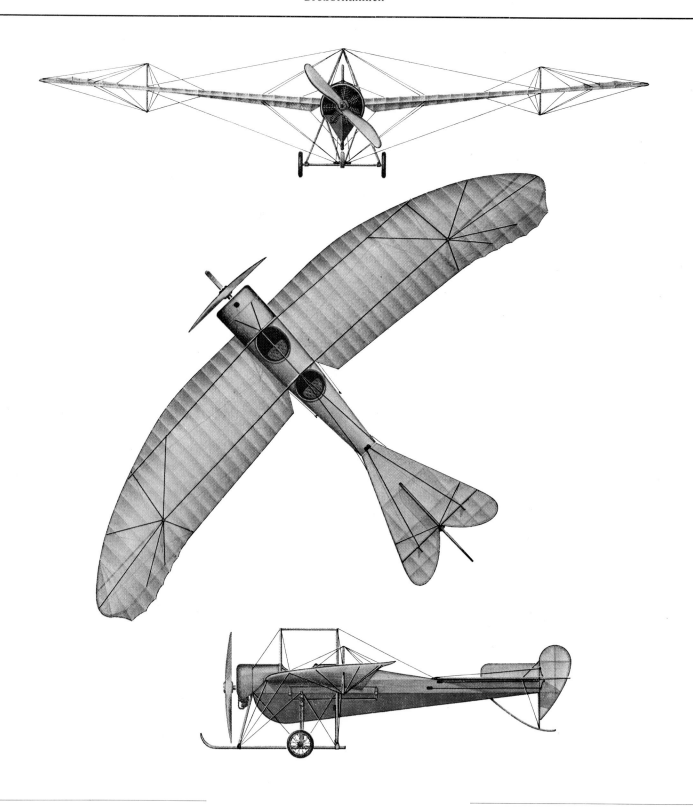

**Handley Page-Eindecker
«Yellow Peril» (1912)**

Ein zweisitziges Flugzeug mit neuartigen
sichelförmigen Tragflächen, das sich
besonders bei Überlandflügen bewährte:
Spannweite 14,00 m;
Flügelfläche 22,30 m²;

Länge 8,50 m;
Höhe 2,90 m;
Startmasse 590 kg;
Geschwindigkeit 97 km/h;
Motor: 50-PS⟨36,8 kW⟩-Gnôme

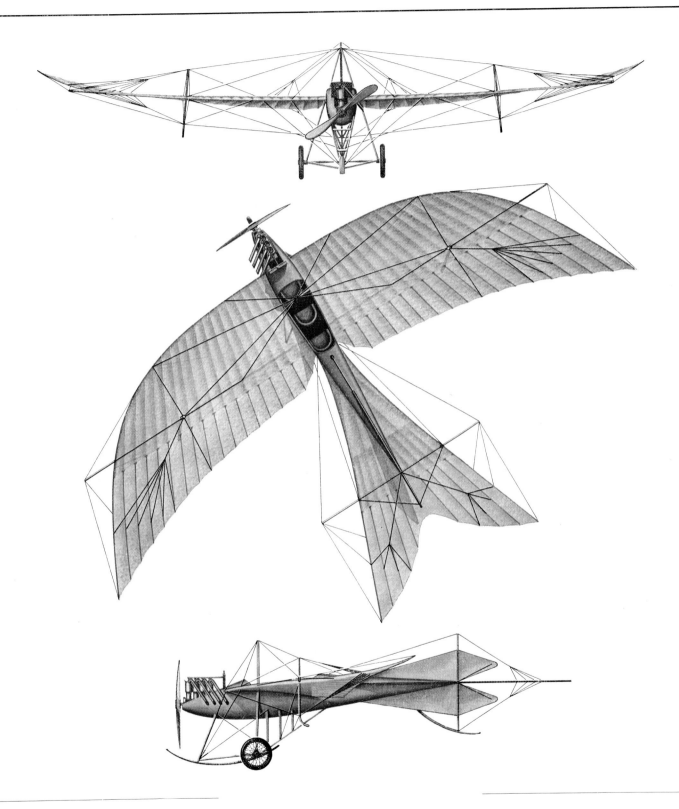

Eine von mehreren originellen
konstruktiven Nachgestaltungen
des Vogelfluges durch
den österreichischen
«Tauben»-Flugzeugbauer:
Spannweite 15,00 m;

Etrich-«Schwalbe»
⟨1911⟩

Flügelfläche 32,00 m²;
Länge 10,00 m;
Höhe 3,10 m;
Leermasse etwa 400 kg;
Höchstgeschwindigkeit 120 km/h;
Motor: 65-PS⟨47,8 kW⟩-Austro-Daimler

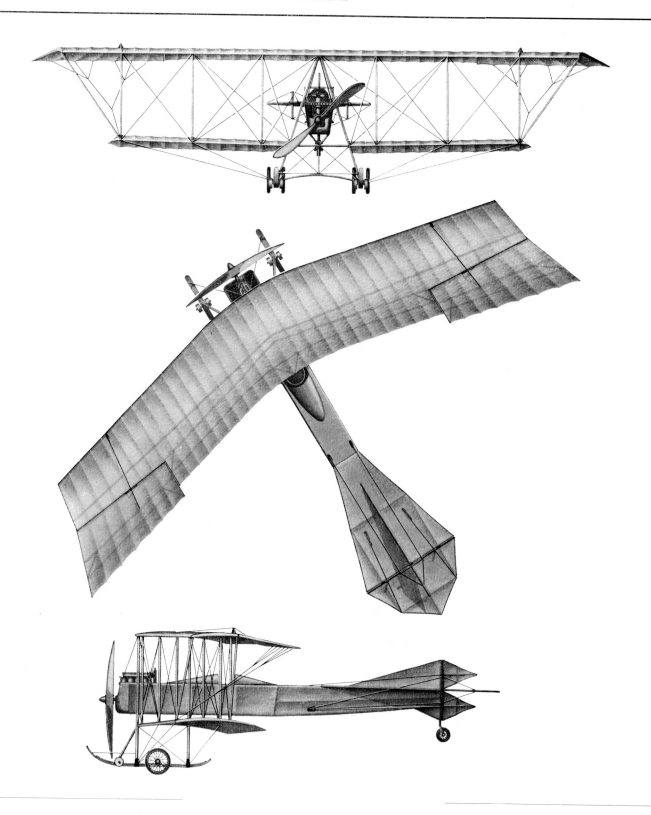

Erstes Muster einer
Serie von Pfeildoppeldeckern
aus Wien:
Spannweite ⟨oben⟩ 13,50 m,
⟨unten⟩ 9,20 m;
Flügelfläche 42,00 m²;

Lohner-«Pfeilflieger I»
⟨1910⟩

Länge 9,70 m;
Höhe 3,35 m;
Leermasse 430 kg;
Startmasse bis 645 kg;
Höchstgeschwindigkeit 95 km/h;
Motor: 65-PS⟨47,8 kW⟩-Austro-Daimler

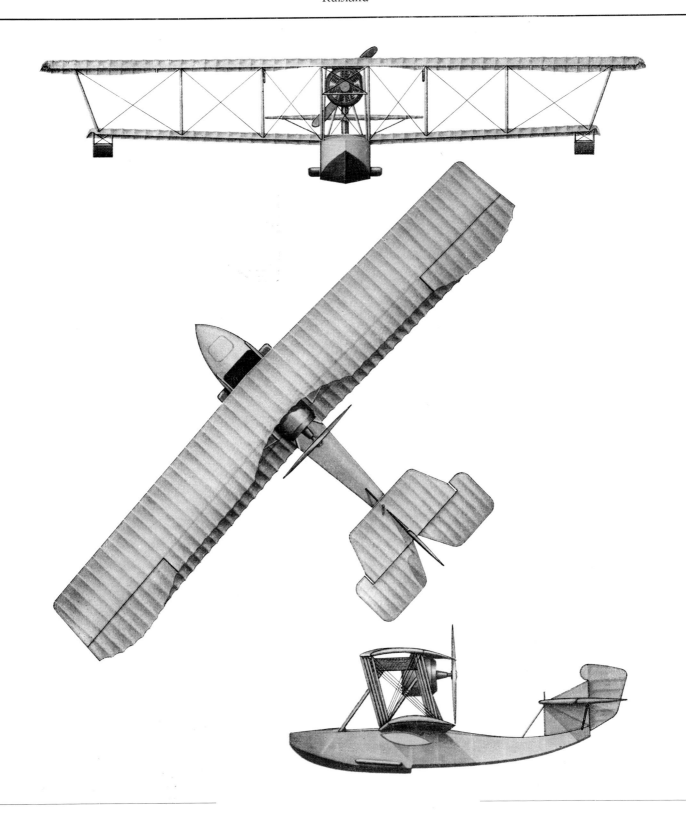

Eine der international erfolgreichen
Flugbootkonstruktionen:
Spannweite 16,00 m;
Flügelfläche 54,80 m²;
Länge 9,00 m;

**Dreisitzer-Flugboot «M-9»
von Grigorowitsch (1916)**

Leermasse 1060 kg;
Startmasse 1540 kg;
Höchstgeschwindigkeit 110 km/h;
Steiggeschwindigkeit auf 1000 m: 12 min
Motor: 150-PS⟨110,3 kW⟩-Salmson

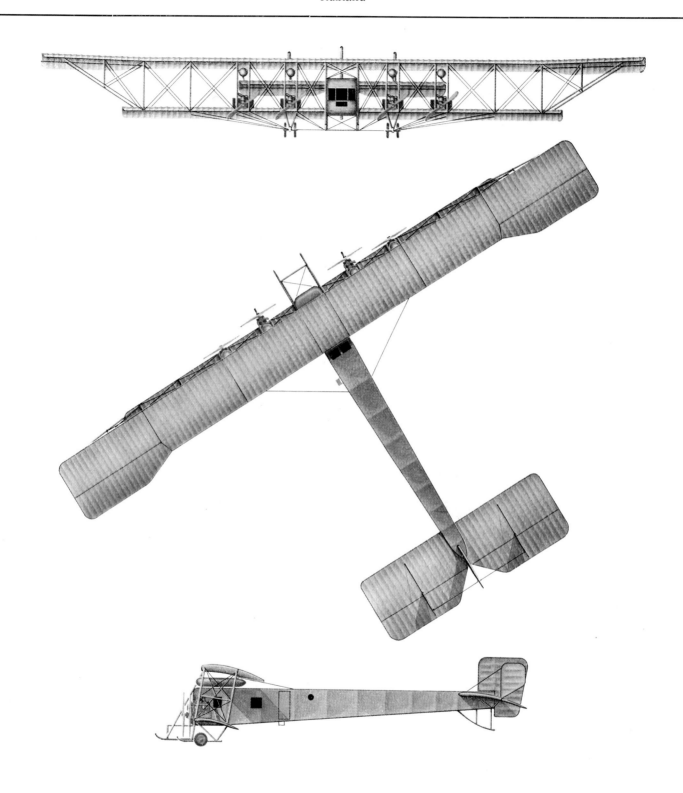

Eine Version des
variationsreich im Serienbau
gefertigten Flugriesen,
der in den Jahren des ersten Weltkrieges
internationale Maßstäbe
für den Großbomberbau setzte:

**Großraumflugzeug «Ilja Muromez II»
von Sikorsky (1914)**

Spannweite 30,95 m ⟨oben⟩, 22,45 m ⟨unten⟩;
Flügelfläche 150,00 m²
Startmasse 4550 kg;
Nutzmasse 1500 kg;
Motoren: zwei 140 PS/102,9 kW
und zwei 125 PS/91,9 kW Argus

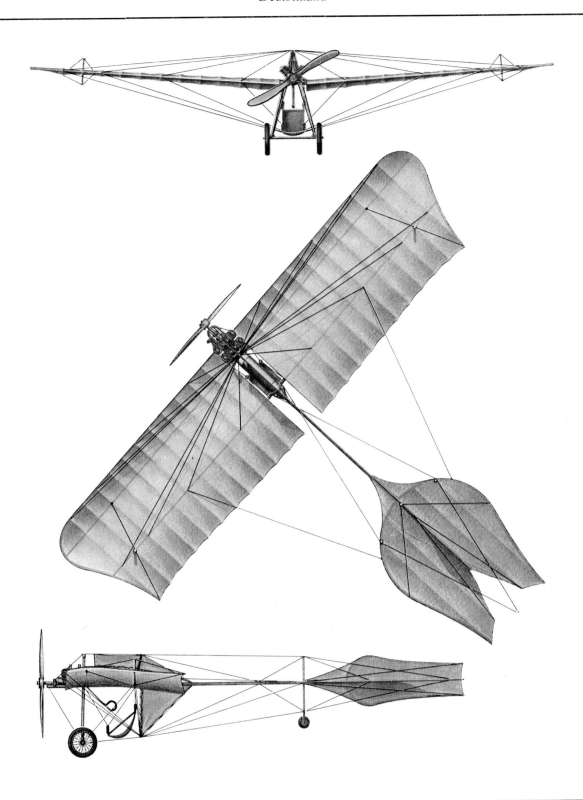

Erstmals mit Integralluftschraube, nachdem
zuvor zwei- und vierblättrige Schaufelluft-
schrauben verwendet worden waren;
weiterhin aber in der konstruktionstypischen
Leichtbauweise mit Eigenbaumotor
⟨16/24 PS bzw. 11,8/17,6 kW⟩

**Grade-Eindecker
⟨1910/11⟩**

und einem Hängesitz unter der Tragfläche;
Spannweite 10,50 m;
noch im selben Jahr begann der Übergang
zu zwei Hänge-, Schalen- oder Gondelsitzen,
wodurch der Nutzen des Grade-Eindeckers
als Schulflugzeug wesentlich erhöht wurde

In einer Werkspublikation der Rumpler-Werke
als «verfeinerte Ausgabe der
ursprünglichen Taube» bezeichnet, worunter
zu verstehen war, daß nunmehr konstruktive
Verbesserungen an der Etrich-Rumpler-Taube
vorgenommen worden waren:

Rumpler-Eindecker 3C
⟨1913⟩

Spannweite 14,00 m;
Flügelfläche 30,00 m²;
Länge 10,20 m;
Höhe 3,20 m;
Motor ⟨bevorzugt⟩ :
100-PS⟨73,5 kW⟩-Mercedes

Lohner-Pfeildoppeldecker bringen Militäraufträge

Die Wiener Fahrzeugfabrik «Jacob Lohner & Co.» war am Beginn des österreichischen Motorfluges zunächst nicht durch Eigenentwicklungen, sondern mit Flugzeugbauaufträgen beteiligt. Im Jahre 1910 entstand für derartige Aufgaben das Zweigunternehmen «Motor-Luftfahrzeug-Gesellschaft mbH.» ⟨MLFG⟩, das mit zunehmender Erfahrung eigene Flugzeugkonstruktionen hervorbrachte und sich dabei speziell am militärischen Bedarf orientierte.

Zu den ersten Aufträgen gehörte die Herstellung von Gleitern, unter anderem eines Doppeldeckers mit Rodelkufen für den österreichischen Rittmeister Hans von Umlauff. Er benutzte diesen Gleiter als fliegenden Rodelschlitten und hatte damit zumindest für sich sowie seinen Freundeskreis eine bis dahin nicht gekannte Version des wintersportlichen Vergnügens entdeckt.

Im Jahre 1910 ließ Umlauff bei Lohner einen Eindecker mit Motor bauen, der am 3. Mai 1910 eine Flugdauer von 3 min erreichte, am 15. Mai abstürzte, danach umgebaut wurde und am 20. Juni 1910 erneut in die Flugerprobung ging. Die-

Der in den Lohner-Werken gebaute Umlauff-Rodelgleiter, ein fliegender Schlitten für die Bedingungen österreichischer Wintersportgebiete ⟨1909/10⟩

Der Umlauff-Motorflugeindecker ⟨1910⟩: Spannweite 10,00 m; Flügelfläche etwa 16,00 m²; Länge 8,80 m; Höhe 2,60 m; Leermasse 230 kg; Höchstgeschwindigkeit 70 km/h; Motor: 25-PS⟨18,4 kW⟩-Anzani

ser Eindecker war stark an die Blériot-
Bauart angelehnt.

Ein weiterer Einzelauftrag war der Bau
eines Motordoppeldeckers für Rudolf
Simon. Das Flugzeug wurde im Jahre
1910 eingeflogen und zeigte gute Flugeigenschaften. Wie viele Baumuster jener
Jahre war es die Synthese verschiedener
anderer bewährter Konstruktionen und
erhielt die Bezeichnung «Simon I». Der
Rumpf und das Fahrwerk waren dem
Blériot-Eindecker entlehnt, das Schwanz-
werk dem Antoinette-Eindecker, die Quersteuerung dem Curtiss- bzw. dem Cody-
Doppeldecker. Die zweite Doppeldeckervariante «Simon II» hatte ein vorgezogenes Höhenruder in der Art von Wright
oder Farman und demzufolge eine
Druckluftschraube.

Im Jahre 1910 trat die Firma Lohner
mit einem von Ingenieur Karl Paulal kon-
struierten gepfeilten Doppeldecker, dem
«Lohner-Pfeilflieger I», an die Öffentlichkeit. Dieses Flugzeug leitete eine Serie
von Pfeildoppeldeckern ein, die aus der
Lohner-Fabrik hervorgingen und die Entwicklung von Motorflugzeugen in Österreich und anderen Ländern stark beein-
flußten. Der erste Pfeildoppeldecker wurde im September 1910 fertiggestellt und
erstmals am 18. Oktober 1910 geflogen.
In kurzer Folge entstanden verschiedene
Modifikationen, im Jahre 1912 beispielsweise eine Schwimmer-Variante. Ebenfalls
im Jahre 1912 entstand eine Version, die
als Pfeil-Taubendoppeldecker bezeichnet
werden könnte. Das Flugzeug hatte einen
schlanken, langgestreckten verkleideten

Gepfeilte «Doppeltaube»
«Simon I» ⟨1910⟩ : Spannweite 13,00 m;
Flügelfläche 46,80 m²; Länge 10,00 m;
Höhe 3,20 m; Leermasse etwa 400 kg;
Höchstgeschwindigkeit 70 km/h;
Motor: 24-PS⟨17,6 kW⟩-Anzani

Der Doppeldecker «Simon II» ⟨1910/11⟩

Gepfeilte «Doppeltaube»
der Firma Lohner ⟨1912⟩ :
Spannweite ⟨oben⟩ 12,40 m;
⟨unten⟩ 9,00 m; Flügelfläche 28,00 m²;
Länge 7,70 m; Höhe 2,70 m;
Leermasse 480 kg; Startmasse bis
725 kg; Höchstgeschwindigkeit
120 km/h; Motor: 65-PS⟨47,8 kW⟩-
Austro-Daimler

Rumpf mit Tragflächen, deren obere deutlich an die Flächenform der Etrich-Taube angelehnt war, die bei Lohner in Lizenz gebaut wurde.

Deutlicher noch an die Etrich-Taube angelehnt war ein Lohner-Eindecker, der im Jahre 1913 entstand. Von diesem Zeitpunkt an wurden bei Lohner bevorzugt Ein- und Zweidecker für die militärische Verwendung gebaut. Darunter war im Jahre 1913/14 der Hochdecker «Parasol».

Zu den finanziellen Erfolgen des Lohner-Flugzeugbaus, der vor und während des ersten Weltkrieges zu einem Hauptlieferanten der «k.u.k. Fliegertruppe Österreich-Ungarn» wurde, haben vor allem die folgenden Faktoren beigetragen. Schon im Jahre 1910, als sich Flugzeugfabrikanten auch in anderen Ländern an dem beginnenden Geschäft mit der Luftrüstung orientierten, hatte Jacob Lohner den künftigen Bedarf der Militärs an leistungsfähigen Motorflugzeugen vorausgesehen. Die ersten sechs Offiziere erwarben die Flugzeugführererlaubnis des österreichischen Aeroklubs, und man sprach davon, daß die Gründung einer Fliegertruppe vorbereitet wurde. Im Mai 1911 begann dann auch der erste reguläre Armee-Fliegerkurs, an dem 27 auserwählte und einberufene Offiziere teilnahmen. Er sollte die Grundlage des fliegenden militärischen Personals ausbilden. Weitere 45 Militärflugzeugführer kamen im Jahre 1912 hinzu. Ab 1913 existierten bereits mehrere militärische Fliegerschulen, in denen die Flugzeugführerausbildung forciert wurde. Bis zum Herbst

Lohner-Eindecker ⟨1913⟩, eine abgewandelte Etrich-«Taube»: Spannweite 14,40 m; Flügelfläche 28,00 m²; Länge 9,00 m; Höhe 3,00 m; Leermasse 605 kg; Startmasse bis etwa 900 kg; Motor: 100-PS⟨73,5 kW⟩-Mercedes

Lohner-Pfeileindecker «Parasol», eine Hochdeckerkonstruktion ⟨1913/14⟩: Spannweite 10,80 m; Flügelfläche 18,00 m²; Länge 7,80 m; Höhe 3,40 m; Leermasse 367 kg; Startmasse bis 602 kg; Höchstgeschwindigkeit 145 km/h; Motor: 100-PS⟨73,5 kW⟩-Gnôme

Der erste Lohner-Pfeildoppeldecker «Pfeilflieger I» ⟨1910⟩

Der erste Preis des Kriegsministeriums

für die Differenz der Geschwindigkeit,
der wichtigste militärische Preis
wurde während des Flugmeetings in
Aspern vom Ingenieur Sparman auf

Lohner-
Doppeldecker

mit 90 PS Austro-Daimler

gewonnen

Dabei wurden folgende verblüffende, offizielle Leistungen erzielt:

48 km Minimal-Geschwindigkeit
124 km Maximal-Geschwindigkeit
158% Spannung!!!

Motor-Luftfahrzeug-Gesellschaft m. b. H.
Wien I

Inserat aus dem Jahre 1914

1914 war die Aufstellung eines Flieger-
regimentes mit 8 Fliegerkompanien vorgesehen.

Auf diesen Bedarf hatten sich die Loh-
ner-Werke eingestellt, und angesichts
der Leistungsfähigkeit der Pfeildoppeldecker gelang es auch, zuerst die Militärflugzeugführer und danach die Militärbehörden für die Lohner-Doppeldecker
zu interessieren. Einer der erfolgreichsten
Flieger vor dem ersten Weltkrieg wurde
auf diesen Flugzeugmustern der österreichische Oberleutnant Philipp Blaschke,
der im Armee-Fliegerkurs des Jahres 1911
die Flugzeugführererlaubnis Nr. 22 erworben hatte. Beim «Ersten Internationalen Flugmeeting Wien», das vom 23. bis
30. Juni 1912 auf dem Flugplatz Aspern
bei Wien stattfand, stellte Blaschke mit
einem Lohner-Pfeildoppeldecker zwei
Höhenweltrekorde auf. An dem Wettbewerb nahmen 16 österreichische und
28 ausländische Flieger teil, und Zehntausende von begeisterten Zuschauern
waren gekommen. Am ersten Tage des
Meetings flog Blaschke mit zwei Passagieren, das waren Leutnant Friedmann
und ein 65-kg-Sandsack, auf eine Höhe
von 3580 m. Am 29. Juni erreichte er mit
einem Passagier 4360 m. Außerdem stellte
er einen Steiggeschwindigkeitsrekord
beim Flug mit einem Passagier auf, als
er 1000 m in der Zeit von 6 min und 15 s
erreichte.

Prompt erhielt Lohner noch im selben
Jahr seinen ersten größeren Militärauftrag für eine Serie von 28 Exemplaren
dieses erfolgreichen Doppeldeckers. Weitere Großaufträge folgten. Zu dieser Zeit
begann sich auch die «k.u.k. Kriegsmarine» für Lohner-Flugzeuge zu interessieren und gab erste Bestellungen für
Wasserflugzeuge und Flugboote auf, die
zu einer weiteren Ausweitung der Produk-
tionsanlagen führten.
Im ersten Weltkrieg wurden die Lohner-
Werke zu einem Luftrüstungsunterneh-
men. Sie bauten nicht nur eigene, sondern auch ausländische Muster.

Lohner-Motorflugzeuge vor dem ersten Weltkrieg

Bezeichnung	Erstflug	Bemerkungen
«Simon I»	13. April 1910	Doppeldecker; Auftragsbau für Rudolf Simon; durch Absturz am 20. August 1910 total zerstört
«Rumstein»	—	Doppeldecker; Auftragsbau für Jakob Rumstein; vor dem Einfliegen durch Sturm total zerstört
«Umlauff»	20. April 1910	Eindecker; Auftragsbau für Hans von Umlauff
«Minimus»	August 1910	kleiner Doppeldecker; Auftragsbau für Hans von Umlauff
«Bussard»	September 1910	Eindecker; Auftragsbau für eine Interessentengruppe; noch im selben Jahr durch Absturz total zerstört
«Pfeilflieger I»	18. Oktober 1910	erster Pfeildoppeldecker der Lohner-Werke; konstruiert von Karl Paulal
«Pfeilflieger II»	1912	erster Auftragsbau für die Marine; war auf Schwimmer und Schiffskatapult montierbar; auftragsangepaßte Variante von «Pfeilflieger I»
Seeflugzeug Nr. 3	29. März 1912	als «Pfeilflieger III» bezeichnet; auf Schwimmer gesetzter Pfeildoppeldecker
Seeflugzeug Nr. 4	1912	Pfeildoppeldecker mit einem Zentralschwimmer und zwei seitlichen Stützschwimmern
«Bomhard»	16. Februar 1912	Doppeldecker mit oben geraden und unten aufwärts gebogenen Tragflächen. Auftragsbau für den Berliner Karl Bomhard
«Aspern»	3. Juni 1912	für den «Fernflug Berlin – Wien» ⟨9. bis 12. Juni 1912⟩, von Leopold Bauer konstruiert; Erfolgsflugzeug von Blaschke beim Internationalen Flugmeeting in Aspern bei Wien ⟨23. bis 30. Juni 1912⟩. Militärauftrag für 28 Flugzeuge
«Hold»	September 1912	Pfeildoppeldecker. Auftragsbau für Hermann Hold; auch als Wasserflugzeug erprobt
«Eindecker 1913»	1913	stark an die Etrich-«Taube» angelehnte Eindeckerkonstruktion
«Doppeldecker 1913»	27. Februar 1914	Pfeildoppeldecker mit Gnôme-Motor; ging nicht in Serie
«Doppeldecker 1914»	1914	für einen Wettbewerb konstruiert und erfolgreich geflogen; an Heer und Marine verkauft
«Parasol»	1914	Hochdecker; für einen Wettbewerb konstruiert und erfolgreich geflogen; in mehreren Exemplaren an das Heer verkauft
«Eindecker 1914»	1914	Mitteldecker, angelehnt an den Etrich-Renneindecker

Russische Flieger
überraschen die Fachwelt

Auch in Rußland begannen die Versuche zur Lösung des Motorflugproblems zu einer Zeit, als die wichtigste technische Voraussetzung, ein geeignetes Triebwerk, noch längst nicht in Sicht war. Der bekannteste Repräsentant dieser frühen Motorflugexperimente war Alexander Fjedorowitsch Moshaiski. Obwohl das zaristische Rußland ein rückständiges Agrarland war, in dem sich auch technischer Fortschritt nur mühsam durchsetzen konnte, wurden Dutzende von Experimenteuren und Konstrukteuren durch die Flugfortschritte in Frankreich zum Bau und zur Erprobung eigener Flugapparate angeregt. Beispielsweise entstanden im Jahre 1909 schon 16 Versuchsflugzeuge, bis zum Jahresende 1910 waren es 38 und bis zum Beginn des ersten Weltkrieges sogar etwa 200.

Aussicht auf Entwicklungserfolg hatten nur diejenigen Flugzeugprojekte, die durch Eigenfinanzierung sichergestellt werden konnten oder für die sich ein finanzkräftiger Unternehmer fand, der die Kosten übernahm oder sich zumindest daran beteiligte. Für die inländischen Flugzeugtechniker kam außerdem die Schwierigkeit dazu, daß die zaristische Militär- und Verwaltungsbürokratie zu ausländischen Flugapparaten mehr Zutrauen hatte als zu inländischen Entwicklungen. Das Sprichwort, wonach der Prophet im eigenen Lande nichts gilt, traf auch hier zu. So waren bis in die ersten Kriegsjahre im Bestand des russischen Heeres hauptsächlich ausländische Flugzeugtypen zu finden, darunter vor allem von Voisin, Farman, Blériot, Nieuport und Morane. Dazu kamen einige englische Muster und der von dem deutschen Fabrikanten Rumpler kopierte österreichische Etrich-Eindecker.

Wssewolod Abramowitsch –
er besiegte Anthony H. G. Fokker
im Petrograder Kunstflugduell

Auch die russischen Flugzeugfabrikanten konzentrierten sich auf den Nachbau ausländischer Flugapparate, die entweder aus angekauften Fertigteilen montiert oder nach Zeichnungen westeuropäischer Firmen gebaut wurden. Etwa 35 ausländische Flugzeugtypen wurden vor dem ersten Weltkrieg in Rußland serienweise produziert.

Russische Flugzeugkonstruktionen, die sich in jenen Jahren durchsetzten, blieben die Ausnahme, fanden aber auch im Ausland Beachtung. Insgesamt ist über die Anfänge des Motorfluges in Rußland in mittel- und westeuropäischen Ländern bis in die Gegenwart viel zu wenig bekannt geworden. Das führte schon damals zu einer Reihe von Fehleinschätzungen – und deshalb auch zu Überraschungen.

Eine dieser Überraschungen erlebte der Holländer Anthony Herman Gerard Fokker im Jahre 1912. Zu dieser Zeit hatte er auf dem Flugplatz Johannisthal bei Berlin bereits seine ersten, aber immer noch ziemlich erfolglosen kommerziellen Schritte unternommen. Fokker hatte erfahren, daß in Rußland bei St. Petersburg (ab 1914 Petrograd, ab 1924 Leningrad) ein Militärflugwettbewerb stattfinden würde, der allen interessierten Konstrukteuren die Möglichkeit bot, ihre Motorflugzeuge vorzustellen und deren Leistungsfähigkeit zu demonstrieren. Für die erfolgreichsten Flugzeuge wurden Lieferaufträge in Aussicht gestellt. Fokker wußte außerdem, daß sich neben etwa einem Dutzend französischer Bewerber auch der russische Flieger Wssewolod Abramowitsch, einer der bekanntesten Fluglehrer der Johannisthaler «Flugmaschine Wright GmbH.», mit einem Wright-Doppeldecker deutscher Bauart an dem Wettbewerb beteiligen würde.

Aber er war sicher, daß es ihm gelingen würde, seinen flinken und wendigen Eindecker ins rechte Licht zu setzen, zumal er ihn mit seinen herausragenden fliegerischen Fähigkeiten selbst vorführen wollte.

Da reisten also zwei Flieger aus Johannisthal nach St. Petersburg, der Holländer Fokker, um seine Eindecker-Konstruktion anzubieten, mit der er sehr rasch den Ruf eines brillanten Kunstfliegers erworben hatte, und der Russe Abramowitsch, um die deutsche Version des Wright-Doppeldeckers zu verkaufen, mit der er im Auftrag seiner Firma täglich Flugschüler ausbildete. Und unversehens wurde die Werbevorführung zu einem fliegerischen Duell zwischen den beiden Piloten. Fokker beschrieb diesen Luftkampf wie folgt: «Wir wurden auf dem Militärflugfeld von einer großen Schar außerordentlich höflicher russischer Offiziere empfangen, die uns mitteilten, daß wir gewisse Bedingungen in bezug auf Starten, Landen und Steiggeschwindigkeit ⟨1000 Meter in 12 Sekunden⟩ erfüllen müßten. Ich glaubte, Schnelligkeit würde Eindruck machen, und so war ich unter den ersten, die diese Bedingung erfüllen wollten. Hinter mir kam Abramowitsch mit seinem alten ⟨Wright⟩. In bezug auf Flugkunst war er zweifellos mein gefährlichster Wettbewerber, denn er war ein sehr geschickter Pilot. Er sah bei meinem Demonstrationsflug zu und bemerkte, daß die Richter sehr befriedigt waren; so versuchte er, meine Leistungen zu überbieten. Ich wiederum fühlte, daß ich ihn übertreffen mußte. Und bald setzten wir um die Wette unser Leben aufs Spiel; daß wir nicht beide Bruch gemacht haben, wundert mich heute noch; denn was wir da vorführten, das waren schon keine Demonstrationsflüge mehr, das war Zirkus!»

Fokker gab schließlich auf. Er schrieb darüber: Abramowitsch «wollte mich irgendwie ausstechen, und so sauste er aus mehreren hundert Metern Höhe plötzlich mit fürchterlicher Geschwindigkeit bis fast zur Erde herunter und flog zwischen zwei Schuppen hindurch, die so nahe beieinander standen, daß er mit seinen Flügelspitzen beinahe von beiden die Farbe abkratzte. Ich beobachtete ihn mit einer Mischung von Respekt und Schrecken und merkte, daß ich jetzt am besten aufhören würde, mit ihm zu konkurrieren.»

Wsewolod Abramowitsch war es auch, der in Deutschland zum ersten östlichen Fernflug aufbrach. Am 14. Juli 1912, um 4.00 Uhr, startete er mit dem Regierungs-

baumeister a. D. Karl Hackstetter als Begleiter auf dem Flugplatz Johannisthal in Richtung St. Petersburg. Es sollte eine an Schwierigkeiten reiche Flugreise werden, bis beide am 6. August 1912 ihr Ziel erreichten.

Schon bis Königsberg ⟨heute Kaliningrad⟩ hatten sie mehrmals zwischenlanden müssen und waren bereits vier Tage unterwegs. Ihre Hoffnung, den Doppeldecker in der dortigen geräumigen Luftschiffhalle unterstellen zu können, erfüllte sich nicht. In barschem preußisch-militärischem Tone wurde ihnen das Betreten der Halle verweigert, weil der Flugzeugführer ein Russe sei. Hackstetters energische Proteste und der Hinweis darauf, beide seien Mitglieder des «Kaiserlichen Aero-Clubs», bewirkte lediglich, daß zwei deutsche Kriminalbeamte eintrafen und Hackstetter sowie das Flugzeug einer gründlichen Durchsuchung unterzogen. Anschließend mußte Hackstetter die Kriminalisten ins Hotel führen, in das Abramowitsch bereits vorausgegangen war, und nach Mitternacht wurde nun auch Abramowitsch visitiert. Schließlich erhielten sie die Erlaubnis zur Fortsetzung des Fluges.

Beide beeilten sich, wie Hackstetter in seinem Reisebericht schrieb, so rasch wie möglich Deutschlands Grenze hinter sich zu lassen, wo der sportliche Langstreckenflug wegen des mißtrauischen Verdachtes, sie könnten Spione sein, fast ein vorzeitiges Ende gefunden hätte. Kurz nach dem Start traten erneute Schwierigkeiten auf. Sie gerieten in ein Gewitter, was für beide auf den offenen, ungeschützten Sitzen ganz gewiß kein Vergnügen war. Hackstetter schrieb darüber: «Nun begann ein gewaltiges Ringen zwischen Menschenkraft und Naturgewalt, das sich nach kurzer Zeit zu unseren Ungunsten entschied. Wir wurden wie toll herumgeworfen, so daß wir oft nicht wußten, ob wir eine Maschine noch um uns hatten oder nicht. Ich sah, mit welch übermenschlicher Kraft Abramowitsch die Maschine in der Hand hatte; dabei drehten wir uns mehrmals um unsere eigene Achse, wurden dabei aus der Richtung geworfen und verloren die Orientierung.» Sie versuchten, im Tiefflug das Namensschild einer Bahnstation zu erkennen, wurden jedoch durch Gewitterböen durchgeschüttelt und saßen plötzlich auf einem Acker fest. Ein Propellerschaden zwingt zum Aufenthalt, denn sie müssen zwei Tage auf eine neue Luftschraube warten.

Die nächste Zwischenlandung findet dann auf russischem Boden statt und gestaltet sich zu einem Freudenfest, als Abramowitsch die herbeieilenden Anwohner in ihrer Muttersprache anspricht. Die Flieger werden reichlich bewirtet, bevor sie weiterfliegen dürfen.

Bei einer der folgenden Flugetappen gibt es Schwierigkeiten mit dem Schwungrad zwischen Motor und Kettengetriebe, also wieder eine Notlandung. Nach drei Tagen war der Schaden behoben. Der Flug geht weiter, bis überraschend in 1200 m Höhe der Motor mit lautem Knall stehenbleibt. Hackstetter beschrieb den Abschluß dieses Flugabschnittes wie folgt: «Nun begann ein Gleitflug, der teilweise zum Sturzflug überging, um der Maschine die nötige Geschwindigkeit zu geben. Unter uns breiteten sich endlose Wälder und Sümpfe aus, nur senkrecht unter uns zeigte sich ein Fleckchen unbewaldetes Gelände, das es nun im Gleitflug zu erreichen galt ... In wahnsinniger Geschwindigkeit kam uns das Gelände entgegen, da taucht vor uns ein Scheunendach auf. Mit äußerster Kraft reißt Abramowitsch die Maschine hoch, mit einem mächtigen Bogen sezten wir darüber hinweg, um unmittelbar dahinter den Boden zu berühren ..., doch gelang es nicht, die Maschine noch vor einem breiten, quer zur Fahrtrichtung gelegenen Graben zum Stehen zu bringen. Nochmals reißt Abramowitsch die Maschine hoch, wir gleiten ganz flach darüber hinweg, die Kufen berühren den jenseitigen Grabenrand, nach 4 bis 5 m steht die Maschine still. Wir steigen aus und reichen uns im stummen Einverständnis die Hände. Wir waren dank der Geschicklichkeit von Abramowitsch dem Äußersten entgangen.»

Wieder vergehen Tage, bis ein neuer Motor beschafft, auf die Waldlichtung transportiert und eingebaut ist. Der Probelauf endet zufriedenstellend, dann folgt ein Lehrbuchstart auf dem weichen und holprigen Boden. Kurz darauf geraten sie in dichten Dauerregen, der die beiden Flieger trotz ihrer Lederbekleidung bis auf die Haut durchnäßt. Der Regen steigert sich zum Wolkenbruch, als sie in Pskow ankommen. Trotz des Unwetters werden sie mit Militärmusik von begeisterten Zuschauern empfangen, die durch Zeitungen von der beabsichtigten Zwischenlandung erfahren hatten, bereits tagelang warteten und nun die kühnen

In Moskau und Petrograd geflogen —
das Motorflugzeug von Rebikow
⟨1911/12⟩

In Rummelsburg bei Berlin gebaut
und in Johannisthal erprobt:
Jospe-Eindecker ⟨1910⟩

Boris Rossinski lernte bei
Louis Blériot und wurde russischer
Flugzeugführer Nr. 1

Luftreisenden mit begeisterten Ovationen begrüßten. Jeder wollte ihnen die Hand schütteln und ein paar aufmunternde Worte zurufen. Soldaten eilen herbei, heben die beiden aus ihren Sitzen, werfen sie «wie kleine Gummibälle in die Luft», und fangen sie wieder ...

Am nächsten Morgen, als Abramowitsch und Hackstetter mit einem Automobil vom Hotel zum Startplatz gefahren werden, steht schon wieder eine große Menschenmenge bereit. Der Platz, bei ungetrübtem Tageslicht besehen, könnte für einen glatten Start gerade so ausreichen, stellt Abramowitsch fest. Zur Sicherheit läßt er das Flugzeug am Start von mehreren Männern festhalten, bringt den Motor auf volle Touren, gibt das Zeichen zum Loslassen und donnert durch die Gasse hindurch, die beiderseits durch eine dichte Menschenmauer begrenzt wird. Aber gleich gab es die nächste Havarie.

In der Flugrichtung standen dicht aneinandergereiht niedrige Häuser, die unter normalen Umständen im Steigflug überflogen werden konnten. So schilderte Hackstetter die Situation: «Plötzlich ließ der Motor an Touren nach, es war unmöglich, über die Häuser hinwegzukommen; es blieb nichts anderes übrig, als in einer scharfen Kurve nach links kehrt zu machen und auf den Aufstiegplatz zurückzukehren. Als wir aber die Maschine um 180 Grad herumgeworfen hatten, sahen wir unter uns das uns entgegenlaufende Publikum;

wir wären rettungslos in das Publikum hineingefahren, wir hätten nichts dafür gekonnt. Abramowitsch hat in seiner Geistesgegenwart und in richtiger Erkenntnis der ungeheuren Gefahr lieber den Apparat und möglicherweise auch unser Leben gewagt und die Maschine nochmals um 180 Grad herumgerissen; dabei rutschte sie nach links ab, berührte mit dem linken Flügel den Boden, kippte nach rechts, stieß dabei an einen kleinen Hügel und krachte in sich zusammen. Wir stiegen vollkommen unversehrt aus der Maschine ...»

Diesmal waren die Flügelenden gebrochen und der Vergaser des Motors beschädigt. Die Reparatur dauerte 4 Tage, bevor der nächste Start erfolgreich verlief. Auf diese Weise, immer erneut durch Witterungsunbilden und technische Defekte behindert, fliegen und landen und starten sie immer wieder. Einmal platzt der Motorkühler, dann versagen zur Abwechslung die Zündkerzen. Aber sie geben nicht auf. Abramowitsch ist durch kein Mißgeschick kleinzukriegen.

Schließlich treffen sie in Gatschina ein, werden von den dortigen Fliegeroffizieren «auf das Herzlichste willkommen geheißen und zu dieser großartigen Leistung neidlos beglückwünscht». Im deutlichen Unterschied zu Königsberg «wurde hier sofort ein Schuppen freigemacht und der Apparat untergebracht – seit 21 Tagen zum ersten Male». Nach einem kurzen

Pjotr Nikolajewitsch Nesterow
flog am 27. August 1913 erstmals
in der Motorfluggeschichte
einen Looping, und zwar mit einem
französischen Nieuport-Eindecker «IV G»

Rossinski im Blériot-Eindecker
auf dem Flugfeld Chodynka
bei Moskau, wo er mit einem Strohschuh
«abgeschossen» wurde

Aufenthalt fliegen sie noch ein Stück weiter nach St. Petersburg, werden dort schon von tausenden Zuschauern erwartet und so begeistert gefeiert, daß sie die Strapazen dieses Erstfluges von Berlin nach St. Petersburg bald vergessen. Ihre Flugstrecke betrug am Ende 1600 km. Sie waren 24 Tage unterwegs, aber die reine Streckenflugzeit hatte nur 19,5 h betragen.

In den Anfangsjahren des Motorfluges in Rußland entstanden dort in großer Anzahl interessante Flugzeugkonstruktionen. Eines dieser Flugzeuge stammte von dem Ingenieur Nikolai Wassilewitsch Rebikow. Es konnte dadurch gebaut werden, daß Rebikow in dem Moskauer Kaufmann Uschkow einen Geldgeber fand, der die Arbeiten finanzierte. Das Flugzeug, als Eindecker mit einer hochgestellten kleineren Stabilisierungsfläche gebaut und dadurch eigentlich ein Doppeldecker, fiel durch die aufgewinkelten Tragflächenenden auf. Die Konstruktion wurde im Jahre 1911 gebaut und im Jahre 1912 bei Vorführungen in Moskau und St. Petersburg erfolgreich geflogen. Allerdings wurde das Flugzeug am 5. Juli 1912 bei einer Bruchlandung so stark zerstört, daß es nicht wiederhergestellt werden konnte.

Das Bilddokument eines weiteren Motorflugapparates ist erst in jüngster Zeit entdeckt worden. Im Jahre 1910 ließ der russische Ingenieurstudent Jospe nach eigenen Entwürfen bei der «Deutschen Flugmaschinenbau-Gesellschaft» ⟨DFG⟩ in Rummelsburg bei Berlin einen Eindecker bauen, mit dem er versucht hat, die Gestalt eines fliegenden Vogels konstruktiv nachzugestalten. Auf dem Flugplatz Johannisthal hat er damit Flugversuche unternommen. Dieser Sachverhalt ist bislang in der Literatur über den Johannisthaler Flugplatz nicht verzeichnet worden, aber der damalige Flugplatzfotograf Franz Fischer hat den Jospe-Eindecker im Bild festgehalten. Teile des umfangreichen Fischer-Nachlasses über die Motorfluganfänge sind im Jahre 1981 aufgefunden worden, wodurch es möglich ist, hier auch das originale Flugzeug von Jospe vorzustellen.

Ein anderer, der zunächst ins Ausland ging, um den Flugzeugbau und das Fliegen zu erlernen, war Boris Rossinski. Im Jahre 1909 gehörte er zu den vielen Motorflugbegeisterten, die es aus vielen Ländern nach Frankreich zog, denn der französische Motorflug stand in seiner Blütezeit und setzte damals die Maßstäbe. Rossinski trug in seiner Tasche

Ljuba Galanschikoff, Fliegerin
aus Sankt Petersburg, setzte am
12. November 1912 in Johannisthal
mit einem Fokker-Eindecker
den Höhenflugweltrekord für Frauen
auf die neue Marke von 2200 Metern

ein Empfehlungsschreiben des über die russischen Landesgrenzen hinaus bekannten Luftfahrtwissenschaftlers Nikolai Jegorowitsch Shukowski, der im Jahre 1904 bei Moskau das erste europäische Institut für Aerodynamik gegründet hatte. Bei Louis Blériot lernte Rossinski zunächst in den Werkstätten, arbeitete dort als Schlosser und Monteur und kannte bald den Aufbau der Motoren sowie der Flugapparate in- und auswendig.

Im Jahre 1910 kehrte Rossinski als gut ausgebildeter und erfahrener Flugzeugmechaniker und Flieger nach Rußland zurück. Mit der bei Blériot erworbenen Flugzeugführererlaubnis erhielt er den russischen Pilotenschein mit der Nummer 1. Aber es war noch nicht die Zeit, in der ein Flugzeugführer in Rußland einen qualifikationsgerechten Beruf finden konnte. So verdingte er sich in der Schwarzmeerhafenstadt Odessa an einen Unternehmer, der mit einem Luftzirkus durch die Städte pilgerte. Er fliegt mit Blériot-Eindeckern und Farman-Doppeldeckern, die aus Frankreich eingeführt waren. Am 8. September 1910 stürzt er bei Tula ab, wird im Krankenhaus wieder kuriert und fliegt weiter.

Wenig später wird Rossinski am Rande des Flugfeldes Chodynka bei Moskau durch einen Strohschuh zur Notlandung gezwungen. Er schrieb darüber: «Es war sonnig und windstill. Ich drehe Runde um Runde ... An einer Ecke des Flugplatzes stehen Jungen und recken sich fast die Hälse aus. Um ihnen eine Freude zu

machen, fliege ich niedrig über sie hinweg. Plötzlich bückt sich einer der Teufelsburschen, zieht seinen Strohschuh aus und schleudert ihn in die Höhe. Unglücklicherweise trifft der Schuh den Propeller, der ihn halbzerfetzt in den Motor schleudert. Es kracht, und ich muß notlanden. Wutentbrannt springe ich aus dem Sitz und renne dem Übeltäter hinterher, der mir allerdings entkommt.» Etliche Jahre später stellte sich ein junger Ingenieur in einem Flugzeugwerk Boris Rossinski vor und gab sich, immer noch ein wenig schuldbewußt, als der Strohschuhschütze von Chodynka zu erkennen.

Ein russischer Flieger, der vor dem ersten Weltkrieg weithin bekannt wurde, war Pjotr Nikolajewitsch Nesterow, einer der Pioniere des Motorkunstfluges. Er hatte die Fliegerabteilung der Offiziersschule für Luftschiffahrt in St. Petersburg absolviert. In den Jahren 1913/14 verbesserte er mehrere Langstreckenflugrekorde, und er war der erste, der einen Looping flog. Kurze Zeit später wurde diese Kunstflugfigur auch von Adolphe Pégoud, von Anthony H. G. Fokker und

von anderen Piloten öffentlich vorgeführt. Nesterow hat diesen Erstflug wie folgt geschildert: «Am 27. August 1913 abends, nachdem ich mich vorher gut am Sitz festgeschnallt, stieg ich in eine Höhe von 1000 Metern, um dann zum Gleitflug überzugehen ... Ich neigte die Maschine fast senkrecht nach unten ..., den Höhenmesser immer scharf im Blick, um für den Fall einer Panne noch genügend Spielraum zu haben. In etwa sechshundert Metern Höhe begann ich die Maschine auszurichten ... Der Motor arbeitete einwandfrei, die Maschine kroch förmlich zum Himmel und begann sich auf den Rücken zu legen ... Ich fühlte in diesem Moment eine Blutleere, hantierte etwas in der Kabine, plötzlich spürte ich, wie mir das Blut zu Kopf stieg, was ein starkes Schwindelgefühl verursachte. Als ich dann jedoch mehrere Augenblicke mit dem Kopf nach unten im Sitz hing, verflog diese Erscheinung des Blutzustroms zum Gehirn ...»

Nesterow hatte erstmals eine fliegerische Leistung vollbracht, die später in Frankreich, England und Deutschland die Einwohner ganzer Städte zu den Flugplätzen strömen ließ, wenn derartige Kunstflughöhepunkte angekündigt wurden. Damit verglichen charakterisiert es die träg-dumpfe Haltung der Administration des Zarenreiches und der von ihr kontrollierten Zeitungen, wenn sie nichts Besseres zu melden wußten, als daß Nesterow das Flugzeug und sein Leben ohne Erlaubnis der Vorgesetzten riskiert habe.

Nesterow verunglückte tödlich in den ersten Kriegsmonaten. Am 26. August 1914 rammte er ein gegnerisches Flugzeug. Die Insassen beider Flugzeuge fanden den Tod.

Bemerkenswert und gleichfalls noch viel zu wenig bekanntgeworden ist, daß auch russische Fliegerinnen in den Anfangsjahren des Motorfluges eine Rolle gespielt haben. Die erste russische Motorfliegerin wurde Lydia Wissarionowna Swerjowa. Da ihre Familie in St. Petersburg lebte, kam sie durch das Zuschauen zum Fliegen. Sie erwarb ihre Flugzeugführererlaubnis am 10. August 1911 in der Fliegerschule der «Ersten Russischen Luftfahrt-Gesellschaft S. S. Schtschetinin». Danach wurde sie im Flugzeugwerk angestellt. Sie nahm in St. Petersburg und Riga an mehreren Flugveranstaltungen teil und gründete dann, wie das bereits die französische Fliegerin Jane Herveu im Jahre 1911 getan hatte, eine Fliegerschule

Wssewolod Abramowitsch (rechts auf dem Sitz) und sein Begleitpassagier Karl Hackstetter nach dem abenteuerlichen Erstflug von Berlin (Johannisthal) nach St. Petersburg (Gatschina)

für Frauen. Die Zahl ihrer Schülerinnen ist nicht bekannt, aber ihr Beispiel wirkte, denn in der Folgezeit nahmen weitere Frauen die fliegerische Ausbildung auf. Es wurde sogar, zumindest im St. Petersburger Raum, die offizielle Berufsbezeichnung «Fliegerin» eingeführt. Zu den ersten Russinnen, die das Recht erwarben, diese Berufsbezeichnung zu führen, gehörten Jekaterina Schachowskaja und Sofia Dolgorukowa. Sie hatten ihre fliegerische Ausbildung auf dem Flugplatz Gatschina absolviert.

Die erste russische Frau, die einen Motorflugweltrekord aufstellte, war Ljuba Galanschikoff aus St. Petersburg. Sie trug den Künstlernamen Molly Moret, seit sie sich vorübergehend einer Varietégruppe angeschlossen hatte. Am 25. April 1910 erlebte sie auf der St. Petersburger Pferderennbahn von Kolomjagi die Eröffnungsveranstaltung der «I. Russischen Flugwoche». Spätere Veranstaltungen dieser Art wurden als «Allrussische Tage der Luftfahrt» bezeichnet. Viele ausländische Flieger waren gekommen, denn St. Petersburg, damals Hauptstadt Rußlands, entwickelte sich zum führenden Zentrum des

russischen Motorfluges. Auf den Plakaten prangten die Namen von Hubert Latham, Léon Morane und Raymonde de Laroche aus Frankreich. Aus skandinavischen Ländern waren die Flieger Christiansen und Edmondson gekommen. Entgegen jeder Erwartung war aber der Kampf um die ausgesetzten Flugpreise nicht eine Domäne der Gäste, denn die Russen mischten kräftig mit. Überraschend gewann der junge russische Flieger N. E. Popow sämtliche Höhenflugwettbewerbe, denn er gelangte auf 600 m, während die ausländischen Teilnehmer nicht über 200 m hinaus kamen.

Diese erste russische Großflugveranstaltung fand ein so starkes Zuschauerinteresse, daß sie um einige Tage verlängert werden mußte und dann schon für August / September 1910 die nächste Flugwoche vorbereitet wurde. Wieder war Ljuba Galanschikoff unter den Zuschauern. Sie flog diesmal auf einem Passagiersitz mit – und sparte in den folgenden Monaten ihre Einkünfte aus Varietéauftritten zusammen, um sich im Frühjahr 1911 in Gatschina zur fliegerischen Ausbildung anmelden zu können. Im Herbst 1911 erhielt sie ihre Flugzeugführererlaubnis. Ein Jahr später trennte sie sich vom Varieté und schloß sich dafür einer Luftzirkustruppe an, die von einem Schaufliegen zum anderen zog. Dabei traf sie eines Tages mit Fokker zusammen, der durch brillante Vorführungen seines Eindeckers versucht hatte, mit den russischen Militärs in eine kommerzielle

Verbindung zu gelangen. Schließlich reiste er zum Flugplatz Johannisthal zurück, begleitet von Ljuba Galanschikoff, die in der Folgezeit so etwas wie ein Fokker-Reklamegirl wurde. Sie erwies sich als sehr befähigte Fliegerin, die bald von Fokker mit einem seiner Eindecker, von ein paar Mechanikern begleitet, allein zu Vorführungen geschickt wurde.

Nach dem 21. November 1912 war der Name Ljuba Galanschikoff in fast allen deutschen und vielen europäischen Zeitungen zu finden. An diesem Tage stieg sie in Johannisthal mit einem Fokker-Eindecker auf eine Höhe von 2200 m und verbesserte damit erheblich den Weltrekord im Höhenflug der Frauen, den bis zu diesem Zeitpunkt Melli Beese mit 850 m gehalten hatte.

Grigorowitsch baut international erfolgreiche Flugboote

Der Ingenieur Dimitri Pawlowitsch Grigorowitsch konstruierte und baute die ersten russischen Flugboote. Mehrere seiner Baumuster waren sehr erfolgreich und setzten neue Maßstäbe.

Im Jahre 1910 hatte er am Kiewer Polytechnischen Institut seine Ingenieurausbildung abgeschlossen. Bereits während seiner Studienzeit entwickelte er einige Flugmodelle, doch im Flugzeugbau, für den er sich besonders interessierte, fand er zunächst keine Arbeitsstelle. So übersiedelte er nach St. Petersburg und arbeitete als Berichterstatter für die Zeitschrift «Bote der Luftschiffahrt». Als zum Jahresbeginn 1913 in St. Petersburg die «Erste Russische Luftfahrt-Gesellschaft S. S. Schtschetinin» mit dem Bau von Flugzeugen begann, übernahm Grigorowitsch in diesem Betrieb die Aufgaben des Technischen Direktors.

In der ersten Zeit wurden von den meisten Flugzeugbetrieben bewährte Muster nachgebaut. Bevorzugt wurden im St. Petersburger Werk der Nieuport-Eindecker Typ IV und der Farman-Doppeldecker. In der ersten Hälfte des Jahres 1913 führte Grigorowitsch als erster in Rußland die Festigkeitsprüfung vor Auslieferung der Flugzeuge ein. Beispielsweise wurden die Tragflächen mit Sandsäcken belastet und bis auf das Dreieinhalbfache der technisch vorgegebenen Parameter beansprucht. Grigorowitsch sorgte für eine sorgfältige und rigorose Qualitätskontrolle, bevor die Flugzeuge das Werk verließen.

Im selben Jahr begann Grigorowitsch, sich mit Flugzeugen für die Marine zu beschäftigen. Der Anlaß ergab sich zufällig, als der Marinefliegerhauptmann Dimitri Nikolajewitsch Alexandrow bei einem seiner Flüge ein Flugboot stark beschädigte.

Dimitri Pawlowitsch Grigorowitsch
baute die ersten russischen Flugboote

Es war eines der Exemplare, die in Frankreich nach der Dunne-Nurflügelbauweise entstanden und von dort in geringer Stückzahl für die Marineflieger des Baltischen Meeres ⟨der Ostsee⟩ gekauft worden waren. Offenbar mußte Alexandrow die Reparaturen auf eigene Kosten ausführen lassen, denn er suchte nach einem geeigneten Betrieb. Das erste Werk, in dem er vorsprach, verlangte für die Wiederherstellung des Flugzeuges 6500 Rubel, das zweite 6000 Rubel. Schließlich gelangte er zu Grigorowitsch, der sich des lädierten Flugbootes annahm und es für 400 Rubel reparierte. Durch diese Arbeit wurde Grigorowitsch zur Konstruktion und zum Bau eigener Doppeldecker-Flugboote angeregt.

Noch im Jahre 1913 entstand das Flugboot M-1, ein Experimentalflugzeug mit 50-PS-Gnôme-Motor ⟨36,8 kW⟩, der eine Druckluftschraube antrieb. Es war ein Zweisitzer mit einer Leermasse von 420 kg und einer Startmasse von 620 kg.

Das Flugboot M-2 aus dem Jahre 1914, gleichfalls ein Experimentiermuster, hatte einen 80-PS-Clerget-Motor ⟨58,8 kW⟩. Die Spannweite betrug 13,68 m, die Flügelfläche 33,5 m², die Länge 8,00 m, die Startmasse 870 kg. Durch den Einbau eines 100-PS-Gnôme-Motors ⟨73,5 kW⟩ wurde daraus das Experimentalflugzeug M-3. Die beiden Tragflächen waren leicht gepfeilt, die untere lag fast auf dem Bootskörper auf. An den Enden der unteren Tragfläche waren Stützschwimmer angebracht.

Das Muster M-4 wurde 1914/15 fertiggestellt und war das erste russische Flugboot, das ausgeliefert wurde. 4 Exemplare wurden gebaut und als Marineflugzeuge der russischen Ostseeflotte und der Schwarzmeerflotte in Dienst gestellt.

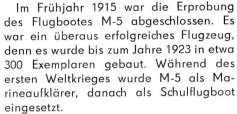

Im Frühjahr 1915 war die Erprobung des Flugbootes M-5 abgeschlossen. Es war ein überaus erfolgreiches Flugzeug, denn es wurde bis zum Jahre 1923 in etwa 300 Exemplaren gebaut. Während des ersten Weltkrieges wurde M-5 als Marineaufklärer, danach als Schulflugboot eingesetzt.

Von den weiteren Flugbooten, die vor allem im Jahre 1916 entstanden, soll noch das Baumuster M-9 erwähnt werden. Es wurde besonders durch die fliegerischen Leistungen des polnischen Flugzeugführers Jan Nagorski bekannt. Im Dienste der russischen Marine beteiligte er sich am ersten Weltkrieg und flog im Jahre 1916 als erster Flieger in der Motorfluggeschichte einen Looping mit einem Flugboot. Mehrere Exemplare dieses Flugbootes wurden nach Frankreich, Großbritannien, Italien und in die USA verkauft.

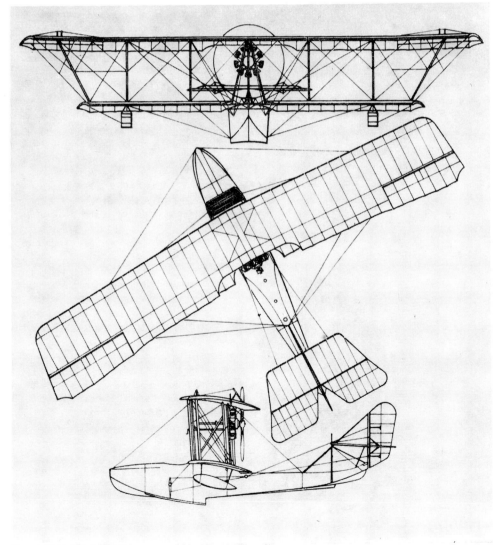

Seitenansicht des Flugbootes «M-5» ⟨1915⟩: Spannweite 13,62 m; Flügelfläche 37,90 m²; Länge 8,60 m; Leermasse 660 kg; Startmasse 960 kg; Höchstgeschwindigkeit 105 km/h; Steiggeschwindigkeit auf 1000 m: 9,6 min; Motor: 100-PS⟨73,5 kW⟩-Gnôme

Dreiseitenansicht des Flugbootes «M-5»

Die ersten Großflugzeuge
von Sikorsky

Wohl kein anderer russischer Konstrukteur hat in den Jahren vor dem ersten Weltkrieg mit seinen Flugzeugen so viel Staunen hervorgerufen wie Igor Iwanowitsch Sikorsky.

Sikorsky war der Initiator einer Gruppe von luftfahrtbegeisterten Studenten des Kiewer Polytechnischen Instituts, die sich im Jahre 1908 zusammenfanden, um ihre Ideen gemeinsam zu realisieren und auf experimentellen Wegen zu weiterführenden Erkenntnissen zu gelangen.

Im Jahre 1909 baute Sikorsky einen Hubschrauber S-1, der bei Versuchen im Sommer des gleichen Jahres erheblich beschädigt wurde. Sein zweiter Hubschrauber S-2 war mit zwei übereinander liegenden Dreiblattrotoren ausgestattet. Dieses Versuchsmuster wurde im Jahre 1910 fertiggestellt, kam aber nicht vom Boden los. Daraufhin wandte sich Sikorsky dem Bau von Motordoppeldeckern zu. In einer Konstruktionsgemeinschaft mit Fedor Iwanowitsch Bylinkin und Wassili Wladimirowitsch Jordan entstand bis zum April 1910 der Doppeldecker BJS-Nr. 1. (Abkürzung für Bylinkin-Jordan-Sikorsky). Er war mit einem 15-PS-Anzani-Motor ⟨11 kW⟩ ausgerüstet und eignete sich lediglich für Rollversuche, denn er flog nicht.

Erfolgreicher war der zweite Doppeldecker BJS-Nr. 2 der Konstruktionsgemeinschaft, der bis Juni 1910 mit einem 25-PS-Motor ⟨18,4 kW⟩ gebaut wurde. Am 11. Juni 1910 gelang Sikorsky damit ein Flug über eine Strecke von 200 m in 1,5 m Höhe mit einer Flugdauer von 12 s. Bei weiteren Versuchen wurden Höhen bis zu 10 m und im Juli 1910 Weiten bis zu 600 m erreicht. Das waren für die weiteren Arbeiten anspornende Erfolge und veranlaßten Sikorsky dazu, an der schrittweisen Weiterentwicklung der Doppeldeckerkonzeption zu arbeiten.

Das dritte Flugzeug war keine Neukonstruktion, sondern eine Modifikation, die sich vom Baumuster BJS-Nr. 2 nur durch einen stärkeren 35-PS-Anzani-Motor ⟨25,7 kW⟩ sowie durch kleine Hilfsräder an den vorderen Kufenenden unterschied, die bereits beim Muster BJS-Nr. 1 verwendet worden waren. Dieses Flugzeug wurde ab November 1910 erprobt. Bis zum Jahresende erreichte Sikorsky damit Flughöhen bis zu 30 m und Flugzeiten bis zu 30 min. Dies war das Muster S-3.

Noch im Jahre 1910 erhielt Sikorsky seinen ersten Bauauftrag für ein Flugzeug. Der Kiewer Student A. A. Homberg, Sohn einer finanzkräftigen ortsansässigen Familie, bestellte ein Flugzeug mit

Igor Iwanowitsch Sikorsky

50-PS-Anzani-Motor ⟨36,8 kW⟩. Der Auftrag war mit der Bedingung verbunden, daß der Kauf nur dann in Frage kommt, wenn das Flugzeug für den Kurvenflug geeignet und vor der Abnahme zwei geschlossene Kreise geflogen ist. Das bestellte Flugzeug wurde eine Weiterentwicklung des Musters S-3. Es war nach einmonatiger Bauzeit fertig und erhielt die Bezeichnung S-4.

Im Jahre 1911 folgten die Doppeldecker S-5 und S-6, im Jahre 1912 die Varianten S-6A und S-6B.

Als im Sommer 1912 in der St. Petersburger «Russisch-Baltischen Waggonbaufabrik» ⟨RBWS⟩ ein Konstruktionsbüro mit Werksabteilung für den Flugzeugbau geschaffen wurde, übertrug man Sikorsky die Leitung. Noch im selben Jahr schuf er seinen ersten Eindecker S-7 ⟨RBWS-Eindecker⟩ sowie einen gegenüber den Vorgängern verkleinerten Doppeldecker S-8, der deshalb auch den Beinamen «Maljutka» ⟨Der Kleine⟩ erhielt. Im Jahre 1913 entstanden der Renneindecker S-9, offenbar wegen des erstmals kreisrunden, tropfenförmig nach hinten verjüngten Rumpfes mit dem Beinamen «Kruglij» ⟨Rundförmiger⟩, danach die Doppeldecker S-10/Wettbewerbstyp ⟨eine vergrößerte Variante des Doppeldeckers S-6B⟩, S-10A/Wettbewerbstyp sowie S-10. Außerdem wurden im Jahre 1913 die Eindecker S-11 und S-12 gebaut. Alle erwiesen sich als sehr leistungsfähig. Beispielsweise erreichten:

- der Doppeldecker S-6B im Juli 1912 eine Geschwindigkeit von 113,3 km/h bei einer Nutzmasse von 327 kg,
- der Doppeldecker S-8 im September 1912 eine Höhe von 1500 m,
- der Renneindecker S-9 die Geschwindigkeit von 100 km/h,

Sikorsky-Renneindecker «S-9» ⟨1913⟩:
Spannweite 12,00 m; Flügelfläche
30,00 m²; Höchstgeschwindigkeit
99 km/h; Motor: 100-PS ⟨73,5 kW⟩

Das welterste Großraumflugzeug
«Russki Witjas» ⟨1913⟩:
Spannweite ⟨oben⟩ 27,00 m,
⟨unten⟩ 20,00 m; Flügelfläche ⟨oben⟩
66,00 m², ⟨unten⟩ 54,00 m²;
Länge 19,00 m; Höhe ca. 4,00 m;
Startmasse 4200 kg; Höchstgeschwindigkeit 90 km/h; Motor: vier 100-PS
⟨73,5 kW⟩-Argus

Eine der herausragenden Pionierleistungen der Anfangsjahre
des Motorfluges – das viermotorige
Großraumflugzeug «Ilja Muromez»
⟨1913⟩: Spannweite ⟨oben⟩ 37,00 m;
Flügelfläche 182,00 m²; Startmasse
4200 kg; Nutzmasse 1300 kg;
Motoren: vier 100-PS⟨73,5 kW⟩-Argus

— der Doppeldecker S-10/Wettbewerbs-
typ eine Höchstgeschwindigkeit von
99 km/h, eine Minimalgeschwindig-
keit von 67 km/h, eine Startstrecke von
80 m bei einer Nutzmasse bis zu
525 kg; am 25. September 1913 mit
dem Piloten G. W. Alexnowitsch einen
Landesrekord im Streckenflug mit
500 km in 4 h, 56 min und 12 s,
— der Doppeldecker S-10A/Wettbe-
werbstyp eine Höhe von 3420 m, gesteuert von G. W. Alexnowitsch, der
damit einen neuen Landesrekord im
Höhenflug aufstellte,
— der Eindecker S-11 eine Höchstgeschwindigkeit von 102,3 km/h,
— der Eindecker S-12, gesteuert von dem
Flugzeugführer G. W. Jankowskij, im
September 1913 die neue Landesre-
kordhöhe von 3680 m.

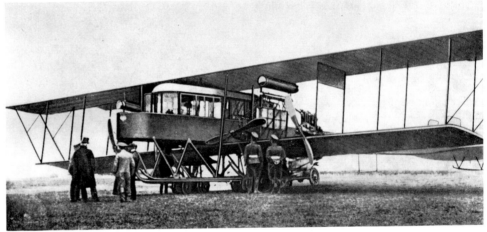

Bedeutendes Aufsehen erregte Sikorsky
aber mit den Großflugzeugen, die unter
seiner Leitung entstanden. Schon im
Winter 1912/13 war ein zweimotoriges
Flugzeug mit der Bezeichnung «Bolschoi
Baltijskij» ⟨Der große Balte⟩ zur Erprobung fertig. Der gewaltige Doppeldek-
ker hatte oben eine Spannweite von 27 m
und unten von 20 m. Die entsprechenden
Flügelflächen betrugen 66 m² und 54 m².
Bei einer Startmasse von 3500 kg konnte
er eine Nutzmasse von 1440 kg aufnehmen. Für den Antrieb waren zunächst
zwei wassergekühlte 100-PS-Argus-Mo-
toren ⟨73,5 kW⟩ vorgesehen. Dieses Flugzeug verfügte erstmals über eine geräumige und verglaste geschlossene Kabine,
die 2 Piloten und 4 Passagiere vor Wind

«Ilja Muromez II» im Fluge 〈1914〉

und Regen schützte. Das Flugzeug war mit Doppelsteuerung versehen. Vor den Flugzeugführersitzen befand sich eine offene Beobachtungskanzel mit einem Suchscheinwerfer für Nachtflüge. Dieser Bugteil war durch eine Tür von der Kabine aus zu erreichen. Das solide Fahrwerk bestand aus 8 Rädern, die paarweise zu je einer Vierergruppe zusammengefaßt waren. Außerdem waren starke Kufen angebracht.

Bei der Erprobung, die im März 1913 begann, erreichte das Flugzeug eine Geschwindigkeit von 80 km/h, aber die Steigleistung wie auch die erreichte Höhe befriedigten die Konstrukteure nicht. Deshalb wurden nachträglich zwei weitere 100-PS-Motoren 〈73,5 kW〉 installiert. Je zwei Triebwerke befanden sich hintereinander auf der unteren Tragfläche und trieben eine Zweiblatt-Zugluftschraube an. Am 13. Mai 1913 flog dieses gewaltige viermotorige Flugzeug erstmals mit Sikorsky am Steuer. Nach einer Rollstrecke von 700 m hob der Riese vom Boden ab und landete nach mehreren Platzrunden. Das war der erste Flug eines viermotorigen Flugzeuges.

Es folgten eine Reihe von Experimenten, weil Kritiker die Meinung geäußert hatten, daß der Ausfall eines Triebwer-

Blick in den Passagieraufenthaltsraum des Großraumflugzeuges «Ilja Muromez» 〈1913〉

kes unvermeidlich zum Absturz führen müßte, außerdem die Schwerpunktlage des Flugzeuges gefährlich verändert werden würde, wenn die Flugpassagiere ihre Plätze wechseln. Bei einem der Versuchsflüge zeigte sich am 27. Mai 1913, daß es keinerlei Grund für derartige Befürchtungen gab. Nach dem Start stieg das Flugzeug auf eine Höhe von 400 m. Im Geradeausflug wurde ein Triebwerk abgeschaltet, und der Flug ging ohne Höhenverlust weiter. Dann wurden die Mitfliegenden aufgefordert, in der Kabine mehrmals aufzustehen und ihre Sitzplätze zu tauschen. Auch daraus ergab sich keine Flugbeeinträchtigung.

Nach den Erprobungen gab man die Tandemanordnung der Triebwerke auf. Um ihren Wirkungsgrad zu erhöhen, wurden sie auf der unteren Tragfläche nebeneinander aufgestellt. Die neue Version erhielt im Juni 1913 auch den neuen Namen «Russki Witjas» 〈Russischer Recke〉. Der Erstflug fand am 23. Juli 1913 statt. Schon wenige Wochen später, am 2. August 1913 〈einzelne Quellen verzeichnen den 8. August〉 startete das Flugzeug mit 8 Insassen, erreichte eine Höhe von 830 m sowie eine Flugzeit von 1 h und 54 min. Das war neuer Weltrekord im Dauerflug mit 7 Passagieren.

Ausgewählte technische Daten von Flugzeugen, die Sikorsky konstruierte, an deren Konstruktion er mitwirkte oder deren Konstruktion er leitete

Typ	Baujahr	Bauart	Spannweite	Flügelfläche	Länge	Motor	
BJS-Nr. 1	1910	Doppeldecker	8,00 m	24,00 m²	8,00 m	15-PS-Anzani	⟨ 11,0 kW⟩
BJS-Nr. 2	1910	Doppeldecker	8,00 m	24,00 m²	8,00 m	25-PS-Anzani	⟨ 18,4 kW⟩
S-3	1910	Doppeldecker	8,00 m	24,00 m²	8,00 m	35-PS-Anzani	⟨ 25,7 kW⟩
S-4	1910	Doppeldecker	9,00 m	28,00 m²	8,00 m	50-PS-Anzani	⟨ 36,8 kW⟩
S-5	1911	Doppeldecker	12,00 m / 9,00 m	33,00 m²	8,50 m	50-PS-Argus	⟨ 36,8 kW⟩
S-6	1911	Doppeldecker	11,80 m	35,40 m²	8,80 m	100-PS-Argus	⟨ 73,5 kW⟩
S-6A	1912	Doppeldecker	14,50 m / 11,70 m	39,00 m²	9,20 m	100-PS-Argus	⟨ 73,5 kW⟩
S-6B	1912	Doppeldecker	14,90 m / 10,90 m	37,50 m²	8,50 m	100-PS-Argus	⟨ 73,5 kW⟩
S-7	1912	Eindecker	10,00 m	20,00 m²	8,20 m	70-PS-Gnôme	⟨ 51,5 kW⟩
S-8	1912	Doppeldecker	12,00 m / 8,00 m	27,00 m²	7,50 m	50-PS-Gnôme	⟨ 36,8 kW⟩
S-9	1913	Eindecker	12,00 m	30,00 m²m		100-PS-Gnôme	⟨ 73,5 kW⟩
S-10 Wettbewerb	1913	Doppeldecker	16,90 m / 12,00 m	46,00 m²	8,00 m	80-PS-Gnôme	⟨ 58,8 kW⟩
S-10A	1913	Doppeldecker	13,70 m / 8,80 m	35,50 m²		125-PS-Anzani	⟨ 91,9 kW⟩
S-10	1913	Doppeldecker	13,70 m / 8,80 m	35,50 m²		100-PS-Argus	⟨ 73,5 kW⟩
S-11	1913	Eindecker	11,60 m	26,00 m²	7,60 m	100-PS-Gnôme	⟨ 73,5 kW⟩
S-12	1913	Eindecker		19,70 m²		80-PS-Gnôme	⟨ 58,8 kW⟩
Bolschoi Baltijskij	1913	Doppeldecker	27,00 m / 20,00 m	120,00 m²	20,00 m	2×100-PS-Argus	⟨ 73,5 kW⟩
Bolschoi Baltijskij	1913	Doppeldecker	27,00 m / 20,00 m	120,00 m²	20,00 m	4×100-PS-Argus	⟨ 73,5 kW⟩
Russki Witjas	1913	Doppeldecker	27,00 m / 20,00 m	120,00 m²	20,00 m	4×100-PS-Argus	⟨ 73,5 kW⟩
Ilja Muromez	1913	Doppeldecker	32,00 m / 22,00 m	182,00 m²	22,00 m	4×100-PS-Argus	⟨ 73,5 kW⟩
Ilja Muromez ⟨II⟩	1914	Doppeldecker	30,95 m / 22,45 m	150,00 m²	19,00 m	2×140-PS-Argus / 2×125-PS-Argus	⟨102,9 kW⟩ / ⟨ 91,9 kW⟩

Bis zu diesem Zeitpunkt waren etwa 50 erfolgreiche Flüge mit diesem Sikorsky-Großraumflugzeug ausgeführt worden. Noch im Herbst 1913 wurde «Russki Witjas» stark beschädigt, als auf dem Militärflugplatz von Krasnoe Delo ein Flugzeug den Riesen überflog und in diesem Moment seinen Motor verlor, der wie eine Bombe in die Tragflächen einschlug. Das war das Ende dieses Musters, denn es wurde daraufhin demontiert. Unter Sikorskys Leitung ist dafür der Bau eines noch größeren verbesserten viermotorigen Flugzeuges beschleunigt worden, für das er die abmontierten Triebwerke verwendete. Der Erstflug fand bereits im November 1913 statt. Das Flugzeug erhielt den Namen «Ilja Muromez» nach einem legendären Helden der russischen Sage.

Gegenüber seinem Vorgänger erwies sich «Ilja Muromez» bereits als ein ungewöhnlich komfortables Passagierflugzeug. Der geräumige Rumpf war wie folgt aufgeteilt: Pilotenkabine, dahinter ein Aufenthaltsraum für Passagiere, eine Schlafkabine und ein WC. Für alle Räume waren elektrisches Licht und Kabinenheizung vorhanden. Auf dem Dach der Passagierkabine befand sich eine Aussichtsplattform, die von einem Geländer umgeben war und auf der die Fluggäste die Luftreise wie an der Reeling eines Schiffes erleben konnten. Eine zweite Plattform befand sich vor dem Heckleitwerk. Auch die Instrumentierung der Pilotenkabine ist für die damalige Zeit sehr fortschrittlich gewesen. Es gab je zwei Kompasse, Höhenmesser und Fahrtmesser sowie ein Kartenbrett.

Am 11. Dezember 1913 zeigte sich der neue Flugriese über St. Petersburg und brachte mit seinem Erscheinen den gesamten Straßenverkehr der russischen Hauptstadt zum Erliegen. Schon am 19. Dezember 1913 wurde ein neuer Weltrekord aufgestellt. Erstmals brachte ein Flugzeug mehr als 1000 kg Nutzlast in die Luft. Die Eintragung in die Weltrekordliste der FAI nennt 1100 kg. Am 12. Februar 1914 wurde diese Leistung bereits verbessert. Sikorsky am Steuer brachte binnen 18 min 16 Passagiere in eine Höhe von 300 m. Das entsprach einer Nutzlast vonn 1300 kg.

Die internationale Fachpresse zeigte sich überrascht und hielt sich vorerst ungläubig mit Kommentaren zurück, weil die Boulevard-Presse einiger westeuropäischer Länder die «Geschichte von den lügenden Brüdern» mit neuem Inhalt zu

wiederholen versuchte, mit der sie längere Zeit die Flüge der Brüder Wright ins Zwielicht gerückt hatte. Doch schließlich erschienen erste bestätigende Berichte, von denen einige in der Feststellung gipfelten: «Die erzielten Weltrekorde sprechen für sich selbst.»

Im Mai 1914 nahm ein ähnlich großartiges Flugereignis seinen Anfang, denn «Ilja Muromez II» war fertig. Das Flugzeug, nur geringfügig kleiner als das erste dieser Bauart, zeigte nur geringe bauliche Veränderungen. Beispielsweise gab es keine Aussichtsplattform mit Geländer am Flugzeugheck. Die beiden inneren Triebwerke leisteten je 140 PS (102,9 kW), die beiden äußeren je 125 PS (91,9 kW). Nach einigen erfolgreichen Probeflügen trugen sich russische Flieger mit diesem leistungstärkeren Flugzeug erneut in die internationalen Rekordlisten ein.

Am 17. Juni 1914 erreichte das Flugzeug mit 10 Passagieren an Bord die Weltrekordhöhe von 2000 m und blieb 1 h und 27 min in der Luft. Schon am folgenden Tag legte es mit 6 Passagieren in 6 h, 33 min und 10 s die Weltrekordstrecke von 696,5 km zurück. Und bevor der Monat zu Ende ging, startete dieses Flugzeug zu einem Überlandrekordflug von St. Petersburg nach Kiew. Die Strecke wurde in der reinen Flugzeit von 13 h bewältigt. Es gab eine Zwischenlandung nach 8 h zum Auftanken bei Orscha, als 700 km zurückgelegt waren.

Diese Erfolgsserie überzeugte nun endlich auch die russische Generalität, die bis dahin noch immer im tiefen Unglauben befangen war, daß im eigenen Lande Flugzeuge entstehen könnten, die internationale Maßstäbe setzen. Für die russische Fliegertruppe wurden bei der «Russisch-Baltischen Waggonbaufabrik» vorerst 32 Flugzeuge «Ilja Muromez II» zum Preise von je 150 000 Rubel bestellt. Damit begann die Serienproduktion dieses Großraumflugzeuges, aus dem in der Folgezeit mehrere Variationen hervorgingen. Als Militärflugzeug im ersten Weltkrieg konnte der Flugriese mehr als eine halbe Tonne Bombenlast sowie eine Gruppe von MG-Schützen aufnehmen. Jedes Flugzeug wurde mit 6 bis 8 Maschinengewehren bestückt. Insgesamt wurden 76 Flugzeuge dieses Typs für die Fliegertruppe gebaut.

Im Juli 1914 hatte Sikorsky eines der beiden Großraumflugzeuge, die bis dahin existierten, als Wasserflugzeug mit

Schwimmern vorgeführt. Jedoch müssen die Ergebnisse mit dem gewaltigen und schweren Flugzeug beim Wasserstart unter den Erwartungen geblieben sein, denn Sikorsky erhielt keinen Bauauftrag der russischen Admiralität. Nach Angaben deutscher Konstrukteure diente «Ilja Muromez» im ersten Weltkrieg mehreren deutschen Flugzeugfabriken, darunter den Siemens-Schuckert-Werken und den Flugzeugwerken in Gotha, als Vorbild für die Entwicklung eigener Großbomber. Igor Iwanowitsch Sikorsky hat einen bedeutenden Beitrag für die Entwicklung des Motorfluges in Rußland geleistet, der in der sowjetischen Luftfahrtliteratur anerkannt und gewürdigt wird.

Der Däne Ellehammer zeigt ersten Motorflug in Deutschland

Der erste, der auf deutschem Boden öffentlich Motorflüge vorführte, war Jacob Christian Hansen Ellehammer. Auf der Insel Seeland als Sohn eines dänischen Schiffszimmermanns geboren, reichten seine finanziellen Mittel gerade so für den Eigenbau von Leichtflugzeugen. Fachkenntnisse besaß er nicht nur als Motorenbauer, sondern auch als Uhrmacher und Elektromechaniker.

Ellehammer hatte mehrere Flugmodelle gebaut und erprobt, bevor er im Jahre 1905 seinen ersten Flugapparat «Ellehammer I» fertigstellte, den er mit einem selbstgebauten 9-PS-Motor ⟨6,6 kW⟩ ausrüstete. Dieser Eindecker wurde auf der kleinen Insel Lindholm erprobt. Auf einer Rundfläche von etwa 10 m Durchmesser war in der Mitte ein Mast errichtet worden, um den im Fesselflug die Ellehammer-Konstruktion kreiste, die dazu weder Quer- noch Seitenruder brauchte. Das Fluggerät hob am 14. Januar 1906 unbemannt vom Boden ab.

Nach diesen Versuchen wurde der Motor weiterentwickelt, bis er eine Leistung von 20 PS ⟨14,7 kW⟩ hergab, und der Flugapparat wurde konstruktiv verändert. Das Ergebnis, an dem Jacob Ellehammers Bruder Wilhelm tatkräftig mitgearbeitet hatte, war der Zweidecker «Ellehammer II», mit dem, immer noch an den Mast gefesselt, am 16. August 1906 eine Ge-

schwindigkeit von 57 km/h erreicht wurde. Am 12. September 1906 gelangen damit im ungefesselten Flug erste Sprünge.

Daraufhin wurde das Fluggerät nochmals modifiziert und in einen Dreidecker mit einem 35-PS-Sternmotor ⟨25,7 kW⟩ verwandelt. Mit diesen «Ellehammer III» führte der Konstrukteur in der Nähe von Kopenhagen in den Jahren 1907/08 etwa 200 Sprünge aus. Die Versuche brachten Ellehammer zu der Überzeugung, daß mit seinem Dreidecker keine weiteren Fortschritte zu erzielen waren. Er kehrte deshalb zur Doppeldeckerkonstruktion zurück und baute das Muster «Ellehammer IV», mit dem am 14. Januar 1908 ein 170-m-Geradeausflug gelang.

Der «Kieler Verkehrsverein» konnte das Verdienst in Anspruch nehmen, für den

Jacob Christian Hansen Ellehammer

«Ellehammer I», ein Eindecker
für Versuche im Fesselflug ⟨1906⟩:
Flügelfläche 15,00 m²; Leermasse
125 kg; Motor: 9-PS ⟨6,6 kW⟩-Elle-
hammer

28. Juni 1908 den ersten deutschen Flugtag ausgeschrieben zu haben. Als der
Termin herankam, stellte sich aber nur
ein einziger Flieger mit seinem Apparate
auf dem Felde auf: der damals 36jährige
Däne Ellehammer.

Zuerst sah es gar nicht so aus, als würden die Zuschauer einen Flug zu sehen
bekommen, denn Unregelmäßigkeiten
der Zündung veranlaßten Konstrukteur,
erst einmal am Start ausgiebig am Motor
zu basteln. Dann aber endlich startete er
und flog 11 s. Auch der zweite Flug
dauerte nicht länger. Die kurze Zeit
reichte gerade für einen Flug von 47 m
Weite bei einer maximalen Höhe von 2 m.

Zu einem dritten Start kam es nicht,
denn bei der zweiten Landung war das
Flugzeug nach rechts abgekippt, und
beim Aufprall wurde das rechte Rad verbogen. «Dennoch», so schrieb ein Chro-
nist jenes denkwürdigen ersten Flugta-
ges, «war die Begeisterung groß. Diese
Flüge galten als die ersten, die mit Motorkraft in Deutschland durchgeführt worden sind.»

In der Tat, der erste Motorflieger in
Deutschland war ein Däne. Er erhielt als
einziger Flugtagteilnehmer auch 5000
Mark als ersten Preis.

Ellehammer hat in der Folgezeit einen
fünften Typ gebaut, ein Wasserflugzeug
mit vorgezogenem Höhenruder. Einen
sechsten bezeichnete er als «Standard-
Eindecker». Beide Apparate wurden aber
nicht geflogen, denn mit ihrem Bau waren Ellehammers finanzielle Mittel völlig
erschöpft. Da er für weitere Versuche keine Förderer fand, mußte er sich vom
Flugzeugbau wieder abwenden.

Der Doppeldecker «Ellehammer II»,
mit dem im September 1906
erste Sprünge gelangen

Der Dreidecker «Ellehammer III» ⟨1907⟩
beim Abheben; mit diesem Fluggerät
hat der Konstrukteur nach eigenen
Angaben etwa 200 Sprünge ausgeführt

Mit diesem vierten Muster
(«Ellehammer IV») seiner Flugzeug-
baureihe bestritt der dänische
Einzelkonstrukteur am 28. Juni 1908
als einziger Teilnehmer den ersten
deutschen Flugtag in Kiel

Dorner beginnt mit Flügen im Pferdeschlepp

Einer der ersten deutschen Motorflugpioniere war Hermann Dorner. Er drängte sich nie in den Vordergrund, obwohl er einen unbestreitbaren Anteil an der Entwicklung erster Flugzeuge hat, und wurde vielleicht gerade aus diesem Grunde in den Veröffentlichungen seiner Zeit seltener erwähnt als andere. Grund genug, seinen Entwicklungsbeitrag hier nicht zu übersehen.

Dorner schrieb im Jahre 1910 in einem Zeitschriftenartikel rückblickend über seine «Erfahrungen beim Fliegenlernen»: «Es gibt heute zwei Methoden, fliegen zu lernen. Die eine, auf zweisitzigem Apparat an der Seite des Führers die Handgriffe zu üben, ist leicht. Die zweite, das Steuern einer Maschine selbst zu lernen, ist schwerer und wird zu einer gewaltigen Aufgabe, wenn die Konstruktion dem eigenen Kopfe entstammt, ohne vorher erprobt zu sein. Der letztere war mein Weg.»

Dieser Weg begann, als er im Jahre 1907 in der Nähe von Berlin frühere Versuche mit einem Gleiteindecker (Flügelfläche rund 20 m²) wieder aufnahm, dabei den Schleppstart von ebener Erde ausprobierte und sich zu diesem Zweck von einem galoppierenden Pferd ziehen ließ. Auf einem Gelände bei Deutsch-Wusterhausen erreichte er mit dieser Methode immerhin Flugweiten von 80 m und Flughöhen von 7 m. Zuerst lag er bäuchlings auf den Stangen und Haltegurten seines Gleiters, später ging er zur sitzenden Stellung über.

Er schrieb über diese Versuche: «Meine Gleitmethode hinter dem Pferde kann ich niemandem empfehlen. Der Ackergaul, der von dem reitenden Knecht nicht schlecht gelenkt wurde, galoppierte in seiner Abhängigkeit von den Stockhieben

Hermann Dorner, einer der Pioniere des deutschen Motorfluges

so unregelmäßig, daß an den Apparat und den Führer außerordentlich hohe Anforderungen gestellt wurden. Zudem war die Richtung der Zugleine von der des Apparates schon nach wenigen Sekunden verschieden, wodurch seitliche Kräfte in das System kamen, die durch Seitensteuerung keineswegs immer zu beherrschen waren. Havarien konnten wir deshalb nicht vermeiden.»

Nach ausreichenden Pferdeschlepps dieser Art konstruierte Dorner sein erstes Motorflugzeug T I, einen Hochdecker mit Einrohrleitwerkträger und 24-PS-Motor (17,6 kW). Einige spätere Quellen ignorieren die eigenen Angaben Dorners und

geben 18 PS (13,2 kW) an. Die Höhensteuerung wurde durch das Verstellen der Tragfläche bewirkt, die Quersteuerung durch Tragflächenverwindung. Später kam ein hinteres Höhenruder hinzu.

Die Flugversuche begannen im April 1909 und wurden im Herbst 1909 auf dem neu eröffneten ersten deutschen Motorflugplatz Johannisthal fortgesetzt. Mit diesem T-I-Eindecker beteiligte sich Hermann Dorner als einziger deutscher Flugzeugkonstrukteur an der internationalen Johannisthaler Eröffnungsflugwoche, konnte aber nur einige kurze Sprünge zeigen. Es war jedoch der erste deutsche Motorflugapparat, der in einer Großflugveranstaltung öffentlich vorgestellt wurde.

Nach den spärlichen Erfolgen des Jahres 1909 baute Dorner einen neuen Eindecker, das Muster T II, und flog damit erfolgreich im Jahre 1910. Das Flugzeug hatte einen dreieckigen, unbespannten Gitterleitwerkträger aus Stahlrohr, dessen Unterkante zugleich die bis zum Heckleitwerk verlängerte Mittelkufe war. Die Tragflächenverspannung wurde über drei Spanntürme bewirkt. Zum Anlassen des Motors gab es eine Handkurbel. Mit diesem Flugzeug erflog Dorner am 11. Juli 1910 den mit 3000 Mark dotierten dritten «Lanz-Preis der Lüfte» und wenig später, am 25. Juli 1910, erwarb er auf seinem T-II-Eindecker die Flugzeugführererlaubnis Nr. 18. Noch im selben Jahr, am 1. September 1910, gründete er im Schuppen 9 des «alten Startplatzes» auf dem Johannisthaler Flugplatz die «Dorner Flugzeug GmbH.».

Dorner ging nun dazu über, seinen Eindecker als Schulflugzeug mit zwei Sitzen und Doppelsteuerung zu bauen. So entstand der Typ T III, der sich in seinem äußeren Aufbau von dem T-II-Muster kaum unterschied. Dorner baute ihn bis zum Jahre 1912 in mehreren modifizierten Exemplaren und bildete darauf einige Flugzeugführer aus, darunter den Schweizer Robert Gsell.

Wie nahe für den Flugzeugführer in den Anfangsjahren des Motorfluges begeisternder Erfolg und deprimierender Mißerfolg oder gar der Tod beieinander lagen, wurde mit den Flügen deutlich, die Georg Schendel auf dem Dorner-Eindecker des Typs T III während der «Nationalen Flugwoche» vom 4. bis 11. Juni 1911 in Johannisthal vollbrachte. Diese Flugwoche war als Nachwuchsflugwoche ausgeschrieben worden. Es waren nur deutsche Flieger zugelassen, die bis dahin noch keinen Flugpreis von 5000 Mark und darüber gewonnen hatten, und sie durften nur Flugzeuge benutzen, die mit Ausnahme des Motors in Deutschland gebaut worden waren. An den Wettbewerben nahmen 18 Flieger teil.

Gleich am zweiten Tage der Flugwoche, am 5. Juni, stellte Hans Vollmoeller auf einer Rumpler-Taube mit 1870 m einen neuen deutschen Höhenrekord im Alleinflug auf. Schon am folgenden Tage überbot Georg Schendel diese Rekordleistung, als er mit seinem Dorner-Eindecker auf die Höhe von 2010 m gelangte. Das war nun offenbar von dem Johannisthaler Flugzeugfabrikanten Edmund Rumpler als eine öffentliche Herausforderung empfunden worden, denn er schickte gleich

danach seinen Chefpiloten Hellmuth Hirth auf die Rekordjagd. Hirth, der längst kein Nachwuchsflieger mehr war und deshalb außer Konkurrenz startete, gelangte mit einem Passagier auf eine Höhe von 1580 m, erreichte damit einen neuen Höhenweltrekord und stellte das Ansehen der Rumpler-Werke in der Öffentlichkeit dieser Flugveranstaltung wieder her.

Daraufhin beschloß die Dorner-Mannschaft, auch diesen Höhenflugweltrekord mit Passagier in ihren Besitz zu bringen. Am 9. Juni 1911 startete Georg Schendel, gemeinsam mit dem Obermonteur Voß

Der «T I»-Hochdecker von Dorner mit dem Einrohrleitwerksträger und zwei Heckrädern nach einer Havarie (1909): Spannweite 11,80 m; Flügelfläche 25,00 m²; Startmasse 360 kg; Motor: 24-PS (17,6 kW)-Dorner

Dorner-Gleitflugeindecker für den Pferdeschlepp, mit dem Flugweiten bis zu 80 Metern erreicht wurden

Der Eindecker «T II» im Fluge (1910): Spannweite 11,60 m; Flügelfläche 25,90 m²; Länge 11,60 m; Leermasse 300 kg; Startmasse 430 kg; Höchstgeschwindigkeit 65 km/h; Motor: 22/30-PS (16,2/22,1 kW)-Dorner

als Fluggast, und schraubte den Dorner-Eindecker beständig in die Höhe. Ein Berichterstatter schilderte den weiteren Verlauf dieses Rekordversuches wie folgt: «Nicht mehr so sehr wie zuvor von Windstößen behindert, stieg er empor. Nur von Zeit zu Zeit sah man die Maschine als kleinen Punkt zwischen den Wolken auftauchen. Hier und dort versicherten Leute, die sich als Fachmänner aufspielten, er müsse 1700 Meter hoch sein, eine Schätzung, die sich dann auch als richtig herausstellte. Und dann wurde der Punkt größer, man begann den Apparat wieder zu erkennen — Schendel stieg langsam herab. Doch plötzlich nicht mehr langsam — nein, in pfeilschnellem, furchtbarem Falle. Noch befürchtete man nichts, denn man kannte Schendel dafür, daß er dieses motorlose Hinabgleiten in die schwindelnde Tiefe liebte. Doch nein, diesmal schoß der Riesenvogel senkrecht hernieder und verschwand, ohne noch einmal die waagerechte Lage einzunehmen, hinter den Eichen, die auf der Seite nach Adlershof hin das Gesichtsfeld begrenzen. Sofort knatterten Automobile in sausender Fahrt hinüber, das Publikum stand in atemlosem bangen Schweigen ... und man wartete eine lange, drückende Viertelstunde, ehe bekannt wurde, was geschehen war. Dann sprach es sich herum: In der Laubenkolonie bei Adlershof hat man sie aufgehoben, beide tot, der Apparat vollständig zerschmettert. Sie haben eine Höhe von 1680 Metern er-

reicht und den Weltrekord Hirths geschlagen. Der kühne Flieger hatte zur Tat gemacht, was er sich vorgenommen, aber er mußte seinen Sieg mit dem Leben bezahlen.»

Georg Schendel war nach Hans Bockemüller, der einen Monat zuvor, am 11. Mai 1911, tödlich verunglückt war, das zweite Johannisthaler Todesopfer. Rumpler und Hirth respektierten die Siegesleistung Schendels, die mit seinem Tode geendet hatte, denn vorläufig fand in Johannisthal kein Versuch statt, den Schendel-Rekord zu brechen. Weitab von diesem Flugplatz, bei der «Kieler Flugwoche» vom 17. bis

Hermann Dorner im zweisitzigen «T III»-Eindecker ⟨1911⟩: Spannweite 12,00 m; Flügelfläche 26,90 m²; Länge 12,25 m; Leermasse 400 kg; Höchstgeschwindigkeit 85 km/h; Motor: 40-PS⟨29,4 kW⟩-NAG bzw. Körting, auch 50-PS ⟨36,8 kW⟩-Dixi bzw. Daimler

Der «T III»-Eindecker; deutlich zu erkennen ist die bis zum Heckleitwerk verlängerte Mittelkufe, auf die sich der dreieckige, nach hinten verjüngte Gitterrohrleitwerksträger stützt ⟨1911⟩

«T III» mit Karosserieverkleidung des Motors und der Sitze als Flugzeug für die militärische Verwendung ⟨1912⟩: Spannweite 12,00 m; Flügelfläche 26,9 m²; Länge 12,25 m; Leermasse 445 kg; Höchstgeschwindigkeit 110 km/h; Motor: 70-PS⟨51,5 kW⟩-Daimler

Inserat aus dem Jahre 1911,
in dem für Werbezwecke die von
Georg Schendel erreichten Leistungen
offeriert wurden

22. Juni 1911, holte sich Hellmuth Hirth
am 20. Juni den Höhenflugweltrekord mit
Passagier auf einer Rumpler-Taube und
mit einer Leistung von 2200 m zurück.

Auch für Hermann Dorner war dieses
Unglück ein schwerer Schlag, zumal der
Kettenantrieb, der die Motorkraft von der
langen Antriebswelle zum Druckpropeller
hinter der Tragfläche übertrug, immer
wieder zu Störungen und Havarien führte,
denn ein Kettenriß geschah nicht selten.
Im Dezember 1911 ließ er den T-III-Ein-
decker mit einem 50-PS-Motor ⟨36,8 kW⟩
trotzdem von Robert Gsell auf dem Militärflugplatz Döberitz bei Spandau in der
Nähe von Berlin vorführen. Die Militärverwaltung bestellte daraufhin eines dieser Flugzeuge, allerdings mit einem stärkeren Motor. Das bestellte Muster wurde
im Jahre 1912 geliefert. Es war ein T-III-
Eindecker, durch folgende Veränderungen
zum Militärtyp modifiziert: 70-PS-Daim-
ler-Motor ⟨51,5 kW⟩, Karosserieumklei-
dung des Motors und der Sitze. Damit
wurden Geschwindigkeiten von 110 km/h
erreicht.

Da es nicht zu den erwarteten Nachbe-
stellungen kam, war Dorner am Ende seiner finanziellen Möglichkeiten angelangt.
Er gab den Flugzeugbau auf und übernahm eine Tätigkeit als Lehrer an der
vom «Deutschen Luftflotten-Verein» gegründeten «Luftfahrerschule Adlershof».
Bei Kriegsbeginn wirkte er in der «Deutschen Versuchsanstalt für Luftfahrt» ⟨DVL⟩
auf der Adlershofer Seite des Johannisthaler Flugplatzes, ab Ende 1915 als Chefkonstrukteur der Riesenflugzeugabteilung
der «Deutschen Flugzeug-Werke» ⟨DFW⟩

Hermann Dorners
«Ratschläge für den Fluganfänger» ⟨1909/10⟩

«Nur bei völliger Windstille fahre man anfangs eine passende Strecke oftmals ab
mit verschiedenen Geschwindigkeiten, wobei man das **Seitensteuer** handhabt, den
Motor reguliert und sich zwingt, die Geschwindigkeit zu schätzen. Ohne auf den
eventuellen Spott der Zuschauer Rücksicht
zu nehmen, setze man diese Fahrten so
lange fort, bis völlige innere und äußere
Sicherheit erreicht ist. Dann erst ist es rat-
sam, zum ersten Sprung überzugehen.
Durch möglichst geringe **Höhensteuerbe-
wegung** ... versuche der Anfänger, zunächst die Räder zum Tänzeln zu bringen,
dann einen Sprung zu wagen, möglichst
kurz und niedrig. Legt sich bei Wieder-
holung und allmählicher Verlängerung der
Sprünge der Apparat schief ..., so kom-
me man sofort herunter. Hiernach ist es unter
Benutzung des **Stabilitätssteuers** an der
Zeit, die geraden Flüge weiter auszudeh-
nen, anfänglich in 2–3 m Höhe, später
aber auch 10 m nicht scheuend ... Hat der
Lernende gerade Strecken von mehreren
hundert Metern Länge und 10 m Höhe
sicher absolviert, dann ist der Augenblick

gekommen, eine Kurve zu fahren, und
zwar von großem Durchmesser mit geringen
Schräglagen und nicht unter 5–6 m Höhe.
Unter 3 m Kurven lernen zu wollen, wäre
absolut verfehlt, weil die Gefahr des Auf-
kommens eines Flügels zu groß ist ... Sind
nach mehrfachen Ansätzen Kurven von
einem rechten Winkel nach links und nach
rechts gelungen, dann ist alles Weitere
gegenüber dem Ersten eine Spielerei.

Ich betone nochmals ausdrücklich, daß
am schnellsten derjenige zum Ziel kommt,
der langsam und korrekt vorgeht, der nur
das übt, was er beabsichtigt und vorher
in allen seinen Möglichkeiten überlegt hat.
Dies ist der einzige Weg, niemals die Ruhe
und Sicherheit zu verlieren, was die Quelle
fast jeder Havarie ist. Man wird freilich
auch dann vor Unfällen nicht gefeit sein,
denn selbst der geübteste Flieger, wie
Latham, leistet sich von Zeit zu Zeit ‹Klein-
holz›, und ich erinnere an seine Worte:
‹Es ist mein Stolz, jedes Stück an meinem
Apparat zerbrochen zu haben.› Doch darum nur Mut, die Sache wird schon schief
gehen.»

Georg Schendel gelangte mit dem
Dorner-«T III»-Eindecker am 6. Juni 1911
als erster deutscher Flieger
über die 2000-m-Höhe hinaus
und stürzte drei Tage später bei einem
erneuten Rekordversuch mit seinem
Mechaniker August Voß tödlich ab

in Leipzig-Lindenthal, ab 1916 als Chefkonstrukteur für die Flugmotorenentwick-
lung in der «Hannoverschen Waggon-
fabrik, Abteilung Flugzeugbau» ⟨Hawa⟩
in Hannover-Linden.

Dorner arbeitete nach dem Ende des
ersten Weltkrieges an der Entwicklung
eines luftgekühlten Fahrzeug-Diesel-
motors. Im Jahre 1923 versuchte er, in
Hannover die «Dorner Oelmotoren A. G.»
zur Produktion von Kleinautos mit 10-PS-
Dieselmotoren ⟨7,4 kW⟩ zu gründen,
mußte aber diesen Versuch wegen der
Schwierigkeiten der Inflation aufgeben.

Nachdem Dorner im Jahre 1912 den
Flugzeugbau in Johannisthal eingestellt
hatte, wurden die Werkstätten von seinem
ehemaligen Geschäftsführer Richard
Goetze übernommen, der am 1. April 1913
in Berlin-Treptow die «Flugzeugwerke
Richard Goetze K. G.» gründete. In den
Schuppen des Johannisthaler «alten Startplatzes», darunter auch im ehemaligen
Dorner-Schuppen, stellte er während des
ersten Weltkrieges Flugzeugteile her,
reparierte und baute Flugzeuge nach mit-
gelieferten Plänen.

Zwei der Dorner-Eindecker sind in den
Jahren 1912/13 von Bruno Werntgen umgebaut und geflogen worden.

Grade gewinnt 40 000 Mark
für einen Kurzflug

Hans Grade ging einen nicht minder schwierigen Weg als Hermann Dorner, denn auch er war allein auf sich selbst angewiesen. Auch er experimentierte sich über mehrere Versuche an ein Motorflugzeug heran, das flog. Auch er brachte sich, indem er sein Flugzeug beherrschen lernte, das Fliegen selbst bei. Aber er war mit seinem Flugapparat erfolgreicher als Hermann Dorner und präsentierte ihn zu einem früheren Zeitpunkt der Öffentlichkeit. Hans Grade wird deshalb berechtigt als der erste erfolgreiche deutsche Motorflugzeugkonstrukteur bezeichnet. Sein Eindecker war das erste deutsche Motorflugzeug, das zuverlässig flog.

Angesichts der Fortschritte, die bei der Entwicklung des Motorfluges in verschiedenen Ländern bereits vollbracht wurden, befand sich der Motorflug im damaligen Deutschland in einem beträchtlichen Rückstand. Bis zum Jahresende 1908 gab es noch kein einziges flugfähiges deutsches Motorflugzeug. Presseleute schrieben angesichts der Tatsache, daß «bereits dänische Handwerker flogen» (womit sie auf Ellehammers Vorführung im Jahre 1908 in Kiel anspielten), von einer «deprimierenden deutschen Misere». Um Initiativen anzuregen, entschloß sich der Mannheimer Großindustrielle Dr. Karl Lanz zu einer fördernden Geste. Er überwies dem «Berliner Verein für Luftschiffahrt» den Betrag von 50 000 Mark, von denen 10 000 Mark für die Unterstützung deutscher Flugtechniker und 40 000 Mark für einen «Lanz-Preis der Lüfte» bestimmt waren. Die Ausschreibung dieses Preises, mit dem 15. April 1908 datiert, schrieb vor, daß nur solche Flugzeuge an der Bewerbung teilnehmen durften, die von einem Deutschen konstruiert, in allen Teilen in Deutschland hergestellt und von

Hans Grade, der erste deutsche Motorflugzeugführer, der im Jahre 1909 mit einem Eigenbaueindecker flog

Hans Grade

fliegt um den

Lanz-Preis der Lüfte in Höhe von **40 000 Mark**

auf dem

Flugplatz Johannisthal-Adlershof

Sonnabend, den 30. und Sonntag, den 31. Oktober 1909.

Als Flugblatt in mehreren tausend Exemplaren auf den Berliner Straßen und Plätzen verteilt: Ankündigung des Fluges um den Lanz-Preis

einem Deutschen geführt wurden. Länger als ein Jahr nach dieser Ausschreibung gab es nur zwei ernsthafte Bewerber: Hermann Dorner und Hans Grade. Letzterer sollte den Flugpreis schließlich gewinnen, aber nicht ohne erhebliche Schwierigkeiten.

Hans Grade wurde am 17. Mai 1879 in Köslin (heute Koszalin) als Lehrersohn geboren, besuchte das dortige Gymnasium, las in dieser Zeit verschiedene Literatur über die Anfänge der Luftfahrt, unter anderem Otto Lilienthals «Der Vogelflug als Grundlage der Fliegekunst», und baute seine ersten Flugmodelle. Nach dem Abitur arbeitete er zeitweilig in einer Maschinenfabrik und studierte bis zum Jahre 1904 an der Technischen Hochschule in Berlin-Charlottenburg.

Es gelang dem jungen Ingenieur, einen Zweitaktmotor zu bauen, der so ziemlich mit allem gespeist werden konnte, was flüssig und brennbar war. Dieser Motor, der ihm patentiert wurde, arbeitete mit Benzin, Benzol, Spiritus oder Petroleum. Das Patent ermunterte ihn, im Jahre 1905 in Magdeburg die «Grade-Motorenwerke» zu gründen. Als Inhaber dieser Motorenwerkstatt war er zugleich der Technische Leiter und der Testfahrer, denn er baute leichte Motorräder und nahm mit ihnen erfolgreich an mehreren Rennen teil.

Zum Flugzeugkonstrukteur und Flieger wurde Hans Grade während seiner einjährigen Militärzeit in einer Magdeburger Pioniereinheit im Jahre 1907/08, als er einen Dreidecker aus Bambusstangen, Leinwand und mit einem selbstentwickelten sechszylindrigen Zweitaktmotor baute. Im Oktober 1908 beschäftigte er sich auf dem Krakauer Anger, dem Exerzierplatz der Magdeburger Garnison, mit Flugversuchen. Am 28. Oktober 1908 ge-

Erster deutscher Motorflieger,
aber er erhielt die Flugzeugführererlaubnis Nr. 2 (die Nr. 1 erhielt
August Euler)

Grade-Motorenprüfstand
auf dem Flugplatz Bork

kennen, daß der Apparat wenigstens ein paar Meter weit nicht rollte, sondern schon flog. Am 2. November 1908 vollbrachte Grade einen Flug von 60 m Weite und einer Höhe bis zu 8 m. Nach eigenen Angaben hat er mit dem Dreidecker schließlich Flugweiten bis zu 400 m erreicht. Dann aber mußte er feststellen, daß aus dem Dreidecker mit dem selbstkonstruierten leichten Zweitaktmotor nicht mehr herauszuholen war. Im Juni 1909 baute er deshalb einen Eindecker.

Der Eindecker war durch eine ähnlich einfache Leichtbauweise gekennzeichnet wie zuvor der Dreidecker: leinenbespannte Tragflächen aus Bambusholmen, ein Stahlrohr als Rumpf zwischen Motor und Leitwerk, zwei Rohrstreben von der Fahrgestellachse bis hoch über die Tragfläche zusammengeführt und am Stoß zusammengeschweißt als Spannturm. Unter der Tragfläche saß der Flugzeugführer in einem an Spiralfedern befestigten Hängesitz aus Segeltuch. Das wurde zum konstruktionstypischen Merkmal der ersten Grade-Eindecker. Gesteuert wurde mit Hilfe einer hakenähnlichen Steuerstange, die zu einem Universalgelenk verlief. Flugschüler in Bork nannten diese Steuervorrichtung später treffend «Pumpenschwengel». Durch das Anziehen oder Fortdrücken dieser Stange, deren Griff der Flugzeugführer in Gesichtshöhe vor sich hatte, wurde das Höhenruder betätigt. Seitlich drehende Bewegungen bewirkten die Seitensteuerung durch Tragflächenverwindung nach dem Prinzip, das die Gebrüder Wright gefunden und erstmals praktisch angewendet hatten.

Mit diesem Eindecker und seinem alten Dreidecker übersiedelte Grade nach Bork in der damaligen Mark Brandenburg (heute Borkheide) und setzte dort ab dem 17. August 1909 seine Flugerprobungen fort. Die Berliner Presse wurde aufmerksam. Fast täglich erschienen Berichte über Grades Flugfortschritte. Rund einen Monat später, am 25. September 1909, wollte Hans Grade, nachdem ihm etliche für den damaligen Entwicklungsstand recht gute Flüge gelungen waren, die Bedingungen für den «Lanz-Preis der Lüfte» erfüllen. Diese Absicht hatte er entsprechend der Preisausschreibung eine ausreichende Zeit vorher beim «Berliner Verein für Luftschiffahrt» angemeldet. Der von Grade gewählte Termin, das brauchen wir nicht zu übersehen, war offenbar als eine Demonstration zu verstehen, denn der 25. September war der Tag vor

lang ein erster kurzer Sprung. Darüber sind einem zeitgenössischen Bericht die folgenden Angaben zu entnehmen: «Schon am Sonnabend hatte ... der Flugapparat des Herrn Grade insofern einige kleine Erfolge zu verzeichnen, als er sich mehrere Male auf eine Entfernung von 10 bis 15 m etwa 0,25 bis 0,50 m hoch von der Erde abhob.»

Zuschauer mußten offenbar bäuchlings im Grase liegen, um überhaupt zu erdem Beginn der Johannisthaler Eröffnungsflugwoche.

In aller Frühe hatten sich in Bork etwa 500 Zuschauer eingefunden, unter ihnen Hermann Dorner und Edmund Rumpler aus Johannisthal sowie Oskar Ursinus aus Frankfurt/Main, Herausgeber der Zeitschrift «Flugsport», die seit Januar 1909 im 14-Tage-Abstand erschien. Nicht gekommen waren die Preisrichter des «Berliner Vereins für Luftschiffahrt», von denen aber gemäß der Ausschreibung mindestens drei als Zeugen anwesend sein mußten.

Am nächsten Tage, am 26. September 1909, war im «Berliner Lokalanzeiger» zu lesen: «Da trotz der ordnungsgemäßen Anmeldung die Sportkommissare des Berliner Vereins für Luftschiffahrt nicht zur Stelle waren, mußte man sich damit begnügen, Mitglieder der verschiedenen Verbandsvereine als Zeugen zu bitten. Um 5¼ Uhr wurde der leichte, elegante Eindecker Grades aus der Halle gebracht ... Grade nahm auf seinem kleinen Sitz, der unter den Tragflächen nahe dem Boden angebracht ist, Platz, und sein Mechaniker brachte durch wiederholtes Drehen der Luftschraube den Motor in ‹Trimm›. Dann stellt Grade die Zündung an und lustig knatterten die Explosionen über das Feld. Dichte Wolken verbrann-

Grade-Dreidecker ⟨1908⟩, zunächst ohne Rumpfsegel gebaut

Verbesserter Grade-Dreidecker ⟨1908⟩, in Stabilisierungsabsicht mit Rumpfsegel versehen: Spannweite 8,00 m; Flügelfläche etwa 50,00 m²; Leermasse 150 kg; Motor: 36-PS ⟨26,5 kW⟩-Grade, Eigenbau-Luftschraube mit schaufelartigen Blättern; das Flugzeug besaß drei übereinanderliegende, nur einseitig bespannte Tragflächen, die untere Tragfläche befand sich in der Höhe der Fahrgestellachse, auf die mittlere Tragfläche war der Motor mit dem Propeller aufgesetzt, Fahrgestell und Rumpf waren aus nahtlosem Stahlrohr gefertigt, der Flugzeugführer saß im Fahrgestell, die Steuerung erfolgte über das Schwanzleitwerk

Der Grade-Erfolgseindecker des Jahres 1909 im Fluge: Spannweite 10,20 m; Flügelfläche 29,00 m²; Länge 7,50 m; Leermasse 125 kg; 24-PS⟨17,6 kW⟩-Grade-Vierzylinder-Zweitaktmotor

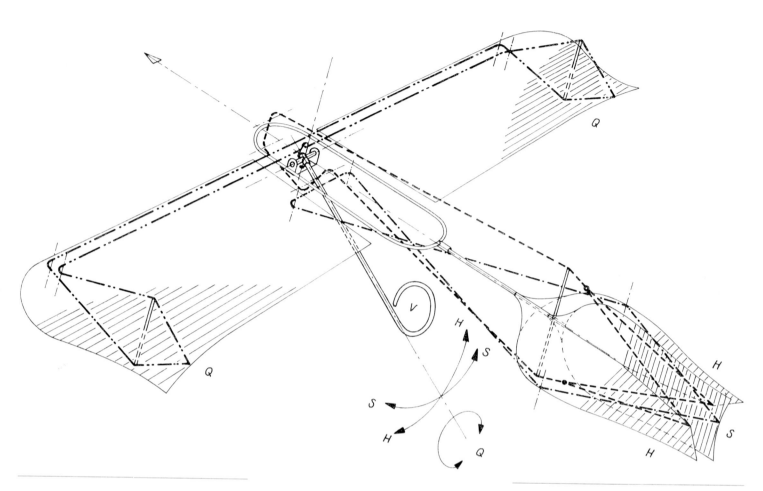

ten Öls zogen sich den Boden entlang, und gespannt harrten die Umstehenden des Augenblicks des Starts. Als der Motor auf Touren gekommen war, gab Grade das Zeichen ... Immer schneller, auf den kleinen Rädern rollend, näherte sich der Apparat der Startlinie. Eine energische Betätigung des Höhensteuers – und wie ein Pfeil stieg Grade hoch. Elegant und zierlich bewegte sich der Apparat in etwa 25 bis 30 Meter Höhe in der Luft ... Bei der Rückkehr, fast auf der Hälfte des Weges, sprang plötzlich das eine Blatt der zweiflügeligen Luftschraube ab, und der Motor hörte auf zu funktionieren. Anfangs glitt Grade in sanftem Gleitflug ..., dann aber neigte sich der Apparat mit der Spitze jäh zum Boden und schlug krachend in die etwa 4 bis 5 Meter hohen Kiefern. Zum Glück konnte Grade unverletzt ... unter den Trümmern seines Apparates hervorkriechen. Der Propeller und das vordere Gestell des Apparates wurden bei dem Sturz zerstört, doch dürfte die Reparatur in etwa acht Tagen beendet sein.»

Das Steuerungsschema des Grade-Eindeckers wurde folgendermaßen beschrieben: «Die Steuerung des Apparates erfolgt mittels einer Steuerstange V, die in einem Universalgelenk gelagert ist. Durch Anziehen bzw. Abdrücken wird das zweiteilige Höhensteuer H betätigt, während eine Bewegung nach links oder rechts das Seitensteuer S in Tätigkeit versetzt. Die Flächenverwindung erfolgt durch Verdrehen Q des Handbügels nach links oder rechts.»

Etwas länger dauerte die Reparatur zwar doch, aber am 10. Oktober 1909 flog der Eindecker wieder. Grades erster Versuch, den Lanz-Preis zu erfliegen, war mißlungen. Wenn Grade den Preis haben wollte, dann mußte er sich dem Druck des Berliner Vereins beugen und den nächsten Versuch für Johannisthal anmelden. Die Absicht äußerte er auch, als ihn

ein Reporter aus Berlin besuchte, der dankenswerterweise nicht nur das Gespräch mit Grade geschildert, sondern auch dessen kleine Werkstatt beschrieben hat: «Vor dem niederen, fast viereckigen Schuppen mache ich halt und suche den Eingang. Er befindet sich gerade dort, wo man ihn am wenigsten vermutet. ‹Der Eintritt ist den Unberechtigten strenge verboten. Zuwiderhandelnde werden rücksichtslos entfernt› lautet eine Aufschrift auf der Tür ... Grade ist eifrig an der Arbeit, er ‹macht› eben Reserveräder, eine Arbeit, die angesichts der großen Kiste vor dem Schuppen, gefüllt mit alten Drähten, zerbrochenen Bestandteilen und sehr vielen deformierten Felgen gewiß am Platz ist. Es ist etwas dunkel in dem kleinen Schuppen. Der Raum wird von dem Eindecker Grades beherrscht; die beiden Flügel der großen Tragflächen nehmen die ganze vordere Hälfte ein, während der hintere Teil des Apparates Platz für eine Werkbank läßt, an der Grade und ein Mechaniker eben tätig sind. Auf der anderen Seite ... des Schuppens lehnen

Von Zuschauern umringt und von Fotografen belagert: Hans Grade nach dem erfolgreichen Flug in Johannisthal ⟨1909⟩

Grade-Einsitzer mit vierblättriger Schaufelluftschraube ⟨1910⟩, im Sitz der Grade-Schüler Wilhelm Siegert ⟨im ersten Weltkrieg Inspekteur der Flieger-Truppen⟩

Grade in seinem Einsitzer mit zweiblättriger Schaufelluftschraube ⟨1910⟩

Propeller und Stahlrohre an der Wand; auf den Querbalken im Innern des Schuppens lagern Bambusrohre von den verschiedensten Abmessungen. Nach kurzer, herzlicher Begrüßung weist mir Grade die einzige Sitzgelegenheit in seinem Schuppen, einen kleinen Feldstuhl mit Rückenlehne, an.»

Wahrlich, viel Platz hatte Hans Grade damals nicht. Doch lesen wir noch ein paar Sätze aus dem Gespräch mit dem Reporter, um Grades Gedanken kurz vor dem neuerlichen Lanz-Preis-Flugversuch kennenzulernen. Der Journalist schrieb: «Was macht der Lanz-Preis?» unterbrach ich Grade.

«Nachdem ich gezwungen bin, ihn in Johannisthal auszufliegen, muß ich leider meine Tätigkeit für etwa acht Tage nach dort verlegen ...»

«Und was für Pläne haben Sie für die Zukunft?»

«Zuerst will ich den Lanz-Preis gewinnen, da ich viel, sehr viel Geld für meine Sache geopfert habe. Dann will ich Apparate meines Systems bauen und verkaufen. Besondere Erwartungen knüpfe ich an meinen geplanten kleinen Eindecker. Dieser wird bei 20 Geviertmeter Tragfläche ⟨Geviertmeter: veraltete Bezeichnung für Quadratmeter; d. Verf.⟩ nur 80 Kilogramm wiegen und einen Motor von 12 PS haben. Mein jetziger Eindecker hat 29 Geviertmeter Tragfläche, 125 Kilogramm Gewicht ohne Passagier und einen Motor von 24 PS.»

Der 30. Oktober 1909 wurde Hans Grades großer Tag. Eine Kommission prüfte in Johannisthal den Grade-Eindecker und stellte fest, daß er den Bestimmungen entsprach. Grade stieg ein, startete, flog in 10 m Höhe eine ausgedehnte Acht um die vorgeschriebenen Wendemarkierungen und landete wieder, bejubelt von den zahlreichen Berliner Zuschauern und beglückwünscht von seinen Freunden. 4 min und 4 s Gesamtflugzeit, davon 2 min und 43 s für die Erfüllung der Preisflugbedingungen waren gestoppt worden. Aus den Händen des Stifters nahm Grade den Scheck über 40 000 Mark entgegen.

Nachdem Grade den begehrten Preis in den Händen hielt, reiste er zunächst mit seinem Flugapparat zu verschiedenen Vorführungen. Er war im Februar 1910 einer der sehr emsigen Teilnehmer an der Flugwoche in Heliopolis ⟨Ägypten⟩, flog im April 1910 in Nizza ⟨Frankreich⟩, zeigte auch Vorführungsflüge in Danzig ⟨heute

Grade-Eindecker mit zwei hintereinanderliegenden Hängesitzen ⟨1910/11⟩

Die Bauvariante des Jahres 1911/12 hatte
zwei nebeneinanderliegende Schalensitze

Grade am Gondeleinsitzer
«Blaue Maus» ⟨1912/13⟩

Gdansk⟩, in Stettin ⟨heute Szczecin⟩, in Königsberg ⟨heute Kaliningrad⟩, Hannover, Düsseldorf, Stuttgart, Frankfurt/Main, Dresden, Leipzig und Johannisthal.

Entgegen späteren glorifizierenden Darstellungen muß festgestellt werden, daß seine fliegerische Glanzzeit bald vorüber war, denn im eigenen Lande standen ihm schon im Jahre 1910 viele Flieger gegenüber, die mit ihren nicht immer selbstkonstruierten Flugzeugen die Leistungen Grades übertrafen. Unter diesen Umständen können wir Darstellungen nicht bestätigen, die besagen, Grade habe sich stets mit gutem Erfolg an Flugwochen und Überlandflügen beteiligt und damit viel Geld verdient ⟨P. Supf⟩. Es mag genügen, sich unter diesem Aspekt die bedeutenden deutschen Flugveranstaltungen der Jahre 1910 und 1911 anzusehen. Es waren 6 im Jahre 1910, zu 4 Veranstaltungen hatte Grade gemeldet, zweimal nahm er teil, einmal holte er sich einen Preis von 1500 Mark als Zweitplazierter. Im Jahre 1911 sah es nicht besser aus. Es fanden 5 bedeutende Flugveranstaltungen statt, nur an den 4 Etappen des «Sachsen-Rundfluges» vom 21. bis 31. Mai 1911 nahm Grade teil. Unter 12 Teilnehmern belegte er den 7. Platz und blieb ohne Rundflug-Preis. Für Vorführungsflüge außerhalb der Rundflug-Wertung gewann er Preise in Höhe von 5600 Mark.

Dieser letztere Sachverhalt ermöglicht eine differenzierende Feststellung. Grades Eindecker war ein relativ zuverlässiges leichtes Motorflugzeug, einfach in der Konstruktion, daher mit geringem Kostenaufwand zu bauen, ohne große Umstände zu transportieren und einfach zu warten.

Aber ein Leistungsflugzeug war der Grade-Eindecker nicht. Er war an Steigleistung, Geschwindigkeit und Flugweite bald jedem anderen Muster von vornherein unterlegen. Daher konnte Grade mit seiner Konstruktion bei Flugwettbewerben nur solche Vergleiche gewinnen, die auf seinen leichten Eindecker zugeschnitten waren, wie sogenannte Frühflüge ⟨wer in aller Frühe nach der Startfreigabe zuerst in der Luft war⟩, Wettbewerbe um die kürzeste Startstrecke, Kurvenflüge in geringer Höhe, Landegenauigkeit oder rasche Montage und Demontage.

Hans Grade wußte das sehr genau und bevorzugte deshalb zunehmend Einzelvorführungen. Er äußerte später darüber: «Kaum eine Stadt, in der ich nicht flog ... Ich bekam Einladungen von den Sport-, Verkehrs- und Luftfahrtvereinen, von Städten, von Behörden, von Einzelpersonen. Die Fliegerei wurde die große Mode.» Auf diese Weise, nicht durch die Teilnahme an Flugwochen und Überlandflügen, kamen Grades Einnahmen durch Flugvorführungen zustande, mit denen er seine Flugzeugbauwerkstatt finanzierte und ausbaute. Aber das mindert seine Leistungen keineswegs, denn gerade durch diese Vielzahl seiner Vorführungen auch in kleineren Orten hat er in bedeutendem Maße zur Popularisierung des Motorflugsportes beigetragen. Im Jahre 1910 bezeichnete Hans Grade seinen Eindecker in einem Inserat als den «betriebssichersten, den besten, den elegantesten, den schnellsten und leichtesten, trotzdem stabilsten deutschen Apparat der Gegenwart». Zu jener Zeit und in dieser Kombination der dargestellten Vorzüge des Grade-Eindeckers stimmte das tatsächlich.

Im Frühjahr 1910 gründete Hans Grade in Bork die «Grade-Fliegerwerke» mit einer dazugehörenden Fliegerschule. Er entwickelte seinen Eindecker in begrenztem Maße weiter und hielt dabei an der Konzeption der leichten Bauweise sowie der Ausstattung mit Zweitakt-Flugmotoren eigener Konstruktion fest.

Grades Eindecker-Varianten sind in einer Tabelle dargestellt. Der einsitzige Eindecker kostete im Jahre 1910 mit 12-PS-Motor 10 000 Mark und mit 24-PS-Motor und Integralluftschraube 12 000 Mark, der Doppelsitzer wurde im Jahre 1912 für 16 000 Mark angeboten. Der Käufer eines Flugzeuges erhielt eine kostenlose Flugzeugführerausbildung. Aber Grade konnte nur wenige seiner Flugzeuge verkaufen, denn in seiner relativen Isoliertheit vom raschen flugzeugtechnischen Fortschritt, der sich damals vor allem in Johannisthal vollzog, verlor er mit seiner Werkstatt in Bork «in der Heide» bald den Anschluß an anspruchsvollere Konstruktions- und Bauweisen.

Der fortschreitende Entwicklungsrückstand hatte Einfluß auf die ständige Verringerung des Anteils der Grade-Fliegerschule an der Gesamtzahl der in Deutschland je Jahr ausgebildeten Flugzeugführer. Letzteres hatte vor allem drei Gründe: Erstens die rasch wachsende Konkurrenz der Fliegerschulen, die in allen Landesteilen mit neuen Fluggeländen wie Pilze aus der Erde schossen, wobei der Standort Johannisthal besonders stark ins Gewicht fiel, weil sich dort, wie sonst nirgendwo, fliegerische Ausbildungsstätten konzentrierten. Zweitens wurde die Anziehungskraft von Hans Grade bald durch andere Fluglehrer übertroffen, die

Anordnung der Doppelsitzergondel
⟨1912/13⟩

durch fliegerische Leistungen immer wieder für Schlagzeilen sorgten, darunter Hellmuth Hirth und Robert Thelen. Drittens verfügten spätestens ab dem Jahre 1911 auch die meisten der kleinen Johannisthaler Fliegerschulen über modernere, leistungsfähigere, leichter zu beherrschende und damit für Flugschüler attraktivere Motorflugzeuge.

Deshalb muß auch eine erstmals im Jahre 1939 von Italiaander in einer Publikation über Hans Grade verbreitete und seither fortgeschriebene Behauptung in den Bereich der Übertreibungen verwiesen werden. Sie besagt, an der Grade-Fliegerschule seien vor dem ersten Weltkrieg «fast 350 Schüler zu tüchtigen Fliegern» ausgebildet worden. Wenn berück-

sichtigt wird, daß in diesem Zeitraum in Deutschland insgesamt 817 Flieger die Flugzeugführererlaubnis des «Deutschen Luftfahrer-Verbandes» ⟨DLV⟩ erhalten haben, dann müßten davon allein 43 % aus der kleinen, abseits gelegenen Grade-Fliegerschule in Bork hervorgegangen sein. Aufgrund namentlich belegter Unterlagen über die Erteilung wurden dort aber tatsächlich bis zum ersten Weltkrieg 99 Flugzeugführer bis zum Erwerb der DLV-Erlaubnis ausgebildet. Das war eine große Leistung, denn mehr Piloten gingen selbst aus der Rumpler-Fabrikfliegerschule in Johannisthal nicht hervor. Hinzu kamen höchstens 30 Militärflugschüler, die bei Grade aus Mitteln der «Nationalflugspende» bis zum Erwerb einer militärischen Flugzeugführerberechtigung geschult wurden.

Ein typischer Beleg für das Festhalten an der Konstruktionsidee des Jahres 1909 und spätere maßvolle Verbesserungen ist der Grade-Militär-Eindecker von 1913/1914. Für eine Vorführung vor Militärs, durch die er seinen Eindecker der militärischen Verwendung empfehlen und seine Einnahmen durch einen entsprechenden Bauauftrag verbessern wollte, hatte er eines seiner Flugzeuge geringfügig umgerüstet. Es bekam eine geräumigere Doppelsitzergondel, Ganzmetallräder mit Vollgummireifen und ein verändertes Stahlrohrgerüst für die Aufhängung eines französischen Gnôme-Umlaufmotors. Viel Vertrauen in die Überzeugungskraft seines Militärflugzeuges wird er selbst nicht gehabt haben, denn den Motor hatte er sich vorsichtshalber von August Euler in Frankfurt/Main nur geliehen. Die Militärs

Einer der ersten Grade-Eindecker mit Integralluftschraube vor dem Start zur «Nationalen Flugwoche» im Oktober 1910 in Johannisthal

Renneindecker «Schwalbe» ⟨1912⟩ im Modell: Spannweite 10,00 m; Flügelfläche rund 30,00 m²; Länge 8,50 m; Leermasse 150 kg; Höchstgeschwindigkeit 80 km/h; Motor: 36-PS⟨26,5 kW⟩-Grade ⟨mit 45-PS⟨33,1 kW⟩-Motor wurden 115 km/h erreicht⟩

lehnten dann auch, wie Grade es wohl geahnt hatte, sein Flugzeug ab. Grade nahm es achselzuckend hin. Am Rennen um Militäraufträge nahm er nicht teil. Dafür besaßen die Flugzeugfabriken, die inzwischen in Johannisthal, Leipzig-Lindenthal und anderswo entstanden waren, ohnehin bedeutend günstigere Voraussetzungen.

Grade, der immer einfache und zweckmäßige Verwendungen erwog, bot dieses Flugzeugmuster als Sport-Eindecker an widmete sich weiterhin der Flugschülerausbildung, die an seiner Schule, was damals selten genug war, logisch geordneten Ausbildungsschritten folgte. Aus überlieferten Schilderungen einiger seiner damaligen Flugschüler haben wir diese Schrittfolge rekonstruiert:

1. Motorenpraxis ⟨Reinigen von Zündkerzen, Einsetzen von Kolbenringen, Prüfung des Vergasers und der Ölpumpe, Propellerreparaturarbeiten⟩,
2. Steuerübungen ⟨Steuerung des Flugzeuges im «Trockentraining», Ausführen von Steuervorgängen auf Zuruf⟩,
3. Üben der Bedienung des laufenden Motors ⟨Regulierung der Gemischzuführung mit der Hand und nach Gehör, wobei es wichtig war, mit der hocherhobenen Rechten ständig gefühlvoll mit der Benzinspindel des oben hängenden Motors zu «spielen» und gleichzeitig mit der Linken am Griff der Steuerstange die erforderlichen Steuerbewegungen auszuführen⟩,
4. Rollen ⟨Üben des Gasgebens und Gasregulierens im Rollvorgang bei gleichzeitigem Ausprobieren der Steuerung des Flugzeuges⟩,
5. Start- und Flugübung ⟨Anwendung des Gelernten beim ersten kurzen Gerade-

Als Militär-Eindecker gebaut,
nach Ablehnung durch eine Kommission
als Sport-Eindecker angeboten
⟨1913/14⟩

Walter Cüppers im Grade-Kunstflug-
Eindecker ⟨1914⟩

ausflug in sehr geringer Höhe, also bei einem Hopser⟩,
6. Flugübungen mit allmählich steigendem Schwierigkeitsgrad.

Bei all dem muß bedacht werden, daß der Grade-Eindecker lange Zeit nur als Einsitzer gebaut wurde, wodurch jeder Erstflug eines Schülers immer zugleich bereits ein Alleinflug war. Leicht kann das nicht gewesen sein, denn das Steuern mit der Linken und das Regulieren des Motorlaufes mit der Rechten erforderten ein hohes Maß an Koordinationsfähigkeit.

Ein geschickter Turner mußte so ein Grade-Schüler außerdem sein, um nötigenfalls das Flugzeug ohne die Hilfe eines propelleranwerfenden Kameraden starten zu können. Das hieß: Steine oder Knüppel als Bremsklötze vor die Räder legen, Benzinspindel aufdrehen «bis es tropft», aus dem Hängesitz nach vorn kriechen und den Propeller anwerfen, an den rotierenden Propellerblättern vorbei wieder in den Hängesitz schlängeln, die Hand zur Benzinspindel heben und den Motorlauf regulieren, mit den Fußspitzen die improvisierten Bremsklötze fortschubsen und starten. Meist aber blieb der Motor gerade dann wieder stehen, wenn alle diese turnerischen Kunststückchen vollbracht waren und das Flugzeug nun anrollen sollte. Dann begann das «Propellerspiel», wie es die Flugschüler in Bork nannten, unter allgemeinem und schallendem Gelächter von vorn.

Es gibt noch ein weiteres Herausragendes und daher Hervorhebenswertes, das sich mit dem Namen Hans Grade verbindet. Das war die erste deutsche Luftpost, am 18. Februar 1912 auf der Strecke zwischen Bork und dem zehn Kilometer entfernten Brück vom Grade-Schüler Hermann Pentz eröffnet, der erst zwei Tage später seine Flugzeugführererlaubnis Nr. 158 erhielt. Er übernahm den versiegelten Postsack von der Postnebenstelle Bork, bestimmt für die Hauptstelle Brück, hängte ihn auf die Fahrgestellachse und flog los, in Brück bereits vom dortigen Poststellenleiter erwartet.

Pentz war der erste deutsche Luftpostillion, Grade der erste, der eine deutsche Luftpostlinie unterhielt. Es war allerdings eine private Luftpost, für die, wie Grade sich erinnerte, «Stempel und Marken in allen möglichen Ausführungen hergestellt wurden», bis die preußische Postverwaltung die Verwendung der privaten Briefmarken und Stempel untersagte. Mehrere tausend Postsendungen wurden auf diesem Luftpostwege befördert, kistenweise wurden sie zu diesem Zweck nach Bork angeliefert. Aber lange hielt das Interesse an diesem damals ungewöhnlichen Beförderungsverfahren nicht an, und da Grade seine Luftpostlinie weder ausbauen wollte noch durfte, schlief das Unternehmen wieder ein. Damals eine Episode, heute von besonderem Sammlerinteresse.

Im ersten Weltkriege hatte die Werkstatt in Bork militärische Reparaturaufträge zu erfüllen. In dieser Zeit und nach

Hermann Pentz beförderte
im Februar 1912 die erste deutsche
Luftpost (im Bild: bei der Übernahme
des Postbeutels in Bork)

dem Kriege beschäftigte sich Grade mit dem Bau von Kleinautomobilen, die für jedermann erschwinglich sein sollten. Auch dafür verwendete er Zweitaktmotoren, wie sie sich bei seinen leichten Flugzeugen vor dem Kriege bereits bewährt hatten. Die Form des Kleinautos hatte eine erkennbare Verbindung mit dem einstigen Flugzeugbau, denn es glich zunächst den Gondeln, die seit 1912/13 an Grades Schul- und Passagiereindekkern zu finden waren. Jedoch blieb ihm dauerhafter Erfolg versagt. Zunehmende Schwierigkeiten stellten sich ein. Am 9. Februar 1920 vernichtete ein Großfeuer die «Grade-Motorenwerke» in Magdeburg vollständig. Im Mai 1922 wurden die «Grade-Fliegerwerke» in Bork aus dem Firmenregister gestrichen.

Hans Grade starb am 22. Oktober 1946 in Borkheide, wo er seinen guten Ruf als Flugzeugkonstrukteur und Flieger begründet hatte. Einer seiner Eindecker wurde in der Mitte der fünfziger Jahre aus aufgefundenen Teilen wieder aufgebaut und befindet sich im Verkehrsmuseum Dresden.

Anzahl der Flieger, die vor dem ersten Weltkrieg an der Grade-Fliegerschule bis zum Erwerb der Flugzeugführererlaubnis des «Deutschen Luftfahrer-Verbandes» (DLV) ausgebildet wurden

Jahr	Ausgebildete Flugzeugführer in Deutschland	Ausgebildete Flugzeugführer an der Grade-Fliegerschule	Anteil in %
1910	46	6	13,0
1911	100	19	19,0
1912	199	22	11,1
1913	292	31	10,6
1914	180	21	11,7
Gesamt	817	99	12,1

Varianten des Grade-Eindeckers

Baujahr	Daten und Bemerkungen
1909	24-PS-Grade-Motor (17,6 kW) mit V-Zylinderanordnung, Schaufelluftschraube, ein Hängesitz, Spannweite 10,20 m, Leermasse 125 kg
1910	12-PS-Grade-Motor (8,8 kW) mit V-Zylinderanordnung, Schaufelluftschraube, ein Hängesitz, Spannweite 8,50 m, Leermasse 80 bis 85 kg
1910/11	16/24-PS-Grade-Motor (11,8/17,6 kW) mit V-Zylinderanordnung, Schaufelluftschraube (teils vierblättrig), im Jahresverlauf Übergang zur Integralluftschraube, ein Hängesitz, Spannweite 10,50 m, Leermasse 135 kg
1910/11	16/24/36-PS-Grade-Motor (11,8/17,6/26,5 kW) mit V-Zylinderanordnung, 2 hintereinander liegende Hängesitze, Spannweite 10 m
1911/12	30/45-PS-Grade-Motor (22,1/33,1 kW) mit V-Zylinderanordnung, 2 nebeneinander liegende Schalensitze unter der Tragfläche, Spannweite 12 m, Leermasse 180 kg
1911	Wasser-Eindecker; der Schweizer Martin Hug hatte ein Wasserflugzeug bei Grade bestellt, der zu diesem Zweck einen seiner Einsitzer mit einem Mittelschwimmer versah und ihn auf dem Blankensee bei Trebbin erprobte; der Grade-Motor erwies sich aber als zu schwach, die Luftschraube peitschte lediglich

das Wasser auf und durchnäßte Grade bei jedem Startversuch; Erprobungen wurden eingestellt

1912	30/45-PS-Grade-Motor (22,1 kW/33,1 kW) mit hängender Zylinderanordnung, rumpfartige Motorverkleidung, obenliegender Sitz, Fahrgestell mit Mittelkufe, Leermasse 180 kg
1912	60/90-PS-Grade-Achtzylindermotor (44,1/66,2 kW), Leermasse 270 kg; war im Jahre 1912 auf der «Allgemeinen Luftfahrzeug-Ausstellung» (ALA) in Berlin ausgestellt
1912	Eindecker «Schwalbe», 30/45-PS-Grade-Motor (22,1/33,1 kW), als Renneindecker gedacht, in Inseraten wiederholt zum Kauf angeboten, vermutlich aber nur in einem Exemplar gebaut
1912/13	24/36-PS-Grade-Motor (17,6/26,5 kW), gondelartiger Sitz unter der Tragfläche, einsitzig; wurde als «Blaue Maus» bekannt, eine Version dieses Musters soll mit einem 160-PS-Motor (117,6 kW) als Versuchs-Renneindecker ausgerüstet worden sein
1912/13	30/45-PS-Grade-Motor (22,1/33,1 kW), vergrößerte zweisitzige Gondel über der Fahrgestellachse
1914	Kunstflug-Eindecker 30/45-Grade-Motor (22,1/33,1 kW), Sitz auf dem Rumpf, zweites Fahrgestell seitenverkehrt auf der Tragfläche; unter dem Eindruck der aufsehenerregenden Kunstflugvorführungen des französischen Luftakrobaten Adolphe Pégoud im Oktober 1913 in Johannisthal baute Grade diesen Eindecker; das zweite Fahrgestell sollte im Bedarfsfall auch Rückenlandungen ermöglichen, jedoch sind derartige Versuche nicht bekannt geworden; Kunstflieger auf diesem Eindecker waren Oskar Tweer, Fritz Jahn und Walter Cüppers
1913/14	Militär-Eindecker, 70-PS-Gnôme-Umlaufmotor (51,5 kW), zweisitzige Gondel über der Fahrgestellachse, Spannweite 12,50 m; in einem Exemplar mit geliehenem Motor gebaut, nach Ablehnung durch eine Militärkommission in der gleichen Variante als Sport-Eindecker angeboten

Euler wird bevorzugter Fluglehrer des Adels

August Euler, Inhaber der deutschen
Flugzeugführererlaubnis Nr. 1

August Euler, den Jahrzehnte lang eine flugsportliche Freundschaft mit Hans Grade verband, war nicht der erste Deutsche, der flog, aber er erhielt die deutsche Flugzeugführererlaubnis Nr. 1. Längere Zeit haben Publizisten darin eine Ungerechtigkeit gesehen, denn der erste Flug von Hans Grade mit seinem Dreidecker fand am 2. November 1908 über eine Weite von 60 m bei einer größten Höhe von 8 m statt. August Euler hingegen flog erstmals während der «Internationalen Luftschiffahrt-Ausstellung» ⟨ILA⟩ im Jahre 1909 in Frankfurt/Main. Dort gelang ihm mit einem Voisin-Doppeldecker am 20. August ein Motorflug von 20 s Dauer. Zu diesem Zeitpunkt erprobte Grade bereits erfolgreich seinen Eigenbau-Eindecker in Bork.

Wer die Publikationen sowie die Äußerungen Grades und Eulers zu diesem Sachverhalt zurückverfolgt, gelangt sehr bald zu der Erkenntnis, daß die Frage, wem die Nr. 1 gebührt, nie ein ernsthafter Streitpunkt zwischen beiden gewesen ist. Sie spielte zwar in ihren schriftlichen Bekundungen dreißig Jahre später eine Rolle, aber das waren Stellungnahmen zu publizistischen Behauptungen, die von außen in ihre Beziehung hineingetragen worden sind.

Vor allem hat Italiaanders Schrift «Spiel und Lebensziel. Der Lebensweg des ersten deutschen Motorfliegers Hans Grade» ⟨1939⟩ eine verwirrende Rolle gespielt. Sie ist reich an glorifizierenden Übertreibungen, die Hans Grade weder persönlich brauchte noch für sein Anse-

Eulers Flugzeugführerausweis

Spätere Zweitausfertigung des Euler-
Flugzeugführerausweises

hen als einer der Pioniere des deutschen Motorfluges nötig hatte. Als Antwort darauf erschien am 21. Juli 1939 die anonyme Schrift «Luftfahrt-Erinnerungen nach 30 Jahren», zu der sich August Euler auf einem von ihm signierten Exemplar bekannte. Diese Publikation schließt mit der Feststellung, daß Hans Grade besser sei als das über ihn verfaßte Buch. Grade hat noch einmal im September 1940 darauf reagiert. Er stellte unter anderem fest: «Im übrigen ist es ja gleichgültig, wie man amtlich registriert wird ... In dieser Beziehung lasse ich gern meinem Freund August Euler den Vortritt ...» Und Euler schrieb bei einer anderen Gelegenheit

zum Jahresende 1909 wurden vom «Deutschen Luftschiffer-Verband», der im Jahre 1910 in den «Deutschen Luftfahrer-Verband» umgewandelt wurde, die ersten diesbezüglichen Prüfbestimmungen erlassen. Daraufhin absolvierte August Euler noch am 31. Dezember 1909 – entsprechend seinen eigenen Worten eine Stunde nach Bekanntgabe der Bestimmungen – die vorgeschriebenen Prüfungsflüge. Hans Grade tat dies nicht, denn es wurde nicht von ihm verlangt; seine fliegerischen Leistungen waren hinreichend bekannt und belegt. So wurden am 1. Februar 1910 die beiden ersten deutschen Flugzeugführererlaubnisse ausgestellt.

Die Entscheidung, wer von beiden die Nr. 1 bekam, kann durch das Alphabet oder einen Büroangestellten getroffen worden sein.

Wie auch immer, August Euler war ebenfalls und auf seine Weise an der Entwicklung des Motorfluges in Deutschland beteiligt. Von Hermann Dorner und Hans Grade unterschied er sich vor allem dadurch, daß er keine Geldschwierigkeiten kannte, denn seit dem Jahre 1903 verfügte er über das Verkaufsmonopol der führenden Fabrikate der deutschen Automobilindustrie. So war er imstande, den Erwerb von Flugzeugbaulizenzen, die Einrichtung eines Fluggeländes und einer eigenen Flugzeugfabrikation selbst zu finanzieren.

August Euler hatte sich zunächst mit dem Bau und der Erprobung von Gleitflugapparaten beschäftigt, kam dabei aber nicht recht auf dem Wege zum Motorflug voran. Deshalb erwarb er im Jahre 1908 als erster in Deutschland die Lizenz zum Nachbau eines ausländischen Flugzeugmusters, des Voisin-Doppeldeckers. Ein komplettes Flugzeug kaufte er von Voisin gleich noch dazu. Noch gegen Ende des Jahres 1908 richtete er auf dem Truppenübungsplatz Griesheim bei Darmstadt ein eigenes Fluggelände ein. Dazu hatte er mit der Heeresverwaltung einen Mietvertrag abgeschlossen, der ihm die Nutzung eines Terrains von etwa 5 km Länge als Flugfeld sowie die Errichtung von Gebäuden ermöglichte. Euler ließ dort bis zum Sommer 1909 eine Montagehalle von 50 m Länge und 20 m Breite sowie ein Wohngebäude bauen. Zu seiner Fabrikationsstätte gehörten ein Zeichensaal 〈Konstruktionsbüro〉 sowie eine mit modernen Werkzeugmaschinen ausgerüstete Werkstatt.

Vom Herbst 1908 bis zum Herbst 1909 befand sich der später als Rumpler-Chefpilot bekanntgewordene Hellmuth Hirth bei Euler, um den Flugzeugbau und das Fliegen zu erlernen. Hirth schrieb über seine ersten Eindrücke, er «hatte nun zum ersten Male Gelegenheit, in der damals noch unfertigen Halle in Griesheim einen wirklichen Flugapparat zu sehen. Allerdings zuerst nur durch die Löcher einer riesigen Kiste. Mit großer Sorgfalt und einer gewissen Feierlichkeit wurde dann das wohlverpackte Flugzeug aus seinem Gefängnis befreit. Aber nun begann eine wenig glückliche Zeit. Viele schwere Stunden wurden zugebracht, um das Flugzeug zum Fliegen zu bringen, das sich jedoch

an Hans Grade: «Ob Sie oder ich zuerst einige Meter weit und einige Zentimeter hoch geflogen oder gehopst sind, wer will sich mit dieser Feststellung befassen? Ich glaube, ich habe früher gehopst als Sie, aber ich will darauf nicht bestehen. Unsere alte, reine Sportkameradschaft ist mir mehr wert!»

Für die Beteiligten hatte diese Angelegenheit demnach nur geringes Gewicht, und die Sachlage war außerdem denkbar einfach. Hans Grade hatte zwar am 30. Oktober 1909 in Johannisthal den «Lanz-Preis der Lüfte» erflogen und war damit eine Berühmtheit geworden, aber er hatte keine Prüfung zum Erwerb der Flugzeugführererlaubnis abgelegt, denn dafür gab es zu jenem Zeitpunkt noch keinerlei deutsche Bestimmungen. Erst

Euler-Schuldoppeldecker mit zwei hintereinanderliegenden Sitzen, unbespanntem Leitwerksträger, vorderem Dreiradfahrgestell und Druckluftschraube 〈1909/10〉 im Fluge

mit dem beigegebenen Antoinette-Motor unmöglich über den Boden heben konnte... All das entmutigte mich sehr, denn Herr Euler brachte es anfangs nicht über Sprünge von 10 m, wobei noch ein Sprunghügel benutzt werden mußte. Ich sagte mir damals, es sei überhaupt nicht möglich, mit dieser Maschine in die Höhe zu kommen ... Leider hatte ich nie Gelegenheit, mit dem Voisin-Flugzeug zu fliegen, da Euler alle Versuche selber unternahm ...»

Euler ging nach diesen anfänglichen Mißerfolgen dazu über, die Voisin-Konstruktion nach eigenen Vorstellungen zu verbessern. Bis zur «Internationalen Luftschiffahrt-Ausstellung» in Frankfurt/Main im Herbst 1909 entstanden in der Griesheimer Fabrikhalle vier Voisin-Euler-Doppeldecker, von denen drei weiterhin mit Antoinette-Motoren und einer mit einem Adler-Motor ausgerüstet waren. Mit der letztgenannten Variante nahm Euler als einziger deutscher Teilnehmer an der Flugwoche der ILA teil. Am 20. August 1909 gelangen ihm dort ein 20-s-Flug in 8 m Höhe und eine Woche später, am 27. August, ein Flug von 2 min und 30 s Dauer. Damit gewann er zwar zwei Preise, den «Aufmunterungspreis» und den «Jungfernpreis für einen Aeroplanflug über zweihundert Meter», aber der Beifall der Zuschauer war angesichts der haushohen Überlegenheit französischer

Der gegenüber der Erstausführung ⟨1909/10⟩ leicht veränderte Schuldoppeldecker ⟨vorderes Zweiradfahrgestell⟩ im Jahre 1912 auf dem Euler-Flugplatz Niederrad bei Frankfurt ⟨Main⟩

August Euler ⟨rechts⟩ und sein prominentester Flugschüler, Prinz Heinrich von Preußen, vor dem einsitzigen Renndoppeldecker des Typs «Prinz Heinrich» ⟨gebaut ab 1910⟩: Spannweite 10,00 m; Flügelfläche 30,00 m²; Länge 12,00 m; Leermasse 280 kg; Motor: 50/70-PS ⟨36,8/51,5 kW⟩-Gnôme

Euler-Doppeldecker des Typs «Großherzog» ⟨1911⟩, ohne vorderes Höhenruder, unter der Bezeichnung «Gelber Hund» durch die Beförderung von Luftpost im Juni 1912 bekannt geworden

Flieger bei sämtlichen anderen Wettbewerben recht gedämpft. Und ein Zeitungs-
bericht begann mit der wenig ermuntern-
den Aufforderung als Überschrift: «August, laß das Fliegen sein».

Doch August Euler ließ sich davon nicht
entmutigen. Er verbesserte seine Flugzeuge weiter, lernte es, sie zu fliegen und
entwickelte dabei seine eigenen fliegerischen Fähigkeiten. Am 31. Dezember
1909 erfüllte er mit drei Flügen von 7 km
Länge in geschlossenen Schleifen ⟨lie-
gende Acht⟩ die Bedingungen für die
Flugzeugführererlaubnis. Ein dreiviertel
Jahr später griff er bereits Rekordmarken
an. Im Oktober 1910 stellte er mit einer
Flugzeit von mehr als 3 h einen deutschen
Dauerflugrekord auf.

Im Frühjahr 1910 öffnete in Griesheim
bei Darmstadt die Euler-Fliegerschule
ihre Tore. Sie wurde die bevorzugte Aus-
bildungsstätte für Angehörige des deutschen Adels, meist im Offiziersrang. Der
prominenteste von ihnen, der am 28. November 1910 die Flugzeugführererlaubnis
Nr. 38 erwarb, war Prinz Heinrich von
Preußen, der Bruder des damaligen deutschen Kaisers. Mit dessen Ausbildung
hatte sich Euler unter der Bedingung ein-
verstanden erklärt, daß «Hoheit» sich je-
derzeit und strikt an die gegebenen An-
weisungen hält. Euler war dann aber auch
nicht zimperlich im Umgang mit diesem
Flugschüler. Vor einem Alleinflug seines

Feriés von Hiddessen, der Euler-
Luftpostillon, im Typ «Großherzog»
⟨«Gelber Hund»⟩

Euler-Flugboot-Dreidecker
mit niedrigem, hochziehbarem Fahrgestell: Spannweite 14,00/10,00/
8,00 m; Länge 8,30 m;
Motor: 100-PS⟨73,5 kW⟩-Gnôme
mit Druckluftschraube auf dem Mittel-
flügel ⟨1913⟩

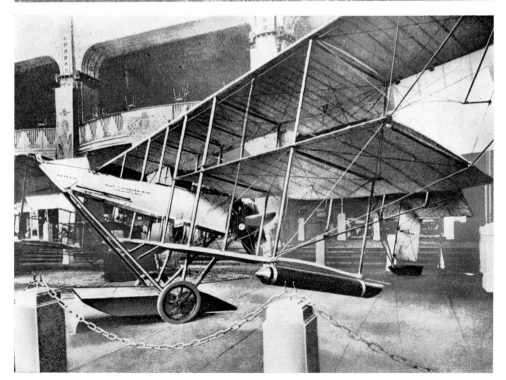

Euler-Dreidecker mit Zweiradfahrwerk
und Zentralschwimmer, Stützschwimmern
an den unteren Tragflächenenden
und am Heckleitwerk, wie der Typ
«Großherzog» des Baujahres 1912
ohne vorderes Höhenruder, 70 PS
⟨51,5 kW⟩-Gnôme-Motor mit
Druckluftschraube – ausgestellt
auf der «Allgemeinen Luftfahrzeug-
Ausstellung» ⟨ALA⟩ im April 1912
in den Austellungshallen
am Berliner Zoo

Jagdflugzeug-Zweisitzer
mit 100-PS (73,5 kW)-Mercedes-Motor
und zwei beweglichen MG ⟨1915⟩

Dreidecker-Jagdflugzeug mit Gnôme-
Motor ⟨1916⟩

«hohen» Schützlings gab er diesem die durch mehrere Quellen belegte Ermahnung auf den Weg: «Bedenken Kaiserliche Hoheit, daß Sie 20 000 Mark unter dem Arsch haben!»

Ein wenig teurer waren die Euler-Flugzeuge allerdings doch. Die Doppeldecker des Jahres 1910 kosteten 22 000 Mark. Hier zeigte sich der finanzielle Vorteil der fliegerischen Ausbildung von begüterten Adligen: Einige seiner Flugschüler kauften nach dem erfolgreichen Abschluß ihrer Ausbildung gleich einen oder zwei Euler-Doppeldecker für ihre künftigen Flüge. Allein im Jahre 1910 waren es vier Flugzeuge, die von Euler-Schülern gekauft und mitgenommen wurden.

Nachdem der Kaiser-Bruder ohne Unfall ausgebildet worden war, jedenfalls hatte er nur einmal bei einer harten Landung die Fahrgestellachse verbogen und war dafür von Euler derb angeknurrt worden, wurde die Euler-Fliegerschule geradezu zum Treffpunkt von fluginteressierten Adligen und deren Ehefrauen, die beim Fliegen mehr oder weniger besorgt zuschauten. Fotos, die in dieser Zeit in Griesheim bei Darmstadt entstanden, konnten fast «bei Hofe» gemacht worden sein, denn da waren auf Gruppenbildern versammelt: Großherzog Ernst Ludwig von Hessen, Prinz Oskar von Hessen, Prinz Sigismund von Hessen, Graf von Wolfskehl, Erbprinz Bernhard von Sachsen-Meiningen, Leutnant von Hiddessen, Leutnant Vogel von Falkenstein, Oberleutnant von Hammacher... Außerdem waren die angehörenden Großherzoginnen, Erbprinzessinnen und Prinzessinnen dabei.

Dieser erlauchten Gesellschaft und ihren Bedürfnissen trug auch der Wochenplan des Ausbildungsbetriebs Rechnung. Der wöchentliche Ablauf sah nach Eulers Angaben vor: Dienstag und Mittwoch — theoretischer Unterricht, Donnerstag und Freitag — Fliegen und Flugzeugreparaturen, Sonnabend und Sonntag — Frohsinn, Gemütlichkeit, Wein usw., Montag — Ausruhen vom Wochenende. So gemächlich verlief die Ausbildung gewiß an keiner anderen Fliegerschule im Lande.

Gegen Jahresende 1911 kaufte Euler ein Gelände in Niederrad als eigenen Flugplatz von der Stadt Frankfurt/Main und siedelte ab Januar 1912 mit seinen Fabrikationsanlagen und der Fliegerschule dorthin um. Dazu ließ er für 1,5 Millionen Mark fünf Fabrikhallen mit einer Fläche von insgesamt fast 10 000 m² errichten. Nach dem ersten Weltkrieg ist dieser Flugplatz von Euler für eine Million Goldmark an die Stadt Frankfurt/Main zurückverkauft worden.

In den «Euler-Flugmaschinen-Werken» in Griesheim entstand im Jahre 1909 ein zweisitziger Schuldoppeldecker als verbesserte Ausführung des Voisin-Vorbildes. Davon sind bis zum Jahre 1910 mehrere variierte Exemplare, vorwiegend mit 50-PS-Gnôme-Motoren ⟨36,8 kW⟩, gebaut worden. Im Jahre 1910 folgte der einsitzige Renndoppeldecker Typ «Prinz Heinrich» mit 50-PS- oder 70-PS-Gnôme-Motor ⟨36,8 kW oder 51,5 kW⟩. Im Jahre 1911 wurde ein Schul- und Sportzweisitzer als Renndoppeldecker Typ «Großherzog» mit 80-PS-Gnôme-Motor ⟨58,5 kW⟩ gebaut.

Das letztgenannte Flugzeug ist wegen des gelbfarbenen Bespannstoffes auch

Detailansicht des Vierdecker-Jagd-flugzeuges der Euler-Werke,
nur ein Prototyp im Jahre 1916 gebaut,
ausgestattet mit einem 100-PS
⟨73,5 kW⟩-Oberursel-Motor

unter der Bezeichnung «Gelber Hund» bekannt geworden. Mit einem Flugzeug dieses Typs startete der ehemalige Euler-Schüler Feriés von Hiddessen erstmals am 10. Juni 1912 zu einem offiziellen Postflug von Frankfurt/Main nach Darmstadt. Für diese Postflüge war für eine Woche von der «Kaiserlichen Reichspost» die Konzession erteilt worden. Hiddessen hat auf den Strecken Frankfurt/Main – Darmstadt – Worms – Mainz, wie die Zeitschrift «Flugsport» mitteilte, «alle vorhergesagten Beförderungszeiten eingehalten und dabei 203 Kilo Postkarten befördert».

In seiner bereits erwähnten Schrift «Erinnerungen aus 30 Jahren Luftfahrt» bezeichnete Euler diese einwöchige Luftpostbeförderung als «die erste amtliche Flugpost in der ganzen Welt». Die Betonung sollte auf «amtliche» liegen, um zu verdeutlichen, daß die Grade-Flugpost-Linie von Bork nach Brück im Februar 1912 eine private Initiative war und von der Postverwaltung schließlich untersagt wurde. Doch die Behauptung Eulers ist insgesamt unrichtig, denn so interessant seine Flugpost aus luftfahrthistorischer Sicht auch sein mag — sie war weder die erste in der ganzen Welt noch die erste amtliche sanktionierte in Deutschland.

Die erste «amtliche» Luftpost war bereits am 19. Mai 1912, also drei Wochen zuvor, auf der Strecke von Heidelberg nach Mannheim befördert worden, worüber das «Heidelberger Tageblatt/General-Anzeiger» in der Ausgabe vom 20. Mai durch einen Flugteilnehmer ausführlich zu berichten wußte. Eine andere Tageszeitung schrieb zur selben Zeit über dieses Ereignis: «Der deutsche Luftflotten-Verein Mannheim und die Reichspost hatten sich geeinigt, daß die erste deutsche Luftpost von Heidelberg nach Mannheim fliegen sollte ... Die erste deutsche Luftpost! Wer hätte sie nicht sehen mögen, wer hätte nicht gerne einige Luftpostkarten versandt, die eigens zu diesem Zwecke gedruckt worden waren! Ja, die 35 000 Stück reichten nicht einmal aus, trotzdem für die letzten Karten stellenweise der zehnfache Preis gefordert wurde... Noch nie sind wohl Postsachen so schnell befördert worden! Mit unserem 140-Klm.-Tempo haben wir den Schnellzug Heidelberg – Mannheim um 13 Minuten geschlagen.» Der erste «reichspostamtliche» Luftpostillon, der diese Luftpost von Heidelberg nach Mannheim beförderte, war, den Zeitungsberichten zufolge, Karl Krie-

ger, der ehemalige Chauffeur des deutschen Kaisers. Er hatte für diese Postflüge einen Jeannin-Eindecker benutzt.

Dem Typ «Großherzog» folgten mehrere Baumuster als Ein-, Doppel- oder Dreidecker und als Flugboote, bis die Euler-Fabrik im Jahre 1914 mit geringem Erfolg den Bau von militärischen Flugzeugen begann. Das letzte dieser Art war im Jahre 1916 ein Vierdecker, von dem nur ein Prototyp entstand. Danach wurden bis zum Kriegsende die LVG-Doppeldecker B II, B III und C II ⟨Flugzeuge der Johannisthaler «Luft-Verkehrs-Gesellschaft»⟩ in Lizenz gebaut.

Nach dem ersten Weltkrieg wurde August Euler zum Unterstaatssekretär und Leiter des Reichsluftamtes berufen. In dieser Funktion erteilte er die ersten «Zulassungs-Bescheinigungen zum Luftverkehr» und ermöglichte damit die allmähliche Entwicklung des Passagier- und Luftfrachtverkehrs in den Nachkriegsjahren. Im Jahre 1922 ging August Euler in den Ruhestand.

Hanuschke schon im Jugendalter erfolgreich

Einer der bekannten Flugzeugkonstrukteure und Flieger auf dem Flugplatz Johannisthal bei Berlin war Bruno Hanuschke. Er soll, wie aus zeitgenössischer Literatur hervorgeht, erst 15 Jahre alt gewesen sein, als er gemeinsam mit seinem Bruder Willi einen leichten, aber soliden Gleitdoppeldecker baute und erprobte. Etwa zum Jahresbeginn 1910 kam er als 18jähriger nach Johannisthal. Von seinem Bruder assistiert konstruierte und baute er dort sein erstes Motorflugzeug, einen Gitterrumpf-Doppeldecker. Im selben Jahr wurde der Flugapparat erprobt, konnte aber nicht zum Fliegen gebracht werden. Lediglich Sprünge gelangen, und alle seine Schuppennachbarn rissen staunend die Augen auf, so hieß es in einem Bericht aus jener Zeit, wenn Hanuschke mit seinem Eigenbaudoppeldecker «meterhoch über die Gräser hinwegjonglierte».

Noch im Jahre 1910 löste sich Bruno Hanuschke vom Doppeldeckerkonzept und baute zukünftig Eindecker. Gleich mit der ersten Konstruktion hatte er Erfolg, denn damit erflog er am 8. Oktober 1910 seine Flugzeugführererlaubnis Nr. 35. Damit war er der jüngste deutsche Motorflugzeugkonstrukteur und der zweitjüngste Flieger. ⟨Jüngster deutscher Flugzeugführer wurde Bruno Jablonski, der im Alter von 17 Jahren am 28. September 1910 die Flugzeugführererlaubnis Nr. 30 erwarb.⟩

Der erste Hanuschke-Eindecker hatte einen Hängesitz unter der Tragfläche in der Art des Grade-Eindeckers und war mit einem Dreizylinder-25-PS-Anzani-Motor ⟨18,4 kW⟩ ausgestattet. Diesen Eindecker verbesserte er im Jahre 1911, versah ihn mit einem Dreizylinder-25-PS-Wunderlich-Motor ⟨18,4 kW⟩ und nannte

Bruno Hanuschke, er baute
als 18jähriger sein erstes Motorflugzeug

Gleitdoppeldecker von Bruno
und Willi Hanuschke ⟨1907/08⟩

Bruno Hanuschke in seinem Eindecker
«Populaire I» ⟨1911⟩

Der zweisitzige Schul- und Sport-
eindecker

das Flugzeug «Populaire I». Das leichte Flugzeug hatte eine Spannweite von 8,25 m, eine Leermasse von 175 kg und erreichte eine Geschwindigkeit von 65 km/h.

Weitere Verbesserungen führten im Jahre 1912 zum Eindecker «Populaire II». Vom 29. September bis 6. Oktober 1912 wollte sich Hanuschke mit diesem Flugzeug an der Johannisthaler Flugwoche beteiligen, wurde aber nicht zugelassen, weil sein Eindecker mit einem ausländischen 60-PS-Gnôme-Motor ⟨44,1 kW⟩ flog. Trotzdem stieg er während dieser Tage in Johannisthal auf, wenn Wettbewerbsteilnehmer wegen starken Windes das Fliegen nicht mehr wagten. So meldete die Zeitschrift «Flugsport» im Oktober 1912: «Hanuschke führte am 1. Oktober bei 25 m Wind in Johannisthal einen Sturmflug aus. Der Apparat ging bereits nach 2 m Anlauf vom Boden weg und stieg rapid bis auf 270 m Höhe. Hier begann er den Abstieg und brachte den Apparat glücklich, ohne etwas zu zerschlagen, zur Landung. Hanuschke konnte an der Johannisthaler Flugwoche nicht teilnehmen, da er keinen deutschen Motor besaß.»

Niemand hatte einen Flug bei so hoher Windgeschwindigkeit für möglich gehalten, noch dazu mit einem so leichten Flugzeug. Hanuschke begann, durch fliegerische Kapriolen von sich reden zu machen. Es war die Zeit, da er um die Schwedin Tora Sjöborg, eine der Flugschülerinnen von Melli Beese, zu werben begann. Melli Beese, die erste deutsche Motorfliegerin, unterhielt in Johannisthal die «Flugschule Melli Beese GmbH.». Sie schrieb später, daß sich Hanuschke um die Schwedin beinahe umgebracht habe, als er im Tiefflug über dem Haus kreiste, in dem sie wohnte, einen Rosenstrauß abwarf ⟨der auch auf ihren Balkon gefallen sein soll⟩, aber dann nicht mehr genügend Kraftstoff für den Rückflug im Tank hatte und auf Kiefern notlanden mußte. Melli Beese formulierte als Moral aus der Geschicht': «Wer der Begehrten auf Freiersflügeln nahen will, baue vorher einen Benzintank für Dauerflüge in seine Maschine.» Bruno Hanuschke gelangte auch ohne Zusatztank an sein Ziel, denn er heiratete die Schwedin kurze Zeit später.

Im Jahre 1913 begann Hanuschke mit dem Bau vom rumpfverkleideten Eindeckern, die deutliche Ähnlichkeiten mit dem französischen Morane-Saulnier-Eindecker hatten. Dieses Flugzeugmuster wurde

Hanuschke-Motorflugdoppeldecker mit Bruno Hanuschke am Steuer ⟨1910⟩, eine Konstruktion von 8,00 m Spannweite, mit der nur Sprünge gelangen

Der Eindecker «Populaire II», eines der ersten Motorflugzeuge mit autogen geschweißtem Stahlrohrrumpf, mit dem Bruno Hanuschke im Oktober 1912 bei 25 m/s Windgeschwindigkeit einen vielbeachteten «Sturmflug» unternahm: Spannweite 8,50 m; Flügelfläche 16,00 m²; Länge 7,00 m; Leermasse 275 kg; Höchstgeschwindigkeit 95 km/h; Motor: 50-PS ⟨36,8 kW⟩-Gnôme

Ihretwegen auf Kiefern notgelandet
und danach geheiratet: Die schwedische
Melli-Beese-Flugschülerin Tora Sjöborg

Bruno Hanuschke ⟨links⟩ mit seinem
Flugzeugmonteur Willy Donner
am «Populaire II» ⟨1912⟩

mit zwei hintereinanderliegenden Sitzen gebaut und erwies sich als zuverlässiges Schul- und Sportflugzeug.

Hanuschke schaffte es als einer der wenigen, seine Flugzeugbauwerkstatt und Fliegerschule am «alten Startplatz» des Johannisthaler Flugplatzes gegen erdrückende Konkurrenz der Johannisthaler Flugzeugfabriken bis zum Sommer 1914 zu erhalten. Im ersten Weltkrieg soll er Flugzeugteile als Zulieferer hergestellt haben. Er starb im Jahre 1922 in einem Sanatorium an den Folgen einer Lungenerkrankung.

Wortlaut des Vertrages zwischen Bruno Hanuschke und seinem Monteur Willy Donner zur Ausbildung als Flugzeugführer

«Herr Hanuschke erteilt auf seinem Eindekker dem Monteur W. Donner Flugunterricht bis zum Pilotenzeugnis. Als Gegenleistung hierfür verpflichtet sich Herr W. Donner, sämtliche Monteurarbeiten wie bisher gewissenhaft bei Herrn Bruno Hanuschke auszuführen, und zwar so lange, bis die restierenden Wochenlöhne die Höhe von Mk. 400 ⟨vierhundert Mark⟩ erreicht haben. Für Bruchschaden hat Herr W. Donner selbst aufzukommen, und muß derselbe in kürzester Zeit wieder in Ordnung gebracht werden, widrigenfalls Herr W. Donner für entstehenden Schaden haftet. Der Bruch muß im Werk des Herrn Hanuschke repariert werden, jedoch wird hierfür dem Herrn Donner die Arbeitszeit nicht angerechnet.

Herr W. Donner verpflichtet sich, vom Tage des Pilotenzeugnisses an gerechnet, 6 Monate ⟨sechs Monate⟩ bei Herrn Hanuschke im Flugzeugbau tätig zu sein, hierfür erhält W. Donner monatlich 160 Mk. ⟨einhundertsechzig Mark⟩, ferner von den von ihm gewonnenen Preisen 30 %. Weiter erhält er für jeden Schüler, der durch seine Vermittlung bei Herrn Hanuschke fliegen lernt, 8 %. Ebenso erhält Herr Donner für jeden Apparateverkauf, der durch seine Vermittlung geschehen ist, 10 %. Der Bruchschaden während der Vertragsdauer geht zu gleichen Teilen und wird zum Selbstkostenpreis berechnet.

Herr W. Donner verpflichtet sich, bei Nichteinhaltung des Vertrages eine Konventionalstrafe von Mk. 1000 ⟨eintausend Mark⟩ sofort an Herrn Hanuschke zu zahlen, ohne vorher ein ordentliches Gericht anzurufen.

Berlin-Johannisthal,
den 28. Dezember 1912

Bruno Hanuschke, Willy Donner»

Die Ausbildung schleppte sich aber ungewöhnlich lange hin, denn erst am 11. Februar 1914 erwarb Willy Donner seine Flugzeugführererlaubnis Nr. 664. Am 1. April 1914 schied Donner bei Hanuschke aus, obwohl die Vertragsverpflichtung von sechs Monaten nach dem Abschluß der Ausbildung noch nicht abgelaufen war. Das geschah offensichtlich im gegenseitigen Einvernehmen.

Geschäftsmanipulationen
von Rumpler

Edmund Rumpler, der spätere bedeutende Flugzeugfabrikant, wurde in Wien geboren und studierte dort 5 Jahre lang Maschinenbau an der Technischen Hochschule. Mit dem Flugzeugbau kam er zum ersten Mal durch Wilhelm Kress in Kontakt, der sein Nachbar auf der Hörsaalbank gewesen ist. Nach dem Studienabschluß im Jahre 1895 arbeitete er drei Jahre in verschiedenen österreichischen Fabriken und wurde im August 1898 Bürovorsteher der «Allgemeinen Motorwagen-Gesellschaft» in Berlin. Die gleiche Tätigkeit übte er ab Januar 1900 in der «Daimler-Motoren-Gesellschaft» in Marienfelde bei Berlin aus. Im August 1902 zog er nach Frankfurt/Main, wo er die Aufgaben eines Oberingenieurs in den dortigen «Adler-Werken» übernahm. Ab August 1905 war er ein Jahr in Amsterdam tätig. Im August 1906 kehrte er nach Berlin zurück und gründete ein Technisches Büro, in dem er sich gemeinsam mit fünf anderen Ingenieuren um Auftragskonstruktionen für Automobile und Automotoren bemühte. «Inzwischen», so schrieb Rumpler später über seine berufliche Entwicklung, «war die Zeit herangereift, und ich beschloß, nunmehr den großen Wurf zu wagen und mich dem Flugzeugbau unmittelbar zuzuwenden.»

Was Rumpler als herangereifte Zeit bezeichnete, waren die Nachrichten, daß inzwischen tatsächlich geflogen wurde. Den einstigen Hörsaalnachbarn Wilhelm Kress hatte er seinerzeit für etwas versponnen gehalten und dessen Mißerfolg als Flugzeugkonstrukteur mit dem Satz abgetan: «Er war im ganzen der typische Erfinder, der an vorgefaßten Meinungen festhielt, so daß sein schließliches Scheitern nicht wundernehmen kann.» Nun aber, im Jahre 1908, überschlugen sich die Zeitungs-

Flugzeugfabrikant Edmund Rumpler

meldungen von den ersten erfolgreichen Motorflügen in Europa. Als Rumpler schließlich von den aufsehenerregenden Flügen Wilbur Wrights auf dem französischen Fluggelände bei Le Mans erfuhr, eilte er unverzüglich dorthin, um sich selbst davon zu überzeugen. Von dem Gründungsfieber für Flugzeugbauunternehmen, das von den Wright-Flügen ausging, wurde auch er angesteckt.

Ebenso rasch, wie Rumpler nach Le Mans gereist war, fuhr er von den Wright-Vorführungen im September 1908 zurück nach Berlin, entwickelte eine emsige Geschäftigkeit und gründete schon am 10. November 1908 die Firma «Edmund Rumpler, Luftfahrzeugbau». Am 24. November 1908 erschien in der «B.Z. am

Mittag» darüber die Mitteilung: «Eine Luftfahrzeugbauanstalt hat Ingenieur Edmund Rumpler, Berlin SW, Gitschiner Straße 5, seinem technischen Büro angegliedert. Die Anstalt will nicht die fabrikmäßige Herstellung bestimmter Typen von Luftfahrzeugen betreiben, sondern Erfolg verheißende Ideen in sachgemäßer Weise zu mäßigen Preisen zur Ausführung bringen. Auch sollen kleine Luftfahrzeugmodelle daselbst angefertigt werden.»

Von diesem Zeitpunkt an betrieb Rumpler einen fleißigen Werbefeldzug, ließ Artikel über sich schreiben und lieferte sie fix und fertig an Zeitschriften. Immer wieder wurde in derartigen Werbeartikeln hervorgehoben, daß «erfolgverheißende Ideen in sachgemäßer Weise zu mäßigen Preisen zur Ausführung gebracht werden». In einem Aufsatz, der im Dezember 1908 in der «Allgemeinen Automobil-Zeitung» erschien, ließ er hervorheben, daß «beim Bau von Luftfahrzeugen besondere Erfahrungen und Kenntnisse maßgebend sind, die zu sammeln und richtig anzuwenden nur Sache einer Spezialfabrik sein kann», und eine solche Spezialfabrik sei eben Rumplers Firma, geleitet von dem Spezialisten und «Pionier im Luftfahrzeugbau und Luftfahrzeugmotorenbau» Edmund Rumpler.

Das war eine arge Täuschung, denn Rumpler besaß auf diesem Gebiet keinerlei Erfahrungen und Kenntnisse. Aber der Werbefeldzug zeigte Wirkung. Wie Rumpler später selbst bekannte, hat das «damals auf dem Gebiet des Flugzeugbaus sehr zahlreiche Heer der Erfinder» für Aufträge gesorgt, weshalb «alsbald größere Werksträume eingerichtet werden» mußten. Bereits im Jahre 1909 konnte Rumpler seine Firma in die «Rumpler-

Luftfahrzeugbau GmbH.» mit einem Stammkapital von 90 000 Mark umwandeln. Gleich nach dem Jahresbeginn 1910 zog Rumpler mit einem Teil seiner Fabrikationsanlagen zum Flugplatz Johannisthal um, vorerst in einen Mietschuppen am «neuen Startplatz». Nun hatte er Gelegenheit, seine Fabrikate gleich auf dem Fluggelände ausprobieren zu lassen.

Rumplers Auftraggeber, die ihm ihre Ideen, skizzierte Entwürfe und ihr Geld gebracht hatten, wurden bitter enttäuscht, denn die Apparate, die er zunächst in Konstruktionszeichnungen zu Papier brachte und danach baute, flogen nicht. Es waren auch keineswegs «mäßige Preise», die Rumpler dafür kassierte. Nicht weniger Verdruß bereitete er manchem seiner Auftraggeber, als er den Entschluß faßte, Flugmotoren selbst zu bauen und dazu im Jahre 1910 die «Aeolus-Flugmotoren GmbH.» gründete. In der Begründung dieser neuen Unternehmenseröffnung erklärte er später, er habe sich gesagt, «daß Motor und Flugzeug harmonisch zusammen passen müssen, wenn eine wirklich einheitliche Maschine entstehen und der höchste Wirkungsgrad der Gesamtanlage gesichert werden soll». Das stimmte tatsächlich, nur Motor und Flugzeuge waren unbrauchbar, solange der Ingenieur Rumpler als Konstrukteur seine Hand im Spiel hatte. Zumindest die folgenden konstruktiven und flugzeugtechnischen Fehlleistungen der Firma Rumpler sind belegt:

Im Jahre 1908, und das war offenbar der erste Auftrag, den er erhielt, baute er für einen Oberstleutnant Lippe einen «Schraubenflieger» ⟨Hubschrauber⟩ mit

Bei Rumpler für Fritzsche gebaut, aber flugunfähig: Der Tandem-Dreiflächner ⟨1908⟩

Bei Rumpler gebaut, aber nur zu Sprüngen tauglich: Die «Focke-Alberti-Ente» mit Druckluftschraube ⟨1909⟩: Spannweite 12,00 m; Startmasse 350 kg; 40-PS⟨29,4 kW⟩-Motor

Dreiseitenansicht des bei Rumpler gebauten Stein-Eindeckers ⟨1910⟩, mit dem nur kurze Sprünge gelangen: Spannweite 12,00 m; Flügelfläche rund 28,00 m²; Länge 11,00 m; Höhe 2,50 m; Motor: 50-PS⟨36,8 kW⟩-Rumpler-«Aeolus»

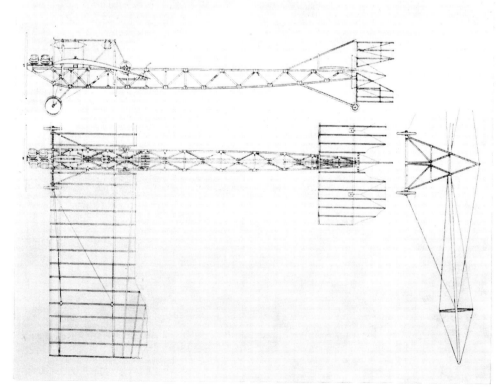

einem Achtzylinder-Motor. Sämtliche Flugversuche blieben erfolglos.

Ebenfalls im Jahre 1908 war bei Rumpler von dem Oberleutnant zur See Otto Fritzsche ein Flugzeug nach dessen Entwurf in Auftrag gegeben worden. Es war ein Tandem-Dreiflächner, eine Konstruktion mit drei hintereinander angeordneten Tragflächen, vollständig bespanntem Rumpf, Zweiradfahrgestell und einem dritten Rad unter der Rumpfmitte. Der Apparat war flugunfähig.

Im Jahre 1909 wurde die «Focke-Alberti-Ente» gebaut. Wilhelm Focke, der ältere Bruder Henrich Fockes, hatte im Jahre 1908 das Patent für ein Flugzeug der Entenbauart erhalten. Die Brüder Focke verbanden sich mit Dr. Alberti aus München und entwarfen gemeinsam nach diesem Enten-Konstruktionsprinzip einen Eindecker, mit dessen Bauausführung Rumpler beauftragt wurde. Die Erprobung fand auf dem Bornstedter Feld bei Potsdam statt. Es gelangen einige kleine Sprünge.

Im März 1910 wurde ein Eindecker für den Berliner Pegelow fertiggestellt. Es war ein leichtes Flugzeug mit einem dreieckigen Rumpfquerschnitt. Zum Bau wurde, wie bei dem zu dieser Zeit bereits erfolgreichen Grade-Eindecker, hauptsäch-lich Bambusrohr verwendet. Die Verbindungsstellen bestanden aus autogen verschweißten Stahlrohrstummeln, alle übrigen Beschläge aus Stahlrohr oder Stahlblech. An der Schwanzflosse befand sich ein zweiteiliges elastisches Höhenruder, das ebenso wie das Seitenruder mit einem Steuerknüppel betätigt wurde. Das vordere Zweiradfahrgestell war gefedert. Ein drittes Rad befand sich unter der Rumpfmitte. Die Form der Tragflächen und des Heckleitwerkes war deutlich an den Grade-Eindecker angelehnt. Der Flugzeugführersitz befand sich in Tragflächenhöhe. Bevor der Auftraggeber sein Flugzeug erhielt, wurde es am Werbestand der Rumpler-Firma vom 19. März bis 3. April 1910 auf der «Internationalen Motorboot- und Motoren-Ausstellung» in Berlin ausgestellt. Der Pegelow-Eindecker erwies sich als flugunfähig.

Im April 1910 wurde ein Eindecker fertiggestellt, den Walter Stein, der spätere Gründer der «Walter-Stein-Aeroplanbau» in Teltow bei Berlin, in Auftrag gegeben hatte. Der Rumpf wurde aus Holz hergestellt. Er hatte vorn einen Trapez-, hinten einen Dreiecksquerschnitt. Das elastische Höhenruder am Schwanzleitwerk sowie die Tragflächenverwindung wurden durch seitlich am Führersitz angebrachte Hand-räder in der Art des französischen Antoinette-Eindeckers betätigt. Das Seitenruder bediente der Pilot bereits mit einem Fußhebel. In diesen Eindecker baute Rumpler erstmals den Aeolus-Motor eigener Konstruktion ein. Mit dem Flugzeug gelangen im April und im Juni 1910 lediglich kurze Sprünge.

Im Juni 1910 entstand für den Rechtsanwalt Haefelin ein Eindecker, der anstelle der üblichen Tragflächenverwindung mit ausschwenkbaren Klappen versehen war, um die Quersteuerung zu bewirken. Das Flugzeug wurde hauptsächlich aus Holz gefertigt, mit Ausnahme des Fahrgestells, das aus Stahlrohr bestand. Wie beim vorherigen Stein-Eindecker war der Rumpf vorn trapezförmig und hinten dreieckig. Ebenso war die Quer- und Höhensteuerung über ein seitlich am Flugzeugführersitz gelagertes Handrad beibehalten worden. Wiederum wurde der Aeolus-Motor eingebaut. Der Apparat war flugunfähig.

Ebenfalls im Juni 1910 wurde ein von Walter Schudeisky in Auftrag gegebener Doppeldecker fertiggestellt. Der dreieckige Rumpf bestand aus Holzleisten, war im vorderen Teil karosserieförmig ausgelegt und mit Leinwand verkleidet. Die beiden unteren Tragflächen hatten eine starke V-Stellung. Die obere Tragfläche war kürzer und mit den unteren verbunden. Es war gewissermaßen ein dreieckförmiger Doppeldecker. Die seitlichen Handräder für Quer- und Höhensteuerung waren beibehalten worden. Der Apparat ist nie geflogen.

Im Juli 1910 verließ die Rumpler-Halle ein Eindecker für den Berliner Eggers. Der Rumpf war aus Holz gefertigt, vorn trapezförmig und hinten dreieckig. Die Steuereinrichtung entsprach den Vorgängermustern, der Motor auch. Der Apparat flog nicht.

Ebenfalls im Juli 1910 wurde ein Doppeldecker fertig, den der Berliner Plage als Kopie des französischen Farman-Gitterrumpf-Doppeldeckers bauen ließ. Das galt als eine sichere Angelegenheit,

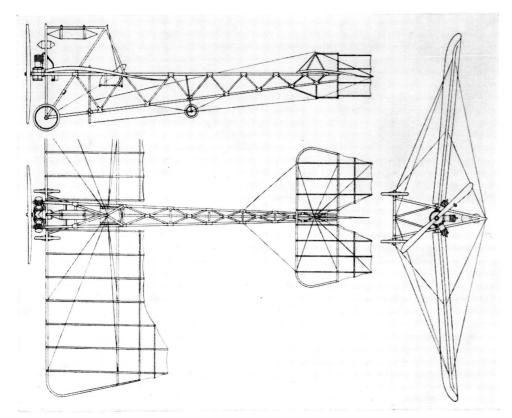

Dreiseitenansicht des bei Rumpler gebauten, flugunfähigen Pegelow-Eindeckers ⟨1910⟩: Spannweite 8,00 m; Flügelfläche rund 21,00 m²; Länge 7,70 m; Höhe 2,40 m; Startmasse 150 kg; Motor: 12-PS ⟨8,8 kW⟩-Anzani

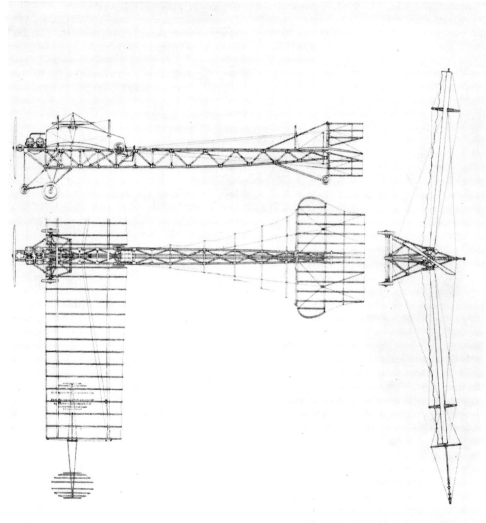

denn Kopien dieses Musters gelangen und flogen auf Anhieb. Nicht aber bei Rumpler, der den Doppeldecker wieder mit seinem Eigenbau-Motor ausstattete. Beim ersten Flugversuch konnte sich der Doppeldecker erst nach einer ungewöhnlich langen Rollstrecke vom Boden abheben, kam dann aber über den 3 m hohen Johannisthaler Flugplatzzaun nicht hinaus und wurde total zertrümmert.

Im Jahre 1910 wurde außerdem für den Berliner Brunsmann ein Schlagflügelapparat gebaut. Dieses Schwingenflugzeug war eine Konstruktion mit vier Flügelpaaren, die hintereinander angeordnet zu je zwei Paaren abwechselnd auf- und niederschlagen und das Ungetüm auf diese Weise in die Luft bringen sollten. Es war von vornherein klar, daß die technische Verwirklichung der Brunsmann-Idee eine Fehlkonstruktion werden mußte. Rumpler konstruierte und baute trotzdem. Dieser Apparat konnte nur seine Flügel bewegen. Er rollte nicht einmal im Gelände.

Zehn Flugapparate hatte Rumpler im Verlaufe von zwei Jahren für seine Auftraggeber gebaut. Neun davon konnten nicht zum Fliegen gebracht werden, einer hat den ersten Flugversuch wegen Totalschaden nicht überstanden. Das war die Bilanz des selbsternannten «Pioniers im Luftfahrzeugbau und Luftfahrzeugmotorenbau» Edmund Rumpler. Aber es war eine einträgliche Bilanz für den Unternehmer Rumpler, denn seine Kasse stimmte am Ende. Trotzdem hätte er wohl noch im Jahre 1910 seine Fabrikationsstätte wieder schließen müssen, weil sich seine Arbeitsergebnisse inzwischen herumgesprochen hatten, wenn ihm nicht überraschend eine neue einträgliche Geschäftsmanipulation gelungen wäre. Das nächste Opfer wurde sein erfolgreicher Landsmann, der Österreicher Igo Etrich.

Bei Rumpler gebaut und nie geflogen: Der Schudeisky-Doppeldecker ⟨1910⟩: Spannweite 12,00 m; Flügelfläche etwa 30,00 m²; Länge 11,50 m; Höhe 3,00 m; Motor: 50-PS⟨36,8 kW⟩-Rumpler «Aeolus»

Dreiseitenansicht des bei Rumpler gebauten, flugunfähigen Haefelin-Eindeckers ⟨1910⟩: Spannweite 15,60 m; Flügelfläche 28,00 m²; Länge 11,50 m; Höhe 3,00 m; Motor: 50-PS⟨36,8 kW⟩-Rumpler «Aeolus»

Mit der Tauben-Konstruktion Igo Etrichs, und zwar mit dem Muster «Etrich II», hatte Karl Illner im Mai 1910 in Österreich großes Aufsehen erregt, als ihm ein Dauerflug von 68 min in einer Höhe bis zu 300 m und ein Überlandflug von 100 km beim Hin- und Rückflug auf der Strecke zwischen Wiener Neustadt (Flugplatz) und Wien gelang. Beim Flugmeeting in Wiener Neustadt holte sich Illner im September 1910 mit der Etrich-Taube fast alle ausgesetzten Flugpreise.

Gleich nach den ersten Erfolgsmeldungen war Rumpler zu Etrich gereist, um von ihm einen Lizenzvertrag für die Nachbau- und Vertriebsrechte in Deutschland zu erlangen. Der Vertragsabschluß kam bald zustande, und Rumpler begann in Johannisthal mit dem Bau der «Etrich-Rumpler-Taube». Anfang Oktober 1910, zur «Nationalen Flugwoche», so verkündete er, würde das erste Muster fliegen. Das Flugzeug, nach Originalunterlagen zügig gebaut, wurde rechtzeitig fertig, aber es flog trotzdem nicht. Rumpler verpatzte die erste Vorführung dieser hervorragenden Konstruktion in der deutschen Öffentlichkeit dadurch, daß er wieder seinen selbstkonstruierten unzuverlässigen Aeolus-Motor eingebaut hatte. So vergingen die Tage der Flugwoche, aber die angekündigte Vorführung der Taube blieb aus. Wieder war ein Flugzeug bei Rumpler gebaut worden, das nicht flog; das elfte in ununterbrochener Folge.

Das war bereits ein Skandal, zumal hier ohne jegliche Änderung und Modifikation buchstäblich nur nachzubauen war. Da wandte sich Rumpler verzweifelt an Etrich um Hilfe. Dieser sandte unverzüglich seinen Werkmeister und Erfolgsflieger Karl Illner mit einer Original-Etrich-Taube nach Johannisthal. Er schaffte es gerade noch, am letzten Tag der Flugwoche, am 16. Oktober 1910, das Flugzeug vorzufliegen und Rumpler damit aus einer argen Verlegenheit zu helfen. Die Flüge

Illners wurden ein herausragender Erfolg und lösten allgemeine Begeisterung für das Flugzeug aus.

«Von Stund an», so beschrieb die erste deutsche Motorfliegerin, Melli Beese, in einem Artikel ihren Eindruck, «war die Taube der erklärte Liebling des großen Publikums, der Militärbehörden, Schüler und vieler, vieler Flieger.» Eine Leistung des Taubenkonstrukteurs Igo Etrich und seines Werkmeisters und Fliegers Karl Illner, zu der Rumpler nur durch seinen dringenden Hilferuf beigetragen hatte. Sie verschaffte ihm in der Folgezeit profitable Vorteile, denn mit der Etrich-Taube begann Rumplers Aufstieg zum erfolgreichen Flugzeugfabrikanten.

Zunächst aber glaubte Rumpler immer noch, daß sein wassergekühlter acht-

zylindriger Aeolus-Motor ein brauchbares Flugzeugtriebwerk sei. Er ging noch einmal das Risiko einer Blamage ein, bat Illner, noch zwei Wochen zu bleiben, und meldete die in seinen Werkstätten gebaute Taube mit dem selbstkonstruierten Motor zum «Überlandflug Bork – Johannisthal» an, der vom 28. bis 30. Oktober 1910 stattfinden sollte. Doch der erfahrene Illner mochte sich bemühen wie er wollte, der Rumpler-Motor war leistungsschwach und arbeitete unzuverlässig. So wurde statt der von Rumpler herbeigesehnten Erfolgsmitteilung in den Ergebnisprotokollen des Überlandfluges vermerkt, daß noch immer kein Flugzeug aus seiner Produktion flugfähig war: «Gemeldet, aber nicht gestartet: Karl Illner (Etrich-Rumpler-Eindecker).»

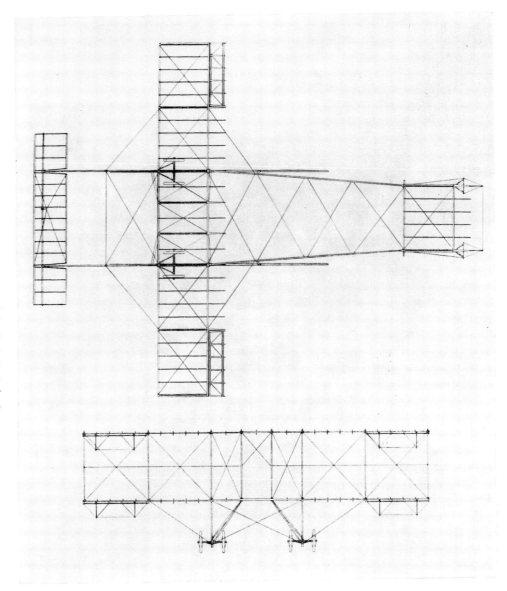

Zweiseitenansicht des bei Rumpler nach dem Farman-Vorbild gebauten Plage-Doppeldeckers (1910), der beim ersten Flugversuch total zertrümmert wurde: Spannweite 10,54 m; Länge 13,66 m; Höhe 3,64 m; Motor: 50-PS (36,8 kW)-Rumpler «Aeolus»

Die Original-Etrich-Taube
am 16. Oktober 1910 in Johannisthal –
als Hilfeleistung Igo Etrichs
und Karl Illners für Rumpler, der sich
selbst in Bedrängnis gebracht hatte

Bei Rumpler gebaut und nie geflogen:
Das Brunsmann-Schwingenflugzeug
〈1910〉

Nachdem der Aeolus-Motor nicht einmal die Taube zum Fliegen brachte, die bereits in mehreren Ländern mit fast jedem beliebigen Motor erfolgreich war, hat Rumpler endlich im März 1912 seine «Aeolus-Flugmotoren GmbH.» liquidiert. Die Tauben aus der Rumpler-Fabrik flogen sofort, als sie mit 50-PS-Antoinette-Motoren 〈36,8 kW〉 ausgerüstet wurden, obwohl diese auch nicht als besonders zuverlässig galten.

Weil Edmund Rumpler sich in späteren Jahren immer wieder als Schöpfer leistungsfähiger Flugzeuge ausgegeben hat, verdient es der folgende Sachverhalt, an dieser Stelle festgehalten zu werden: Das erste Flugzeug aus der Rumpler-Fabrikation flog erst dann, als daran kein konstruktives Element mehr von Ingenieur Edmund Rumpler stammte. Das war gegen Ende 1910.

Dann aber flogen auch die Tauben, und Rumpler brauchte jetzt Flugzeugführer, um die Eindecker einzufliegen, an Flugwettbewerben teilzunehmen und Flugschüler auszubilden. Da kam ihm das Angebot von Hellmuth Hirth sehr gelegen. Hirth hatte bereits mit August Eulers Hilfe versucht, Flugzeuge zu bauen und Flieger zu werden, sich aber dann im Herbst 1909 wieder von Euler getrennt, weil dieser zu jener Zeit noch vollständig damit beschäftigt war, sich erst einmal selbst das Fliegen auf einem angekauften Voisin-Doppeldecker beizubringen. Da Hirth nicht warten mochte, versuchte er, sich selbständig zu machen. Auf der ILA-Flugwoche in Frankfurt/Main sah er Louis Blériot auf seinem Eindecker fliegen. Er war davon hellauf begeistert, baute in der Fabrik seines Vaters in Cannstatt eine originalgetreue Kopie des Blériot-Eindeckers und probierte sie im Jahre 1910 mit verschiedenen Motoren aus. Doch seine Blériot-Kopie flog nicht.

In seinen Erinnerungen beschrieb er, wie es dann weiterging. «Bald erkannte ich jedoch, daß die ganze Sache nicht so einfach sei, und daß es mich viel Zeit und Geld kosten würde, sie selbst durchzuführen. Ich entschloß mich daher kurzer Hand, meine Versuche abzubrechen und

Die Etrich-Rumpler-Taube; dieses
Exemplar trug im Februar 1911
die große Rumpfbeschriftung
«Rumpler-Taube» und wesentlich
kleiner, unter der Tragfläche fast
versteckt, noch die Aufschrift «Bauart
Etrich-Rumpler» (die Zahl 84 am Rumpf
war wohl nur für den Fotografen
angebracht worden und sollte
vortäuschen, daß dieses bereits
das 84. Exemplar dieses Baumusters
sei, aber es wurden insgesamt nur
70 Etrich-Rumpler-Tauben gebaut)

Montage der Etrich-Rumpler-Tauben
(Frühjahr 1911)

Im Herbst 1910 in Johannisthal
noch in partnerschaftlicher Gemein-
samkeit: Edmund Rumpler, Igo Etrich
und Karl Illner (v.l.n.r.)

in irgendeiner bestehenden Flugzeugfabrik als Konstrukteur oder Flieger eine
Stellung anzunehmen. Ich hörte vom
Etrich-Eindecker in Wiener Neustadt, fuhr
dorthin, und wie ich den Apparat zum
ersten Mal in der Luft sah, gesteuert von
Illner, war für mich klar, daß es bis zum
damaligen Tag kein Flugzeug in der Welt
gäbe, das so entwicklungsfähig wäre wie
dieser Eindecker und ihm an Schönheit
und Stabilität gleichkäme. Etrich sagte
mir, daß er mir die Vertretung für Deutschland nicht mehr übergeben könne, da
diese bereits Herr E. Rumpler in Berlin

übernommen habe, ich möchte mich als
Deutscher an diesen wenden. Kurze Zeit
darauf war ich schon bei Herrn Rumpler,
und wir wurden noch am selben Tage
einig, daß ich bei ihm als Flieger eintre-
ten sollte. Ich begab mich wieder nach
Wiener Neustadt, um Schüler Illners zu
werden. Das war im Januar 1911.»

Im Auftrage Rumplers ließ sich Hirth
an der Etrich-Fliegerschule auf der Tauben-Konstruktion von Karl Illner zum Flugzeugführer ausbilden. Im März 1911
kehrte er nach Johannisthal zurück und
erwarb am 27. März 1911 die Flugzeugführererlaubnis Nr. 79. Von nun an avancierte er zum Chefpiloten und Fliegerstar
der Rumpler-Werke, völlig zu recht, denn
seine Ausbildung war gründlich gewesen.
Da die Tauben-Eindecker der Rumpler-
Fabrik inzwischen solide flogen, vermochte Hirth bald zu zeigen, was er
konnte. Er bildete an der Rumpler-Fabrik-
Fliegerschule etliche Flugschüler aus und
reiste von einer Flugveranstaltung zur
anderen, um für Rumpler möglichst viele
und möglichst hohe Flugpreise zu erfliegen, wovon er, Hirth, ein Drittel erhielt,
während der Flugzeugbesitzer zwei Drittel
beanspruchte.

Rumpler wollte mehr, denn er wußte,
daß er sich dank fremder Hilfe auf der
Aufstiegsleiter des kommerziellen Erfolges
befand. Er baute den Erfolgseindecker
Etrichs, und ein talentierter Erfolgsflieger
war ihm an der Etrich-Fliegerschule ausgebildet worden. Die Flugzeugbauauf-

träge nahmen zu. Jetzt, da er endlich festen Boden unter den Füßen spürte, ging es ihm darum, die Lizenzgebühren an Igo Etrich nicht mehr zahlen zu müssen. Dazu benutzte er den fadenscheinigen Vorwand des patentrechtlichen Streites zwischen Etrich und Ahlborn aus Hamburg, der öffentlich behauptete, daß ihm Etrich wegen des Hinweises auf die Flugeigenschaften des Zanonia-Samen eine finanzielle Beteiligung an Flugzeugen zugesagt hätte, die nach diesem Prinzip gebaut würden.

Rumpler hatte die Lizenzzahlungen kurzerhand seit jenem Tage eingestellt, als Hirth fertig ausgebildet von Etrich aus Wiener Neustadt zurückkehrte. Er versuchte in den folgenden Jahren sogar, die Taube als Rumpler-Konstruktion auszugeben. So konnte man später in einer Werkspublikation von Rumpler in der Darstellungsweise eines angeblich Außenstehenden lesen: «Im Jahre 1910 nahm Rumpler, nachdem er durch Professor Ahlborn ebenfalls auf die vorzüglichen Flugeigenschaften hingewiesen worden war, den Bau der Rumpler-Tauben auf. Sie haben in den Rumpler-Werken die Form erhalten, in der sie einen uner-

Hans Vollmoeller, einer der erfolgreichsten Flieger auf der Etrich-Rumpler-Taube ‹Sommer 1911›: Spannweite 14,00 m; Flügelfläche etwa 30,00 m²; Länge 10,20 m; Höhe 3,20 m; Motoren: zwischen 50-PS/36,8 kW und 120-PS/88,2 kW verschiedener in- und ausländischer Hersteller

Eine der wenigen Etrich-Rumpler-Tauben, die noch mit vorhandenen «Aeolus»-Motoren mit Wasserkühlung ausgerüstet wurden — erkennbar an dem bombastischen Kühleraufbau am Spannturm (im Bild — und vermutlich für die Rumpler-Reklame entgegenkommenderweise in die Sitze geklettert: die damals bekannte Schauspielerin Tilla Durieux und der Autor des Aviatikermärchens «Wieland», das im Deutschen Theater in Berlin aufgeführt wurde, Dr. Paul Vollmoeller, Bruder des Rumpler-Piloten Hans Vollmoeller)

Eine technische Verbesserung, die am Etrich-Rumpler-Eindecker eingeführt wurde: eine Bremse in der Mitte zwischen den Fahrwerksrädern

hörten Siegeszug antraten. Es konnte nicht ausbleiben, daß die Firma, die nun im Besitz einer so vortrefflichen Flugzeugkonstruktion war, mit Aufträgen stark überhäuft wurde.»

Hatte auf den ersten Lizenzbauten am Rumpf noch die Aufschrift «Etrich-Rumpler-Taube» oder «Rumpler-Taube/Bauart Etrich-Rumpler» gestanden, so war schon im Frühjahr 1911 am Rumpf zu lesen «E. Rumpler-Taube», was wohl als «Edmund-Rumpler-Taube» verstanden werden konnte. Kurz darauf hieß es nur noch «Rumpler-Taube» oder «Rumpler-Eindekker» oder «E. Rumpler, Luftfahrzeugbau». Und so schrieb Igo Etrich darüber: «Die sogenannte Rumpler-Taube war fertig! Da Rumpler nicht davon abzubringen war, meinen Namen als den des Konstrukteurs der Original-Taube zu verschweigen, löste ich den Lizenzvertrag und zog meine deutsche Patentanmeldung zurück. Da somit die Taube nicht mehr geschützt war, begannen mehrere deutsche Flugzeugfirmen, meine Taube zu kopieren.»

Professor Friedrich Ahlborn hat sich später selbst den Problemen des beginnenden Motorfluges zugewandt. Als am 3. April 1912 in Berlin die «Wissenschaftliche Gesellschaft für Flugtechnik» gegründet wurde, im April 1914 in «Wissenschaftliche Gesellschaft für Luftfahrt» umbenannt, trat er ihr bei und gehörte bald gemeinsam mit Rumpler dem Vorstand an. Er arbeitete im Ausschuß zur Beurteilung von Erfindungen und im Ausschuß für medizinische und psychologische Fragen mit.

Baugerüst für die Rumpler-Taube des Typs 3C

Dies ist die echte Baunummer 84 der Rumpler-Werke, ein Exemplar des verbesserten Rumpler-Eindeckers, Typ 3C, dessen Auslieferung im April 1913 begann; die Abmessungen blieben gegenüber der Etrich-Rumpler-Taube unverändert, Verbesserungen bezogen sich vor allem auf die seitlichen Lamellenkühler sowie das verstärkte Fahrwerksgerüst; als Motor wurde bevorzugt der 100-PS ⟨73,5 kW⟩-Mercedes verwendet

Totalbruch mit einer Rumpler-Taube des Typs 3C ⟨der den Aufbau der taubenschwanzähnlichen Heckflosse sichtbar macht⟩

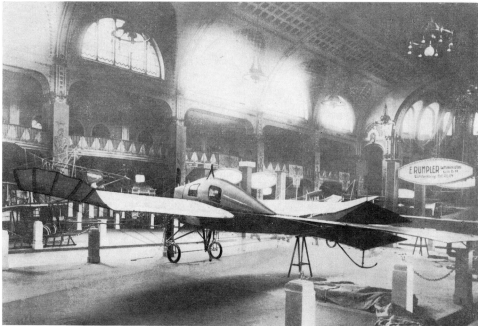

Die zweimotorige Loutzkoy-Taube mit zwei koaxial gelagerten Luftschrauben gleicher Drehrichtung wurde in einem Exemplar bei Rumpler gebaut ⟨Anfang 1912⟩

Die «Delpin»-Taube, ein Kabinenflugzeug, als Attrappe auf der «Allgemeinen Luftfahrzeug-Ausstellung» ⟨ALA⟩ im Jahre 1912 ausgestellt, aber nicht gebaut

Die bei Rumpler gebaute Etrich-Taube wurde im Verlaufe der folgenden Jahre von mehreren inzwischen angestellten Konstrukteuren wiederholt verbessert und mit immer stärkeren Motoren ausgestattet. Darunter waren ein 100-PS-Motor ⟨73,5 kW⟩ von Daimler und ein 120-PS-Motor ⟨88,2 kW⟩ von Argus. Dadurch sowie durch Hellmuth Hirths fliegerische Leistungen, zu dem sich bald andere bekannte Flugzeugführer als Rumpler-Piloten gesellten, z. B. Willy Rosenstein, Fridolin Keidel, Paul Victor Stoeffler, Werner Wieting und Otto Linnekogel, wurde

die Rumpler-Taube eines der erfolgreichsten und populärsten deutschen Motorflugzeuge vor dem ersten Weltkrieg.

Bis zum Kriegsbeginn wurden in den Rumpler-Werken etwa 200 Tauben-Eindecker der verschiedenen Modifikationen produziert. Der Gesamtverkaufspreis betrug mindestens 4 Millionen Mark bei Stückpreisen von 20 000 Mark im Jahre 1912 und 25 000 Mark im Jahre 1914, nicht eingerechnet die umfangreiche Ersatzteilproduktion an Flächen, Rümpfen, Fahrwerken u. a. Eine derartige Herstellungsserie erreichte in Deutschland vor dem ersten Weltkrieg kein anderes Motorflugzeugmuster.

Die Etrich-Taube wurde, Werkunterlagen der Rumpler-Fabrik zufolge, bis Dezember 1912 im Original oder mit geringfügigen Veränderungen nachgebaut. Der hölzerne Rumpf hatte im vorderen Teil einen trapezförmigen, im hinteren Teil einen einen dreieckigen Querschnitt. Ebenfalls aus Holz bestanden die Flügelholme und die Flügelrippen. Die elastischen Tragflächenenden sowie das taubenschwanzartige Höhensteuer waren aus Bambus gefertigt. Das Fahrgestell war mit zwei lenkbaren Rädern versehen und durch Spiralfedern abgefedert, die sich in teleskopartigen Stahlrohren befanden. Unter den Tragflächen verlief eine flügelversteifende Brücke, die durch Streben mit den mittleren Flügelholmen verbunden war. Einige der ersten Exemplare wurden noch mit 50-PS-Rumpler-Aeolus-Motor ⟨36,8 kW⟩ ausgerüstet, danach gab es Motoren mit den folgenden Leistungen: 50 PS ⟨36,8 kW⟩ der Typen Antoinette oder Gnôme; 70 PS ⟨51,5 kW⟩ des Dixi aus Eisenach oder der Typen Argus, Austro-Daimler und Mercedes; 80 PS ⟨58,8 kW⟩ des Hiero von «Werner & Pfleiderer»; 95 PS ⟨69,8 kW⟩ von NAG; 100 PS ⟨73,5 kW⟩ von Gnôme, Argus und Mercedes; 120 PS ⟨88,2 kW⟩ von Argus und Austro-Daimler. Insgesamt entstanden bei Rumpler 70 Exemplare des Tauben-Nachbaumusters.

Ab April 1913 wurde ein verbesserter Eindecker mit der Werksbezeichnung Typ 3C ausgeliefert, der sich äußerlich kaum vom Etrich-Rumpler-Eindecker unterschied. Die Verbesserungen bezogen sich vor allem auf die seitlichen Lamellenkühler. Außerdem war das Fahrwerkgestänge vereinfacht und verstärkt worden. Als Motor für dieses Flugzeug wurde bevorzugt der 100-PS-Mercedes ⟨73,5 kW⟩ verwendet.

Bereits im Jahre 1912 hatte es bei Rumpler einige interessante Varianten der Taube gegeben. Gleich zum Jahresbeginn wurde nach Angaben des russischen Ingenieurs Boris Loutzkoy, einem Mitglied der russischen Handelsvertretung in Deutschland, auf der Basis des Etrich-Rumpler-Eindeckers erstmals eine zweimotorige Taube gebaut. Dies war das erste zweimotorige deutsche Flugzeug. Es soll auch geflogen sein, aber darüber sind keine präzisen Angaben bekannt. Die Flügelfläche der Loutzkoy-Taube war um ungefähr 3 m² vergrößert. Das Fahrgestell erhielt zwei Radpaare mit Kufen. Als Antrieb wurden zwei 100-PS-Argus-Motoren ⟨73,5 kW⟩ hintereinander eingebaut, von denen zwei um dieselbe Achse und in gleicher Drehrichtung rotierende Zugpropeller angetrieben wurden. Dabei wurde die vordere Luftschraube

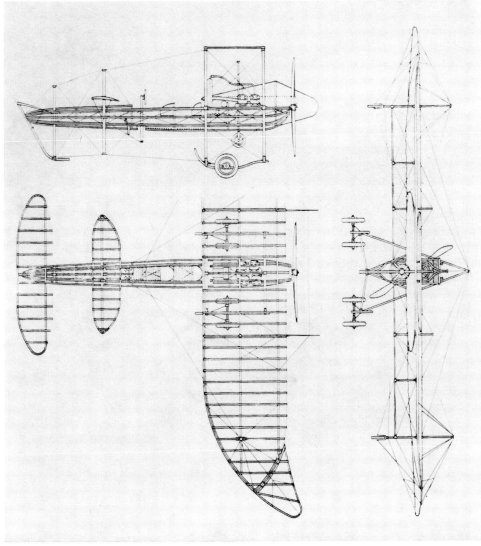

Die Rumpler-Taube des Typs «Berlin-Wien» ⟨1912⟩, mit der Hellmuth Hirth den Fernflug gewann, nach dem das Flugzeugmuster benannt wurde: Spannweite 12,60 m; Flügelfläche 22,00 m²; Länge 9,50 m; Motor: 100-PS⟨73,5 kW⟩-Daimler, ab 1913 auch als vergrößerte Version mit Argus-Motor gleicher Stärke gebaut

Hellmuth Hirth – ab März 1911 Chefpilot und Fliegerstar der «Rumpler-Luftfahrzeugbau GmbH.»

Dreiseitenansicht der Sohlmann-Ente ⟨1912⟩, die bei Rumpler gebaut wurde und nicht flog

direkt mit 1300 U/min und die hintere über eine Kette untersetzt mit 800 U/min angetrieben. Das Flugzeug wurde nach seiner Erprobung auf der «Allgemeinen Luftfahrzeug-Ausstellung» ⟨ALA⟩ vom 3. bis 14. April 1912 in Berlin ausgestellt. Es ist nur in diesem einen Exemplar gebaut worden.

Im Jahre 1912 entstand auch das Projekt einer Delphin-Taube mit geschlossener Flugzeugführer- und Fluggastkabine. Dazu war eine Kabinenüberdachung über den vorderen Rumpfteil der Etrich-Rumpler-Taube gestülpt worden. Das Flugzeug wurde als Attrappe ebenfalls auf der ALA ausgestellt, aber da keine Aufträge eingingen, wurde es nicht gebaut.

Eine Auftragsproduktion, die zwischendurch im Juni 1912 nach Plänen von Professor Sohlmann fertiggestellt wurde, war ein zweisitziger Eindecker in der Entenbauweise. Die Sohlmann-Ente hatte vorn eine feststehende Stabilisierungsfläche und dahinter – zwischen dieser Stabilisierungsfläche und den Tragflächen – ein Höhenruder. Danach, ebenfalls noch vor den Tragflächen, folgten zwei hintereinander angeordnete Sitze. Auf den Tragflächen standen aufrecht zwei Seitenruder. An den äußeren Enden von Brücken, die unterhalb der Tragflächen verliefen und diese stützten, waren Stützräder angebracht. Das Fahrwerk bestand aus zwei Räderpaaren mit Kufen. Eine größere Gleitkufe befand sich unter der vorderen Stabilisierungsfläche.

Mit diesem Bauauftrag ist Rumpler wieder in seine Mißerfolgspraktiken zurückgefallen, die sein Geschäft bis zum Sommer 1910 gekennzeichnet hatten. Sicherlich war er sich dessen bewußt, daß die Sohlmann-Ente nicht fliegen würde. Er machte die Sache komplett und baute wieder einen seiner 50-PS-Aeolus-Motoren ⟨36,8 kW⟩ ein. Als Sohlmann, der in Finnland lebte, wieder nach Johannisthal kam, um seinen Flugapparat zu übernehmen, konnte er damit lediglich auf dem Fluggelände herumrollen.

Das Geschenk für «Seine Majestät den Deutschen Kaiser» ⟨1913⟩

Der Rumpler-Eindecker des Typs 4C in der Hinteransicht

Werner Wieting – Nachfolger Hellmuth Hirths als Chefpilot der Rumpler-Werke ⟨1913⟩

Eine deutliche Weiterentwicklung der Taube kam mit dem Typ «Berlin-Wien» zustande, dessen erstes Exemplar im Mai 1912 das Werk verließ. Erstmals waren die Tragflächen ohne Zwischenraum vollständig am Rumpf angesetzt. Dieser Tauben-Eindecker hatte keine Brücke mehr unter den Tragflächen und außerdem war der Spannturm verkürzt worden. Der Rumpfquerschnitt war nunmehr vorn oval und ging nach hinten allmählich in ein kreisrundes Profil über. Die Schwanzfläche mit dem Höhenruder spreizte sich nicht mehr taubenschwanzähnlich, sondern sie hatte eine gerundet-geschwungene Form. Mit einem starken 100-PS-Daimler-Motor ⟨73,5 kW⟩ ausgerüstet, gewann Hellmuth Hirth mit diesem Zweisitzer den Fernflug Berlin ⟨Johannisthal⟩ – Wien im Juni 1912. Dieser Flugzeugtyp wurde im Jahre 1913 auch als vergrößerte Variante mit Spannweite von 13,60 m, Länge 8,50 m und Höhe 3,20 m gebaut. Eine Version hatte zwei nebeneinander liegende Sitze.

Der Schuldoppeldecker 4A ⟨B I⟩ aus
dem Jahre 1914: Spannweite ⟨oben⟩
13,00 m; Länge 8,40 m; Höhe 3,10 m;
Leermasse 750 kg; Startmasse 970 kg;
Höchstgeschwindigkeit 145 km/h;
Motor: 100-PS⟨73,5 kW⟩-Mercedes bzw.
105-PS⟨77,2 kW⟩-Daimler

Höhenrekordflugzeug der Rumpler-
Werke des Typs 4C ⟨1914⟩: Spannweite
13,80 m; Flügelfläche 29,00 m²;
Länge 8,20 m; Höhe 3,10 m;
Motor: 100-PS⟨73,5 kW⟩-Mercedes

Otto Linnekogel mit Sauerstoffmaske
nach seinem Rekordflug auf 6300 m
am 31. März 1914 in Johannisthal

Das Jahr 1912 brachte für Rumpler
einen weiteren kommerziellen Aufstiegs-
erfolg, denn er fand Anschluß an die militärische Auftragsproduktion. Schon längere Zeit hatte er den einflußreichen
Großadel und die Generalität hofiert, sie
zu Flugvorführungen und Werksbesichti-
gungen eingeladen, ihnen erklärt, daß
die leistungsfähige Taube sich ebenso
gut als Militärflugzeug eigne. Nachdem
das Kriegsministerium im Januar 1912 den
beschleunigten Ausbau der Fliegertruppe
beschlossen hatte, erhielt Rumpler seinen
ersten Militärauftrag über 16 Tauben-
Eindecker. Nun begann bei Rumpler die
Serienproduktion, denn es war abzu-
sehen, daß weitere militärische Bauaufträge folgen würden.

Aus Dankbarkeit, wie auch in Erwartung künftiger Rüstungsaufträge, initiierte
Rumpler im Jahre 1913 mit großem Rekla-
meaufwand ein Flugzeuggeschenk ganz
besonderer Art. Eine Rumpler-Taube
wurde dem Kaiser übergeben, und auf
dem Flugzeugrumpf stand aufgemalt:
«RUMPLER-TAUBE, gestiftet Seiner Majestät dem Deutschen Kaiser von den deutschen Waffen -und Munitionsfabriken».
Rumpler verstand sich also spätestens im
Jahre 1913 als Waffenfabrikant. Das war
er zu diesem Zeitpunkt auch längst. Damit nicht etwa eine Panne dadurch ein-
treten könnte, daß er als Österreicher
eines schönen Tages von den deutschen
Militärs gemieden wurde, womit angesichts der erkennbaren Kriegsvorberei-
tungen gerechnet werden mußte, nahm
er noch im Jahre 1913 die deutsche Staats-
bürgerschaft an.

Mit der Übernahme und Zunahme mili-
tärischer Bauaufträge war eine deutliche

Erhöhung des Arbeitstempos in der
Rumpler-Fabrik verbunden, denn die
möglichst rasche Lieferung der bestellten
Flugzeuge war bereits wieder Bestand-
teil des Wettlaufes um weitere Bestellungen. Auch die Belastungen der bei
Rumpler angestellten Flugzeugführer erhöhten sich, denn sie hatten an Flugwettbewerben teilzunehmen, private und zunehmend uniformierte Flugschüler auszubilden, eine wachsende Anzahl fabrik-
neuer Flugzeuge einzufliegen und sie zur
Auslieferung zum Militärflugplatz Döberitz bei Spandau in der Nähe von Berlin
zu fliegen.

Angesichts der enorm wachsenden Be-
lastungen, die Rumpler auch noch mit
Lohnkürzungen zu verknüpfen suchte,
stieg die Unzufriedenheit unter den
Arbeitern und den Fliegern der Rumpler-
Werke. Die sozialkritische Zeitschrift «Der
Kritiker» veröffentlichte im Jahre 1913
unter der Überschrift «Flug-Rundschau»

Rumpler-5A 2 ⟨C I⟩ besaß als
kennzeichnendes Merkmal seiner
Bauvarianten einen am Oberflügel
aufgehängten Motorkühler ⟨1915⟩:
Spannweite 12,15 m; Länge 7,85 m;
Leermasse 793 kg; Startmasse 1333 kg;
Höchstgeschwindigkeit 150 km/h;
Motor: 160-PS⟨117,6 kW⟩-Daimler

Mit dem zweimotorigen Versuchs-
bombenflugzeug 4A 15 wurden im März
1915 Fluglasterprobungen unternommen,
dabei wurden mit sechzehn Personen an
Bord 1800 Meter Höhe erreicht:
Spannweite 18,75 m; Länge 11,80 m;
Motoren: zwei 150-PS⟨110,3 kW⟩-Benz

Berichte über die Vorgänge auf dem
Flugplatz Johannisthal, in denen es hieß:
«Rumpler läßt sich jetzt — es geht ihm
vielleicht zu gut — in Lohnstreitigkeiten
mit seinen Klempnern und Schlossern ein.
Sie streikten. Auch Rumpler-Flugzeug-
führer und Fluglehrer laufen mit finsteren
Mienen umher», weil man versucht, «ihnen
den bisherigen Verdienst herabzumin-
dern.» Im gleichen Bericht wurde darauf
hingewiesen, daß Rumpler «z. B. im ver-
gangenen Jahr allein 200 000 Mark an
Schülerhonorar vereinnahmt» habe, die
Fluglehrer aber, die diese Schüler aus-
bildeten, «bis auf die Knochen ausge-
nutzt» werden.

Der erste, der sich angesichts dieser
Situation von Rumpler trennte, war Hellmuth Hirth. Im Frühjahr 1913 ging er zu
den Johannisthaler Albatros-Werken,
wurde dort Technischer Direktor und ließ
sofort die erste Albatros-Taube bauen,
einen Eindecker, mit dem er seine erfolgreichen Flüge fortsetzte. Hirths Arbeits-
platzwechsel war ein Signal, denn zur
gleichen Zeit wandten sich auch die bewährten Fluglehrer Willy Rosenstein und
Fridolin Keidel von Rumpler ab. Ihm
blieb nichts anderes übrig, als am Schreib-
tisch seines Büros, das sich damals noch
in Berlin-Lichtenberg befand, in einem
denkbar knappen Arbeitszeugnis mit drei
Sätzen zu bescheinigen, daß sie «auf
eigenen Wunsch» das Werk verlassen.
Im Februar 1914 wurde Werner Wieting
von Rumpler als Chefpilot eingesetzt.

In den deutschen Flugzeugfabriken waren bereits zur Beaufsichtigung der militärischen Flugzeugproduktion ausgewählte Kontrolloffiziere mit der offiziellen
Bezeichnung «Bauaufsicht» eingesetzt
worden. Noch im gleichen Jahr, etwa im
Sommer 1914, wurde die «Rumpler-Luftfahrzeugbau GmbH.» in «Rumpler-Werke
GmbH.» umbenannt. Zu dieser Zeit war
die Rüstungsproduktion bei Rumpler im
vollen Gange. Es entstanden zudem im
Jahre 1914 einige neue Baumuster, die
Rumpler für die militärische Verwendung
anbot.

Zunächst erregte ein neuer Tauben-Eindecker beträchtliches Aufsehen. Das war
der Typ 4C, mit dem Otto Linnekogel in
kurzen Zeitabständen neue Höhenflugrekorde aufstellte. Mit einem Passagier
erreichte er folgende Höhen: 4200 m am
18. Februar 1914, 4670 m am 13. März
1914 und 5500 m am 24. März 1914. Im
Alleinflug gelangte er am 31. März 1914
auf 6300 m Höhe. Dieses Flugzeug war im

Januar 1914 eingeflogen worden. Der Rumpf hatte einen rechteckigen Querschnitt. Erstmals bei Rumpler-Flugzeugen erfolgte die Quersteuerung nicht mehr durch Tragflächenverwindung, sondern dadurch, daß die äußeren Flügelenden mit Scharnieren als Querruderklappen dienten. Auch die Form der Höhenruderflossen hatte sich verändert.

Im Januar 1914 begann Rumpler erstmals mit dem Bau von flugfähigen Doppeldeckern. Der erste Doppeldecker 4A, militärische Bezeichnung B I, verließ das Werk im März 1914. Die Tragflächen hatten eine leichte Pfeilstellung. Für die oberen Flächen, an denen sich die Querruderklappen befanden, war eine annähernde Taubenflügelform beibehalten worden. Der Motorkühler lag nicht mehr seitlich am Rumpf, sondern direkt über dem Motor. Das Auspuffrohr verlief rüsselartig abwärts nach hinten. Der Schuldoppeldecker 4A wurde mit 100-PS-Mercedes ⟨73,5 kW⟩ oder 105-PS-Daimler ⟨77,2 kW⟩ geflogen. Das Muster wurde in Variationen als Typ 4A 13 mit 105-PS-Daimler ⟨77,2 kW⟩ und seitlichen Lamellenkühlern sowie als 4A 14 mit 150-PS-Benz ⟨110 kW⟩ gebaut.

Ein Jahr später, 1915, entstand der Aufklärungsdoppeldecker 5A 2 ⟨C I⟩, eine übliche Bauausführung, aber daran erkennbar, daß der Motorkühler an der oberen Tragfläche aufgehängt war. Das Flugzeug wurde mit 160-PS-Daimler-Motor ⟨117,6 kW⟩ geflogen. Variationen wurden als Typen 5A 2a ⟨C Ia⟩ und 5A 3 ⟨C II⟩ mit 180-PS-Argus ⟨132,3 kW⟩ gebaut.

Ebenfalls im Jahre 1915 entstand das zweimotorige Bombenflugzeug des Rumpler-Typs 5A 15 ⟨G I⟩ in Holzbauweise. Das Fahrwerk bestand aus zwei Räderpaaren und zwei Bugrädern. Die Motoren von Benz bzw. von Daimler waren auf die unteren Tragflächen aufgesetzt und trieben Druckpropeller an. Ein vorausgegangenes Muster 4A 15 war im Auftrage des Reichs-Marine-Amtes als Versuchsflugzeug gebaut worden. Am 15. März 1915 wurden Fluglasterprobungen unternommen. Dabei erreichte das Versuchsflugzeug mit 10 Personen an Bord 3200 m Höhe und mit 16 Personen 1800 m Höhe. Es verbrannte nach einer Havarie am 17. April 1915, führte aber zum Bauauftrag für mehrere Exemplare, die dann als Typ 5A ⟨G I⟩ bezeichnet wurden.

Während des ersten Weltkrieges wurden bei Rumpler mehrere weitere Dop-

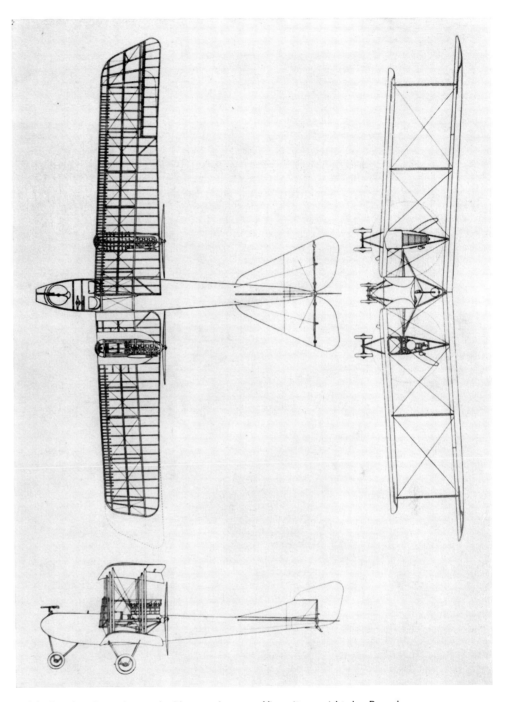

peldecker für die militärische Verwendung, darunter auch einige Jagdeinsitzer, entwickelt.

Bereits im Jahre 1912/13 begannen sich die Rumpler-Konstrukteure mit dem Bau von Seeflugzeugen für die Marine zu beschäftigen. Mehrere derartige Baumuster wurden in der Rumpler-Seefliegerstation am Berliner Müggelsee südlich des Friedrichshagener Spreetunnels montiert, auf Schwimmer gesetzt und erprobt. Heute befindet sich dort eine große Sport-

Vierseitenansicht des Rumpler-Bombenflugzeugs 5A 15 ⟨G I⟩

Nach den Lasterprobungen entstand
das zweimotorige Bombenflugzeug
5A 15 ⟨G I⟩ im Jahre 1915:
Spannweite 19,28 m; Länge 11,80 m;
Leermasse 2000 kg; Startmasse 3000 kg;
Höchstgeschwindigkeit 145 km/h;
Motoren: zwei 150-PS⟨110,3 kW⟩-Benz
bzw. 160-PS⟨117,6 kW⟩-Daimler

Seitenansicht der Wassertaube des Typs
3F ⟨1913⟩, eine auf Schwimmer gesetzte
Landtaube

Rumpler-Wasserdoppeldecker ⟨1914⟩,
ein auf Schwimmer gesetzter
Landdoppeldecker 4A ⟨B I⟩

bootanlage mit Bootshäusern und Anle-
gestegen.

Zuerst wurde Ende 1912/Anfang 1913
eine serienmäßig hergestellte Taube auf
einen breiten Zentralschwimmer gesetzt.
Dadurch entstand die Wassertaube 3C,
ausgestattet mit einem 100-PS-Argus-
Motor ⟨73,5 kW⟩. Die Versuche befriedigten aber nicht. Deshalb wurde das Triebwerk gegen einen 100-PS-Daimler-Motor
⟨73,5 kW⟩ ausgetauscht sowie das Flugzeug auf zwei Hauptschwimmer und einen
kleinen Heckschwimmer gesetzt. Der
Schwimmerabstand betrug von Mitte zu
Mitte 3,00 m, die Länge der Schwimmer
4,00 m und ihre Breite 0,80 m. Dieses
Flugzeug wurde als Typ 3F bezeichnet.
Aber auch seine Erprobung blieb unter
den gesetzten Erwartungen. Die Schwim-
merform war noch unzureichend ausgebildet, wodurch die Wassertaube nur
langsam in Fahrt kam und nur schwer abheben konnte.

Die Versuche wurden im Jahre 1914
mit Doppeldeckern ohne Stützschwimmer
am Heck fortgesetzt. Ein Landdoppeldek-
ker des Typs 4A wurde auf zwei bootsför-
mige, hydrodynamisch zweckmäßig aus-
geformte Schwimmer gesetzt. Dieses See-
Schulflugzeug bezeichnete man mit dem
105-PS-Daimler-Motor ⟨77,2 kW⟩ als Typ
4B 1 und mit dem 150-PS-Benz-Motor
⟨110,3 kW⟩ als Typ 4B 2.

Eine weitere Variante dieses Doppeldeckers, die sich vom Typ 4B 1 durch schrä-
ge Flügelstiele unterschied, wurde als
Typ 4B 11 für den Ostsee-Wasserflug-
Wettbewerb im August 1914 in Warnemünde vorbereitet. Wegen des Kriegsbeginns übernahm die Marineverwaltung
sämtliche 26 Wasserflugzeuge verschiedener Konstruktion, die damals startbereit
in Warnemünde lagen.

Im Jahre 1914 wurde noch das Rump-
ler-Flugboot 4E in Holzbauweise fertiggestellt. Der Bootsrumpf ohne Seitensteuer hatte eine Länge von 8,15 m. Die
Höhenflosse hatte eine Spannweite von
3,00 m. Ein zwischen den Tragflächen des
Doppeldeckers aufgehängter 120-PS-
Austro-Daimler-Motor ⟨88,2 kW⟩ trieb
einen Druckpropeller an.

Im Jahre 1916 entstanden bei Rumpler
zwei Varianten eines See-Jagdeinsitzers
mit 160-PS-Daimler-Motor ⟨117,6 kW⟩.
Diese Flugzeuge glichen im wesentlichen
dem Landflugzeug 5A 2 ⟨C I⟩. Sie wurden
mit den Rumpler-Typenbezeichnungen
6B 1 und 6B 2 versehen.

Im ersten Weltkrieg dehnte Rumpler

Die Wassertaube ⟨3F⟩ auf dem Berliner Müggelsee

Zwei Ansichten des Flugbootes Typ 4E ⟨1914⟩
Spannweite ⟨oben⟩ 15,70 m; ⟨unten⟩ 12,00 m; Länge 8,94 m; Höhe 3,00 m; Motor: 120-PS ⟨88,2 kW⟩-Austro-Daimler

Plazierungen mit Etrich-Rumpler-Tauben bei Flugwettbewerben bis zum Jahre 1912

Wettbewerb	Pilot	Platz	Preis
Deutscher Zuverlässigkeitsflug am Oberrhein, 19. bis 27. Mai 1911	Hellmuth Hirth	1.	22 609 M
Nachwuchsflugwoche in Johannisthal 4. bis 11. Juni 1911	Bruno Jablonski	9.	1 334 M
Deutscher Rundflug, 11. Juni bis 10. Juli 1911	Hans Vollmoeller	2.	91 554 M
Kathreiner Preis ⟨München – Nürnberg – Leipzig – Berlin⟩, 29. bis 30. Juni 1911	Hellmuth Hirth	1.	50 000 M
Schwäbischer Überlandflug 10. bis 18. September 1911	Hans Vollmoeller	1.	22 284 M
	Hellmuth Hirth	3.	9 262 M
Flugwoche Johannisthal, 24. September bis 1. Oktober 1911	Josef Suvelack	2.	3 259 M
	Melli Beese	5.	2 499 M
	Karl Caspar	11.	1 334 M
Zweiter Deutscher Zuverlässigkeitsflug am Oberrhein, 12. bis 21. Mai 1912	Hellmuth Hirth	1.	nicht bekannt
Flugwoche Johannisthal, 24. bis 31. Mai 1912	Willy Rosenstein	2.	6 092 M
	Wilhelm Albers	8.	1 325 M
	Anselm Marchal	10.	675 M
Überlandflug Berlin – Wien, 9. bis 12. Juni 1912	Hellmuth Hirth	1.	40 228 Kronen und 16 115 M
Nordmarkenflug, 16. Juni bis 2. Juli 1912	Paul Victor Stoeffler	1.	14 263 M
	Hellmuth Hirth	2.	3 911 M
Krupp-Flugwoche, 4. bis 11. August 1912	Heinrich Lübbe	7.	4 823 M
	Wilhelm Albers	15.	1 500 M
Rund-um-Berlin-Flug, 31. August bis 1. September 1912	Hellmuth Hirth	4.	4 743 M
Süddeutscher Flug, 14. bis 20. Oktober 1912	Hellmuth Hirth	1.	12 500 M

Anmerkung: Es sind nur jene Wettbewerbsleistungen genannt, bei denen Flieger auf werkseigenen Tauben-Eindeckern für Rumpler flogen.
In diesem Falle erhielt Rumpler als Flugzeugeigner den vollen Flugpreis, von dem er ein Drittel ⟨wie bei seinem Chefpiloten Hirth⟩ oder weniger an den erfolgreichen Flugzeugführer auszahlte.
Bis zum Oktober 1912 wurden von den Organisatoren allein der Großflugveranstaltungen 227 701 Mark an Rumpler überwiesen.

sein Unternehmen weiter aus. In Müncheberg, östlich von Berlin, richtete er eine «Rumpler Militär-Fliegerschule» ein, die am 1. Mai 1915 ihren Flugbetrieb aufnahm. Bis Kriegsende wurden dort auf Rumpler-Flugzeugen nahezu 500 Militärflieger ausgebildet. Allein im Jahre 1918 standen dafür in Müncheberg 24 Flugzeuge zur Verfügung.

Ein weiteres Zweigunternehmen großen Ausmaßes, die «Bayerische Rumpler-Werke A.G.», wurde am 24. Oktober 1916 in Augsburg gegründet. Bereits im Mai 1917 lief dort in den Produktionshallen auf einer Fläche von 4900 m² der Serienbau von Rumpler-Militärflugzeugtypen C I und C IV an. Die Monatsproduktion stieg bis März 1918 auf 17 Flugzeuge. Im Oktober 1918 waren im Augsburger Werk 804 Arbeiter beschäftigt. Nach dem Kriege wurde von dort der «Rumpler-Luftverkehr» auf den Linien Augsburg – München – Berlin und Augsburg – Fürth/ Nürnberg – Leipzig betrieben.

Vom Sprung zum Flug

Die geschilderten Anfangsjahre des Motorfluges waren von dem ungeduldigen Streben gekennzeichnet, sich endlich mit einer Flugmaschine in die Luft zu erheben und zu fliegen – möglichst hoch und schnell, aber auch möglichst lange und weit. Mit den treffenden Worten «vom Schritt zum Sprung, vom Sprung zum Flug» und «von Dorf zu Dorf, von Stadt zu Stadt, von Land zu Land» hat der französische Förderer des Motorfluges Ferdinand Ferber seinerzeit diesen schwierigen Beginn und seine Entwicklungsetappen beschrieben. Und wie rasch ging es dann voran, nachdem die ersten Hopser und kurzen Flüge gelungen waren!

Am 17. Dezember 1903 durchflog Orville Wright in 12 s eine 53-m-Strecke in 3 m Höhe. Nach eigenen Angaben der Brüder Wright betrug die Fluggeschwindigkeit 31 Meilen/h ⟨eine amerikanische Landmeile = 1609,3 m⟩. Das entspricht einer Geschwindigkeit von ungefähr 50 km/h. Bemerkenswert ist, daß schon zehn Jahre später, am 29. September 1913, von Maurice Prévost erstmals die 200-km/h-Geschwindigkeit überschritten wurde. Ein paar Monate danach, am 31. März 1914, waren aus den ersten Höhenmetern von Wright durch einen Flug von Otto Linnekogel bereits 6,3 Höhenkilometer geworden. Zu jener Zeit lief längst die Flugzeugserienproduktion: seit 1910 bei Blériot, seit 1912 bei Rumpler.

Viele der ersten Versuche zur Lösung des Motorflugproblems erscheinen uns heute unbeholfen und umwegig. Das waren sie auch, wenn sie aus gegenwärtiger Sicht bewertet werden, die über gänzlich andere wissenschaftliche Einsichten und technische Realisierungsmöglichkeiten verfügt als sie den Experimenteuren und Konstrukteuren jener Jahre gegeben waren. Werden aber gerechterweise der damalige Erkenntnis- und Entwicklungsstand zum Maßstab der Beurteilung erhoben, dann ist leicht zu erkennen, daß dieses Damals eine kreative Zeit war, die empirisches Vorgehen zu einer unerläßlichen Bedingung des möglichen und nicht einmal des garantierten Erfolges machte. Jedem, der fliegen wollte, wurde ein hohes Quantum an Einfallsreichtum und Wagemut abverlangt. So betrachtet, verdient selbst mancher Mißerfolg, der am Ende suchender Mühen stand, respektvolle Wertschätzung. So hat unser heutiges modernes Flugwesen eben einmal angefangen.

Mancherlei fällt auf, wenn jene Jahre und Jahrzehnte resümierend überschaut werden. Da ist zunächst die Unbekümmertheit, mit der die Konstrukteure zu Werke gingen. In erstaunlich kurzen Bauzeiten von mitunter nur wenigen Wochen entstand ein Versuchsmuster. Dann folgte die Erprobung, die gewöhnlich ein Mißerfolg wurde. In ebenso kurzer Zeit wurde – oft aus den Trümmern – ein neuer, verbesserter Flugapparat aufgebaut und wiederum sofort erprobt. In dieser Folge von Bauen, Erproben, Mißerfolg, Verbessern und erneutem Erproben verlief zumeist der Weg zum allmählichen und dann immer besser beherrschten Fliegen.

Auf diese Weise offenbarte sich auch zielstrebige Hartnäckigkeit als Voraussetzung für flugzeugtechnische Erfolge, denn jeder, der damals Flugzeuge bauen und damit fliegen wollte, mußte von der Realisierbarkeit seiner Idee so fest überzeugt sein, daß er persönliche finanzielle Opfer und Gefahren für die körperliche Unversehrtheit zumindest aus seinem Bewußtsein verdrängte. Doch genügte das Engagement nicht, denn mancher Triumph wurde verhindert, weil eines Tages das Geld nicht mehr zum Weiterbauen ausreichte. Immer dann stand Resignation am Ende einens hoffnungsvollen Bemühens. Und – wer vermag wohl heute zu entscheiden, ob nicht Kress, Philips oder Ellehammer schließlich erfolgreicher gewesen wären, wenn ihnen die finanziellen Mittel eines Maxim oder Santos-Dumont zur Verfügung gestanden hätten?

Aus dieser Sicht wird in Betracht zu ziehen sein, daß auch kostensparende Überlegungen eine Rolle gespielt haben, wenn sich Brüder zu einem Motorflugvorhaben zusammenschlossen, denn daraus ergaben sich mehrere Vorteile. Die Brüder finanzierten das Bauen und Erproben gemeinsam. Familienmitglieder brauchten auch nicht entlohnt zu werden wie etwa Mechaniker, Monteure und Versuchsflieger. Außerdem blieben bei solchem Vorgehen selbst neue konstruktive Ideen im Familienbesitz, denn einer gab dem anderen, wodurch vielerlei Patentstreitigkeiten umgangen werden konnten, die damals allgemein üblich waren. Insofern trugen Brüder die Risiken gemeinsam, meist auch den kommerziellen Erfolg, sofern er sich einstellte. So wird das Phänomen verständlich, daß in den schwierigen Anfangsjahren oft Geschwister an einem Projekt arbeiteten: Orville und Wilbur Wright, Gabriel und Charles Voisin, Henry und Maurice Farman, Edouard und Charles de Niéport, Jacob und Wilhelm Ellehammer, Bruno und Willi Hanuschke ...

Personenregister

Unternehmens- und Vereinigungsregister

Bücher und Broschüren

Aviatik. 16. Sonderheft der Zeitschrift «Die Woche». Berlin o. J.

Béjeuhr, P.: Das Fliegen. Berlin 1914

Bley, W.: Sie waren die Ersten... Leipzig 1940

Bund Deutscher Flugzeugführer E. V. (Hrsg.): Die Flieger. Berlin 1914

Die Eroberung der Luft. Stuttgart-Berlin-Leipzig 1920

Die Rumpler-Werke A. G. Berlin 1919

Duhs, P. D.: Die Geschichte der Luftschiffahrt und des Flugwesens in Rußland ⟨russ.⟩. Moskau 1981

Euler, A.: Luftfahrt-Erinnerungen nach 30 Jahren. Frankfurt/Main 1939

Eyermann, K.-H.: Die Luftfahrt der UdSSR 1917–1977. Berlin 1977 und 1983

Feldhaus, F. M.: Altmeister des Segelfluges. Berlin o. J.

Ferber, K.: Die Kunst zu fliegen, ihre Anfänge – ihre Entwickelung. Berlin 1910

Flieger-Jahrbuch 1979. Berlin 1979

Fokker, A. H. G.: Gould, B.: Der fliegende Holländer. Das Leben des Fliegers und Flugzeugkonstrukteurs A. H. G. Fokker. Zürich 1933

Fölz, G.: Luftfahrt zwischen Nord- und Ostsee. Neumünster 1975

Heichen, W.: Abenteuer der Luft. Berlin–Kattowitz–Leipzig 1912

Heimann, E. H.: ... und unter uns die Erde. Stuttgart 1967

Hildebrandt, A.: Die Brüder Wright. Berlin 1909

Hildebrandt, A.: Die Luftschiffahrt. München–Berlin 1907

Hirth, Hellmuth: 20 000 Kilometer im Luftmeer. Berlin 1913

Hoernes, H.: Buch des Fluges. Band II/III. Wien 1911/12

Huth, F.: Motoren für Flugzeuge und Luftschiffe. Berlin 1920

Italiaander, R.: Spiel und Lebensziel. Der Weg des ersten deutschen Motorfliegers Hans Grade. Berlin 1939

Jahrbuch der Wissenschaftlichen Gesellschaft für Luftfahrt. Berlin 1914

Keimel, R.: Österreichs Luftfahrzeuge. Geschichte der Luftfahrt von den Anfängen bis Ende 1918. Graz 1981

Kirchhoff, A.: Die Erschließung des Luftmeeres. Leipzig 1912

Korolewa, E. W.; Rudnik, W. A.: Konkurrenten der Adler ⟨russ.⟩. Moskau 1981

Kosmodemjanski, A. A.: Konstantin Eduardowitsch Ziolkowski. Leipzig 1979

Krylow, W.: Die Geschichte der Luftfahrt. Berlin 1953

Lange, B.: Das Buch der deutschen Luftfahrttechnik. Mainz 1970

Lilienthal, O.: Der Vogelflug als Grundlage der Fliegekunst. 4. Aufl. München–Berlin 1943

Mondey, D.: Illustrierte Geschichte der Luftfahrt. München 1980

Literaturverzeichnis

Mondini, A.: Kleine Geschichte des Fliegens ⟨engl.⟩. Rom 1959

Moolman, V.: Der Weg nach Kitty Hawk. Amsterdam 1981

Munson, K.: Flugzeuge der Jahre 1903–1914. Zürich 1969

Munson, K.: Jagd- und Schulflugzeuge 1914 bis 1919. Zürich 1976

Neher, F. L.: Das Wunder des Fliegens. München 1936

Nemecek, V.: Militärflugzeuge ⟨tschech.⟩. Band 1: Flugzeuge des ersten Weltkrieges. Prag 1974

Neumann, P.: Flugzeuge. Bielefeld–Leipzig o. J.

Norden, A.: Weltrekord, Weltrekord. Berlin 1940

O'Neil, P.: Flugakrobaten und Rekordjäger. Amsterdam 1981

Pawlas, K. R.: Deutsche Flugzeuge 1914–1918. Nürnberg 1976

Peter, E.: Die k. u. k. Luftschiffer- und Fliegertruppe Österreich – Ungarns 1794–1919. Stuttgart 1981

Pletschacher, P.: Deutsche Sportflugzeuge. Stuttgart 1977

Pletschacher, P.: Die Königlich-Bayerischen Fliegertruppen 1912–1919. Stuttgart 1978

Prendergast, C.: Pioniere der Luftfahrt. Amsterdam 1981

Prochnow, O.: Vogelflug und Flugmaschinen. Leipzig 1910

Reiniger, P.: Luftfahrt. Leipzig – Wien 1913

Robinson, A. (Hrsg.): Berühmte Luftfahrtpioniere ⟨holl.⟩ Rotterdam 1980

Schawrow, W. B.: Geschichte der Flugzeugkonstruktionen in der UdSSR bis zum Jahre 1938 ⟨russ.⟩. Moskau 1978

Schier, W.: Flugzeuge in der Geschichte und ihre Baumuster ⟨poln.⟩. Warschau 1973

Schmitt, G.: Als die Oldtimer flogen. Die Geschichte des Flugplatzes Johannisthal. Berlin 1980

Schmitt, G.: Als in Johannisthal der Motorflug begann... Berlin 1979

Supf, P.: Das Buch der deutschen Fluggeschichte. Band I und II. Berlin-Grunewald 1935

Schwipps, W.: Kleine Geschichte der deutschen Luftfahrt. Berlin ⟨West⟩ 1968

Schwipps, W.: Lilienthal. Berlin ⟨West⟩ 1979

Tuma, J.: Der große Bildatlas des Weltverkehrs. Prag 1978

Vogelsang, C. W.: Die deutschen Flugzeuge in Wort und Bild. Band I und II. Berlin 1913

Vorreiter, A.: Jahrbuch der Luftfahrt. München 1912

Vorreiter, A.: Jahrbuch über die Fortschritte auf allen Gebieten der Luftschiffahrt. München 1911

Vorreiter, A.: Kritik der Drachenflieger. Berlin 1910

Wachtel, J.: Die Aviatiker oder Die tollkühnen Pioniere des Motorfluges. München 1978

Wissmann, G.: Geschichte der Luftfahrt von Ikarus bis zur Gegenwart. Berlin 1966

Zwickau, K.: Auf eigene Rechnung und Gefahr. Berlin 1940

Zykin, A. D.: Vom «Ilja Muromez» zum Raketenträger ⟨russ.⟩. Moskau 1975

Zeitschriften

DAHEIM, Illustrierte Familienzeitschrift. Verlag Velhagen und Klasing. Bielefeld ⟨Jahrgänge 1900 bis 1912⟩

DER KRITIKER. Verlag W. Kunkel. Berlin-Wilmersdorf ⟨Jahrgang 1913⟩

DEUTSCHE LUFTFAHRER-ZEITSCHRIFT. Amtsblatt des Deutschen Luftfahrer-Verbandes. Kommissionsverlag Klasing & Co. Berlin W 9 ⟨Jahrgang 1912⟩

DER LUFTWEG. Illustrierte Wochenzeitschrift für Luftverkehr und Flugsport, Offizielles Organ des Aero-Clubs von Deutschland, Amtsblatt der Deutschen Luftsport-Kommision. Verlag Gustav Braunbeck GmbH. Berlin W 35 ⟨Jahrgang 1920⟩

DIE LUFTFLOTTE. Amtliches Blatt des Deutschen Luftflotten-Vereins, des Studentischen Luftflottenvereins, des Nordmark-Vereins für Motor-Luftfahrt und des Südwestafrikanischen Luftfahrer-Vereins. Verlag Dr. H. Haas'sche Buchdruckerei GmbH. Mannheim/ Verlag Gerhard Stalling. Oldenburg ⟨Jahrgänge 1909 bis 1915⟩

DIE WOCHE. Moderne Illustrierte Zeitschrift. August Scherl GmbH. Berlin SW 68 ⟨Jahrgänge 1900 bis 1912⟩

FLUGSPORT. Illustrierte technische Zeitschrift und Anzeiger für das gesamte Flugwesen, Offizielles Organ der Flugzeugfabrikanten und Flugtechnischen Vereine. Verlag des «Flugsports» Frankfurt/Main ⟨Jahrgänge 1909 bis 1915⟩

Fotos, Karten, Zeichnungen

Fotos, Flugstrecken- und die überwiegende Anzahl der Flugzeugtypenzeichnungen sind Reproduktionen von Originalbildern oder aus zeitgeschichtlichen und luftfahrthistorischen Publikationen. Sie wurden folgenden Bildsammlungen entnommen: Deutsches Museum München ⟨1⟩, Krämer ⟨15⟩, Orts-Chronik Berlin-Treptow ⟨20⟩, Schmitt ⟨317⟩, transpress-Archiv ⟨1⟩.

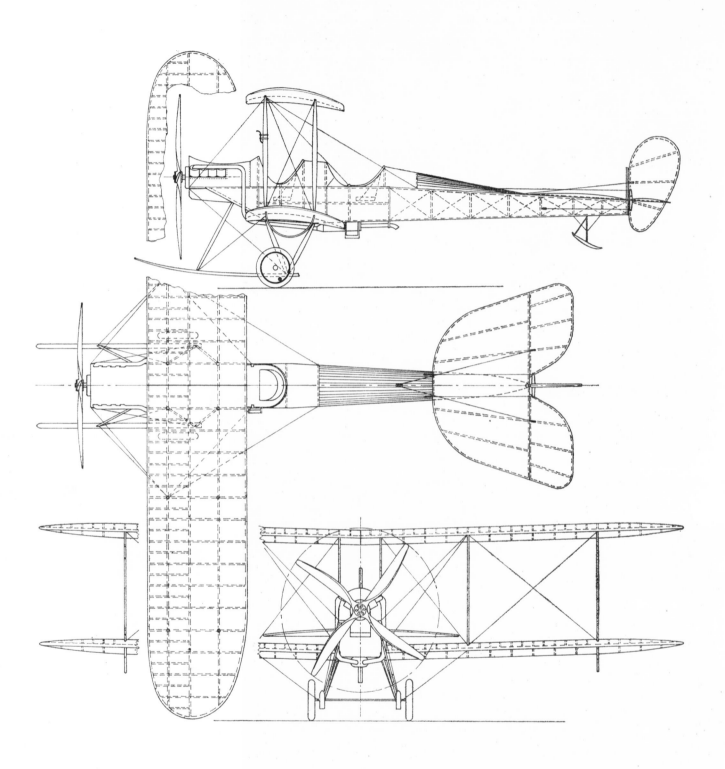

Baumuster von de Havilland;
der Vorgänger ⟨«B.E.1»/1912⟩ war
durch die Umentwicklung eines
Blériot-Eindeckers entstanden.
Die Daten der «B.E.2a» waren:
Spannweite 10,68 m;

Zweisitziger Doppeldecker «B.E.2a»
(1913)

Länge 9,00 m;
Höhe 3,10 m;
Flügelfläche 32,70 m²;
Startmasse 726 kg;
Geschwindigkeit 113 km/h;
Motor: 70-PS⟨51,5 kW⟩-Renault